교재의 특징

술~술 풀리는 개념 문제와 연산 훈련으로
수학의 자신감을 UP하는 **수력충전** 중등 수학

- **핵심 개념만을 한눈에 알기 쉽게 정리하였습니다.**

개념을 이해하기 쉽도록 그림과 표 등을 이용하여 입체적으로 정리하였습니다. 교과서 중요 개념을 한눈에 볼 수 있어 개념 사이의 흐름을 잘 파악할 수 있고, 앞으로 학습할 내용을 준비할 수 있습니다.

- **유형 필수 문제의 반복 연산 학습으로 수학의 기본기를 다집니다.**

주제별 개념과 원리의 핵심만을 쏙 뽑아 문제풀이에 적용하기 쉽도록 설명하였습니다. 또, 단순한 계산 문제의 반복으로 수학의 흥미를 잃게 하는 것이 아니라 '빈칸 채우기', '단계별 과정 완성하기' 등의 간단한 문제로 쉽게 개념을 익힐 수 있도록 하였습니다.

- **단원 총정리 문제로 개념과 유형의 응용 학습을 완벽 마스터합니다.**

핵심 개념을 실전 문제에 적용할 수 있도록 학교 시험에 자주 출제되는 문제를 대단원별로 종합하여 수록하였습니다. 그동안 학습한 내용을 바탕으로 하는 종합 평가 문항이므로 수학 실력을 점검하고 부족한 부분을 보완한다면 수학 실력이 쑥쑥 오르게 될 것입니다.

수학 기본 실력 100% 충전

개념 충전 » 연산 훈련서

중등 수학 2(상)

자이스토리 · 수경출판사

구성과 특징

연산 = 수학이라고는 말할 수 없지만
수학의 기초가 연산이라는 것은 누구도 부인할 수 없습니다.
유인 우주선이 지구로 귀환할 때, 지구로의 입사각을 제대로 계산하지 못하면 우주선은 지구의 대기와 충돌하면서 폭발하거나 영원한 우주미아가 되고 맙니다. 계산은 사람의 생명을 좌지우지할 만큼 중요하기도 하다는 뜻이지요.
"풀이는 다 맞았는데 계산에서 틀렸네? 너무 아까워~."
"나도 그래~. 마지막 계산에서 실수했어. ㅠㅠ"
이런 푸념을 한 번쯤은 해보았을 것입니다.
수학에서 가장 기초이지만, 사람들이 가장 많이 실수하고 놓치는 부분인 연산 능력을 향상시켜서 수학의 기본 실력을 배양하고자 수력충전은 탄생되었습니다.

수력충전의 특징

- 수학의 기초인 연산 능력 강화!
- 수학의 기본기를 다지는 개념, 연산 문제의 반복 연습!
- 개념 및 문제 풀이에 대한 이해를 돕는 단계별 문제 구성!
- 수학의 원리를 스스로 터득하게 하여 자신감 회복!
- 수학의 흥미를 잃은 학생에게 문제를 푸는 재미를 부여!

수력충전의 활용법

- 하루에 풀 양을 정하여 푼다.
- 매일 매일 꾸준히 푼다.
- 실전 시험처럼 푼다.
- 반복하여 푼다.
- 실수하지 않도록 집중해서 푼다.

수력충전은 여러분의 연산력을 극대화하기에 충분합니다.
호랑이도 조그만 토끼를 사냥할 때 온 힘을 다 쓰는 것처럼 비록 쉬운 연산이지만 열심히 푼다면 연산 때문에 낭패를 당하는 일은 없을 것이라 확신합니다. 나아가서 강력한 연산력을 바탕으로 수학 실력이 쑥쑥 오르게 될 것입니다.

이 책의 구성

1 핵심 개념

한눈에 핵심이 되는 개념을 알 수 있도록 그림과 도표로 정리하였습니다.

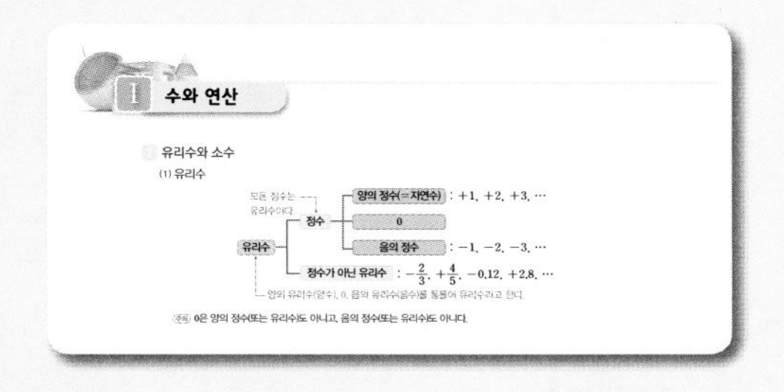

2 핵심 내용정리

반드시 알아야 하는 기본적인 개념과 원리가 설명되어 있습니다. 꼼꼼하게 읽으면서 머릿속에 정리할 수 있게 하였습니다.

- 예 개념의 이해를 돕기 위한 적절한 예를 제시
- 주의 틀리기 쉬운 개념 짚어주기
- 참고 개념을 보충 설명하기
- Tip 문제 풀이에 필요한 핵심 비법 또는 단서를 제공

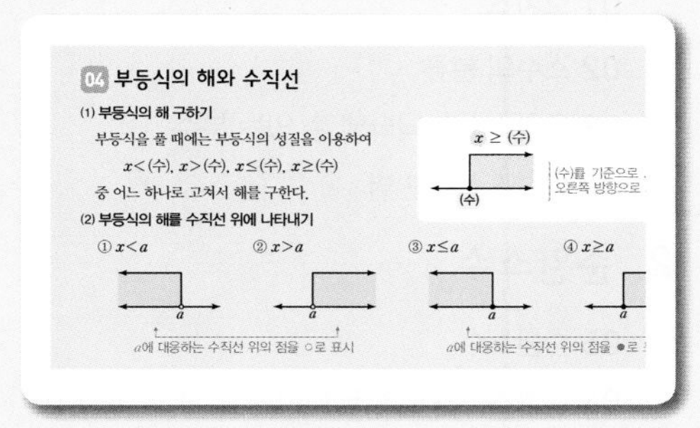

3 개념 적용 / 연산

유형별로 나누어 가장 기본적인 문제를 반복적으로 풀 수 있게 하여 개념을 확실하게 이해할 수 있도록 하였습니다. 또한, 풀이 과정에 있는 빈칸 채우기를 통해 문제해결의 기본 원리를 터득할 수 있습니다.

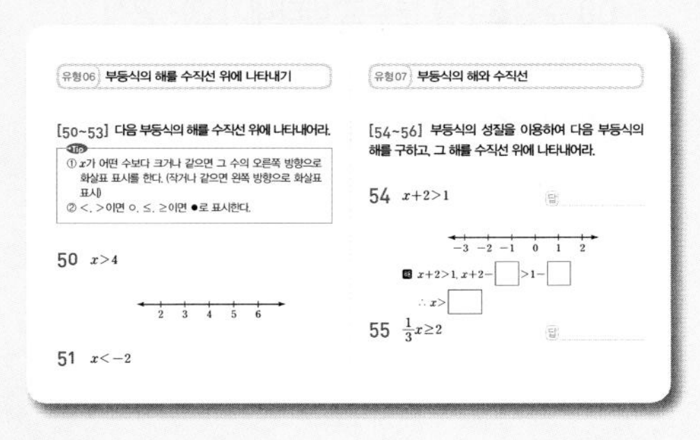

4 개념 체크 문제

각 유형별 학습의 마지막에 개념을 다시 한 번 체크 할 수 있는 코너입니다. 잊기 쉬운 개념을 확실히 기억할 수 있게 해줍니다.

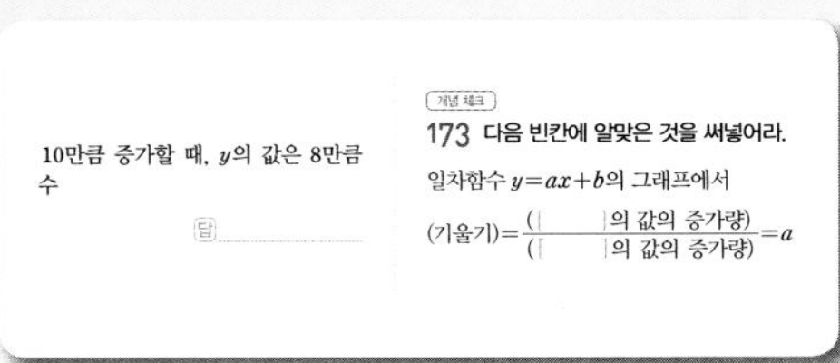

5 단원 총정리

단원에 속한 모든 개념을 총정리 할 수 있는 코너입니다. 여러 개념을 자유자재로 이용해야만 해결할 수 있는 문제로 구성되어 있어 단원 학습을 마무리 하기에 좋은 문제들로 구성되어 있습니다.

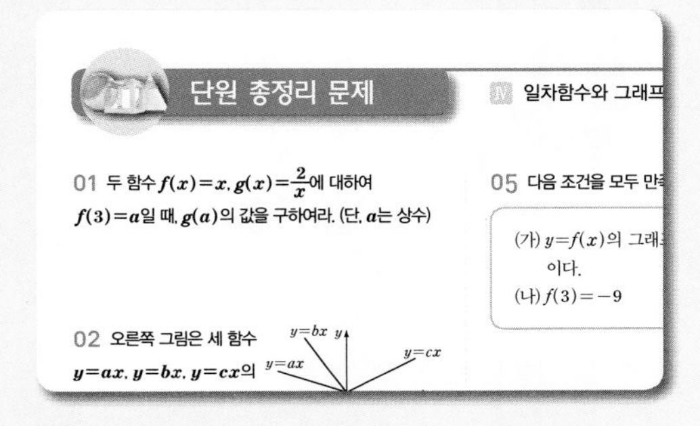

차 례

Ⅰ 수와 연산

Ⅱ 식의 계산

Ⅲ 일차부등식과 연립일차방정식

Ⅳ 일차함수와 그래프

수력충전 학습계획표 27일

★ 하루하루 계획표대로 공부하다 보면 어느덧 개념이 이해되고 수학이 쉬워지게 될 것입니다.

Day	분량(문항 번호)	페이지	틀린 문제 / 헷갈리는 문제 번호 적기	학습 날짜	복습 날짜
1	Ⅰ 01~53	10~15		월 일	월 일
2	Ⅰ 54~99	16~21		월 일	월 일
3	Ⅰ 100~140	22~27		월 일	월 일
4	Ⅰ 단원 총정리 문제	28~29		월 일	월 일
5	Ⅱ 01~50	34~37		월 일	월 일
6	Ⅱ 51~106	38~42		월 일	월 일
7	Ⅱ 107~151	43~46		월 일	월 일
8	Ⅱ 152~198	47~50		월 일	월 일
9	Ⅱ 199~246	51~55		월 일	월 일
10	Ⅱ 단원 총정리 문제	56~57		월 일	월 일
11	Ⅲ 01~77	62~69		월 일	월 일
12	Ⅲ 78~123	70~77		월 일	월 일
13	Ⅲ 124~180	78~84		월 일	월 일
14	Ⅲ 181~219	85~90		월 일	월 일
15	Ⅲ 220~249	91~95		월 일	월 일
16	Ⅲ 250~276	96~99		월 일	월 일
17	Ⅲ 277~286	100~104		월 일	월 일
18	Ⅲ 287~299	105~109		월 일	월 일
19	Ⅲ 단원 총정리 문제	110~111		월 일	월 일
20	Ⅳ 01~81	116~123		월 일	월 일
21	Ⅳ 82~137	124~131		월 일	월 일
22	Ⅳ 138~190	132~139		월 일	월 일
23	Ⅳ 191~243	140~146		월 일	월 일
24	Ⅳ 244~272	147~151		월 일	월 일
25	Ⅳ 273~324	152~158		월 일	월 일
26	Ⅳ 325~366	159~165		월 일	월 일
27	Ⅳ 단원 총정리 문제	166~169		월 일	월 일

Ⅰ 수와 연산

Ⅰ-1 유리수와 소수

01 유리수
02 소수의 분류
03 유한소수로 나타낼 수 있는 분수
04 유한소수의 판별

Ⅰ-2 순환소수

05 순환소수
06 순환소수를 분수로 나타내기(1)
07 순환소수를 분수로 나타내기(2)
08 순환소수를 분수로 나타내기(3) – 공식
09 순환수의 대소 관계
10 유리수와 소수의 관계

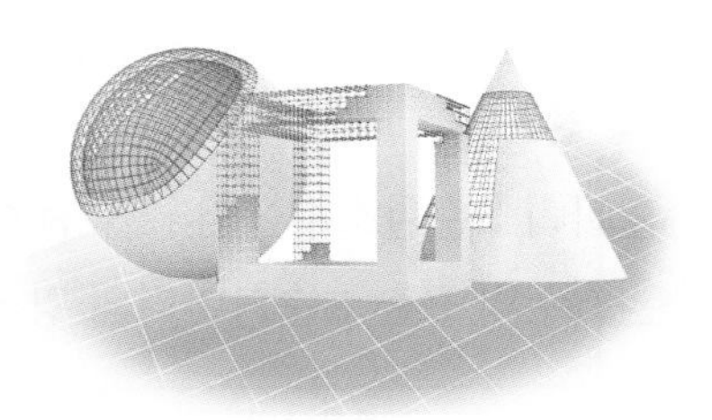

I 수와 연산

1 유리수와 소수

(1) 유리수

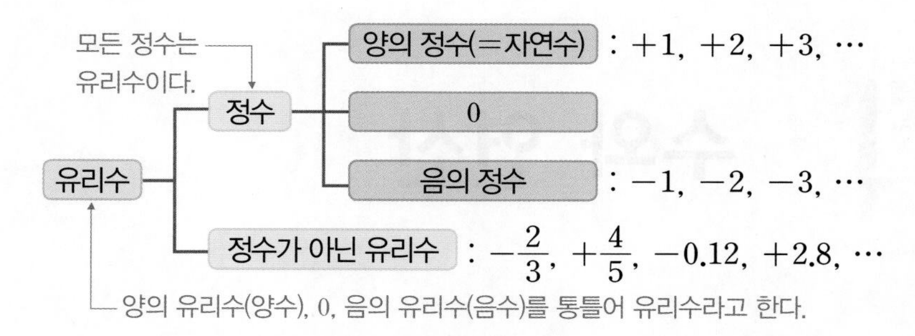

주의 0은 양의 정수(또는 유리수)도 아니고, 음의 정수(또는 유리수)도 아니다.

(2) 소수의 분류

① 유한소수 : 소수점 아래의 0이 아닌 숫자가 유한개인 소수

② 무한소수 : 소수점 아래의 0이 아닌 숫자가 무한히 계속되는 소수

2 유한소수로 나타낼 수 있는 분수

(1) 분수를 유한소수로 나타내는 방법

분모의 소인수가 2나 5뿐인 기약분수는 분자, 분모에 2 또는 5의 거듭제곱을 적당히 곱하여 분모를 10의 거듭제곱으로 고쳐서 유한소수로 나타낼 수 있다.

(2) 유한소수로 나타낼 수 있는 분수

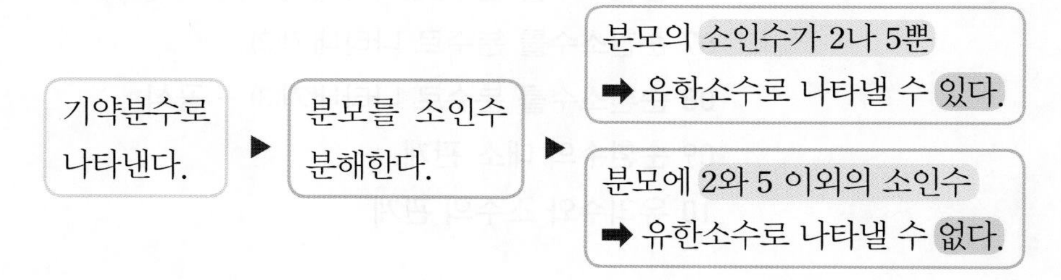

3 순환소수

(1) 순환소수 : 무한소수 중 소수점 아래의 어떤 자리에서부터 일정한 숫자의 배열이 한없이 되풀이되는 소수

(2) 순환마디 : 순환소수에서 소수점 아래의 숫자의 배열이 되풀이되는 한 부분

(3) 순환소수의 표현 : 순환마디의 양 끝의 숫자 위에 점을 찍어 나타낸다.

예

순환소수	순환마디	순환소수의 표현
0.333⋯	3	$0.\dot{3}$
2.060606⋯	06	$2.\dot{0}\dot{6}$
3.1623623623	623	$3.1\dot{6}2\dot{3}$

4 순환소수를 분수로 나타내는 방법 (1) – 등식의 성질을 이용

$x=0.\dot{4}=0.444\cdots$

$$\begin{array}{rl} 10x=4.444\cdots \\ -)\quad x=0.444\cdots \\ \hline 9x=4 \end{array}$$

소수 부분이 같은 두 식

$\therefore x=\frac{4}{9}$

(i) 순환소수를 x로 놓는다.

(ii) 양변에 10의 거듭제곱을 곱하여 소수 부분이 같은 두 식을 만든다.

(iii) 두 식을 변끼리 빼어 소수점 이하를 없앤다.

(iv) x의 값을 구한다. 이때, x는 기약분수로 나타낸다.

5 순환소수를 분수로 나타내는 방법 (2) – 공식을 이용

(1) 분모 : 순환마디의 숫자의 개수만큼 9를 쓰고, 그 뒤에 소수점 아래에서 순환하지 않는 숫자의 개수만큼 0을 쓴다.

(2) 분자 : (전체의 수)−(순환하지 않는 수)

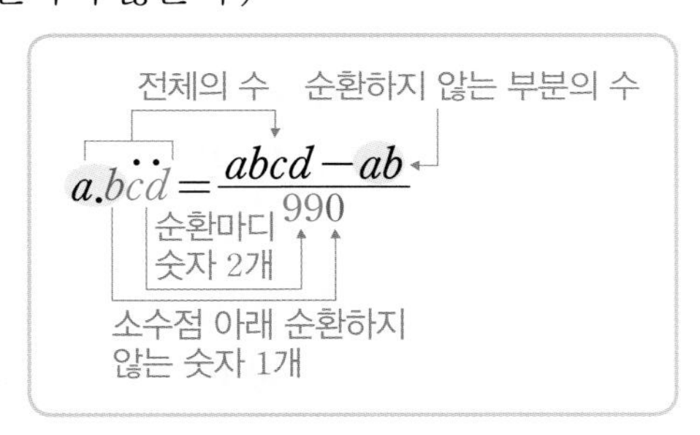

6 유리수와 소수의 관계

유한소수와 순환소수는 분수로 나타낼 수 있으므로 유리수이다.

소수 { 유한소수 → 유리수
무한소수 { 순환소수 → 유리수
순환하지 않는 무한소수 → 유리수가 아니다.

* 정답 및 해설 p. 2

Ⅰ-1 유리수와 소수

01 유리수

(1) **유리수** : 분수 $\frac{b}{a}$(a, b는 정수, $a\neq0$)의 꼴로 나타낼 수 있는 수

(2) **유리수의 분류**

$$\text{유리수}\begin{cases}\text{정수}\begin{cases}\text{양의 정수}(=\text{자연수})\\0\\\text{음의 정수}\end{cases}\\\text{정수가 아닌 유리수}\end{cases}$$

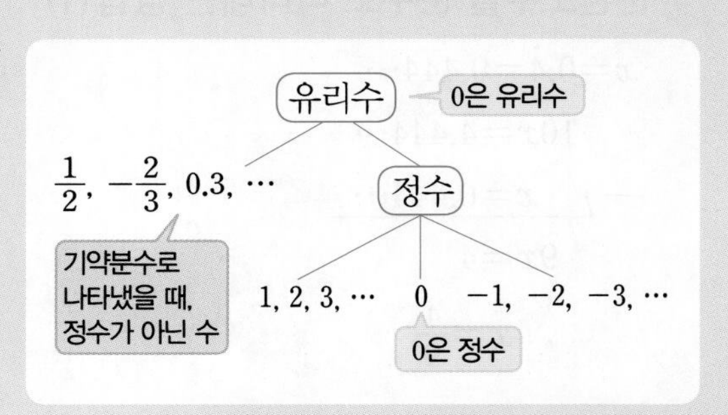

유형01 **유리수의 분류**

01 아래의 수에 대하여 다음을 모두 구하여라.

4,	0,	$-\frac{1}{3}$,	2.5
$\frac{12}{6}$,	-3.08,	$\frac{7}{8}$,	-1

1) 자연수 답

2) 정수 답

3) 정수가 아닌 유리수 답

4) 양의 유리수 답

5) 음의 유리수 답

6) 유리수 답

02 다음 주어진 수가 해당하는 영역의 기호를 써넣어라.

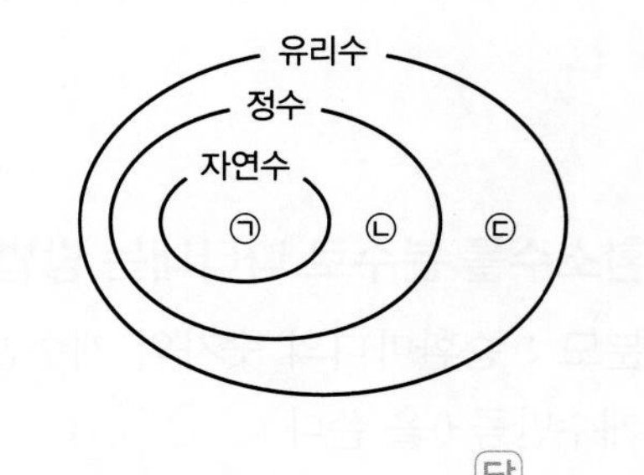

1) 2 답

2) $\frac{3}{5}$ 답

3) 0 답

4) -1 답

개념 체크

03 다음 빈칸에 알맞은 것을 써넣어라.

분수 $\frac{a}{b}$(a, b는 정수, $b\neq0$)의 꼴로 나타낼 수 있는 수를 [ ]라고 하며 이 수는 [ ]와 정수가 아닌 유리수로 이루어져 있다.

* 정답 및 해설 p. 2

I -1 유리수와 소수

02 소수의 분류

(1) **유한소수** : 소수점 아래에 0이 아닌 숫자가 유한 개인 소수

(2) **무한소수** : 소수점 아래에 0이 아닌 숫자가 무한히 계속되는 소수

$\frac{9}{20}=0.45$ 끝! — 유한소수

계속 된다는 의미

$\frac{2}{3}=0.666\cdots$ 끝이 없다. — 무한소수

유형02 분수를 소수로 나타내기

[04~09] 다음 분수를 소수로 나타내어라.

04 $\frac{1}{2}$

답 ....

해 $1\div2=$ ☐

05 $\frac{3}{10}$

답 ....

06 $\frac{7}{20}$

답 ....

07 $\frac{1}{3}$

답 ....

해 $1\div3=$ ☐

08 $\frac{4}{9}$

답 ....

09 $\frac{5}{6}$

답 ....

유형03 유한소수와 무한소수의 구별

[10~14] 다음 소수가 유한소수면 '유', 무한소수면 '무'를 써넣어라.

10 0.2

답 ....

해 소수점 아래의 0이 아닌 숫자가 유한 개인가? — 예 → 유한소수 / 아니오 → 무한소수

11 0.333⋯

답 ....

12 0.24

답 ....

13 3.786

답 ....

14 4.2323⋯

답 ....

개념 체크

15 다음 빈칸에 알맞은 것을 써넣어라.

소수점 아래의 [ ]이 아닌 숫자가 유한개인 소수를 [ ]라 하고, 소수점 아래의 [ ]이 아닌 숫자가 무한히 계속되는 소수를 [ ]라고 한다.

03 유한소수로 나타낼 수 있는 분수

유한소수의 분수 표현

① 모든 유한소수는 분모가 10의 거듭제곱인 분수로 나타낼 수 있다.

② 유한소수를 기약분수로 나타내면 분모의 소인수는 2나 5뿐이다.

기약분수 → $\frac{(\text{분자})}{(\text{분모})}$ ⇒ 유한소수

소인수가 2 또는 5 뿐

참고 분모의 소인수가 2나 5뿐이면 분모와 분자에 2 또는 5의 거듭제곱을 곱하여 분모를 10의 거듭제곱으로 나타낼 수 있다.

유형04 유한소수를 분수로 나타내기

[16~25] 다음 소수를 기약분수로 나타내어라.

16 0.9

답

해 $0.9=\frac{\square}{10}$

17 -0.6

답

해 $-0.6=-\frac{\square}{10}=-\frac{\square}{5}$

18 0.12

답

19 0.75

답

20 1.8

답

21 -3.14

답

22 0.152

답

23 1.85

답

24 -6.25

답

25 1.024

답

유형 05 10의 거듭제곱을 이용하여 분수를 소수로 나타내기

[26~33] 다음은 10의 거듭제곱을 이용하여 분수를 소수로 나타내는 과정이다. □ 안에 알맞은 수를 써넣어라.

26 $\frac{1}{5}=\frac{1\times\square}{5\times\square}=\frac{2}{10}=0.2$

해 기약분수의 분모를 소인수분해하여 소인수 □와 □의 지수가 같아지도록 분모, 분자에 같은 수를 곱해서 분모를 10의 거듭제곱으로 나타낸다.

27 $\frac{1}{8}=\frac{1}{2^3}=\frac{1\times\square}{2^3\times\square}=\frac{125}{10^3}=0.125$

28 $-\frac{2}{25}=-\frac{2}{5^2}=-\frac{2\times\square}{5^2\times\square}$

$=-\frac{\square}{10^2}=-\square$

29 $\frac{3}{20}=\frac{3}{2^2\times5}=\frac{3\times\square}{2^2\times5\times\square}$

$=\frac{\square}{10^2}=\square$

30 $\frac{3}{50}=\frac{3}{2\times5^2}=\frac{3\times\square}{2\times5^2\times\square}$

$=\frac{\square}{10^2}=\square$

31 $\frac{1}{40}=\frac{1}{2^3\times5}=\frac{1\times\square}{2^3\times5\times\square}$

$=\frac{\square}{\square}=\square$

32 $-\frac{7}{200}=-\frac{7}{2^3\times5^2}=-\frac{7\times\square}{2^3\times5^2\times\square}$

$=-\frac{\square}{\square}=-\square$

33 $\frac{11}{250}=\frac{11}{2\times5^3}=\frac{11\times\square}{2\times5^3\times\square}$

$=\frac{\square}{\square}=\square$

개념 체크

34 다음 빈칸에 알맞은 것을 써넣어라.

유한소수를 기약분수로 나타내면 분모의 소인수는 [ ]나 [ ]뿐이다.

04 유한소수의 판별

분수를 기약분수로 나타낸 후 분모를 소인수분해했을 때,

① 분모의 소인수가 2나 5뿐이면 유한소수로 나타낼 수 있다.

② 분모의 소인수 중에 2나 5 이외의 소인수가 있으면 유한소수로 나타낼 수 없다. ⇒ 무한소수가 된다.

주의 유한소수를 판별할 때, 반드시 기약분수로 고친 후 분모를 소인수분해한다.

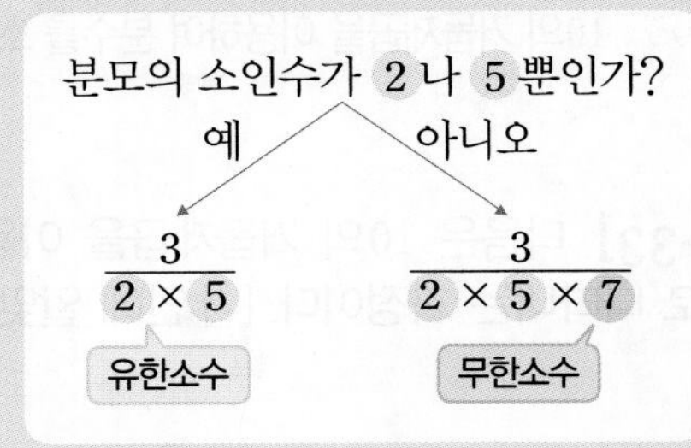

유형 06 유한소수 판별하기

[35~47] 다음 분수를 소수로 나타낼 때, 유한소수로 나타낼 수 있는 것은 '유', 무한소수로 나타낼 수 있는 것은 '무'를 써넣어라.

35 $\frac{1}{5^2}$ 답 ....

해 ❶ 이 분수는 기약분수인가? (예, 아니오)
❷ 분모의 소인수가 2나 5뿐인가? (예, 아니오)
❸ 이 분수는 (유한소수, 무한소수)로 나타내어진다.

36 $\frac{5}{2^2\times3}$ 답 ....

해 ❶ 이 분수는 기약분수인가? (예, 아니오)
❷ 분모의 소인수가 2나 5뿐인가? (예, 아니오)
❸ 이 분수는 (유한소수, 무한소수)로 나타내어진다.

37 $\frac{1}{2^2\times5}$ 답 ....

38 $\frac{11}{2\times3\times5}$ 답 ....

39 $\frac{28}{2\times5\times7}$ 답 ....

해 ❶ 이 분수는 기약분수가 아니므로 약분하면

$\frac{28}{2\times5\times7}=\frac{\square}{5}$

❷ 분모의 소인수가 2나 5뿐인가? (예, 아니오)
❸ 이 분수는 (유한소수, 무한소수)로 나타내어진다.

40 $\frac{15}{2^2\times5\times7^2}$ 답 ....

41 $\frac{21}{2\times5\times7^2}$ 답 ....

42 $\frac{3}{72}$ 답 ....

해 $\frac{3}{72}=\frac{\square}{24}=\frac{\square}{2^3\times3}$

분모에 2나 5 이외의 소인수 $\square$이 있으므로 분모를 10의 거듭제곱 꼴인 분수로 나타낼 수 없다.

즉, $\square$소수로 나타낼 수 없다.

43 $\frac{6}{56}$ 답 ....

해 $\frac{6}{56}=\frac{3}{\square}=\frac{3}{2^2\times\square}$

44 $\frac{9}{60}$ 답 ....

해 $\frac{9}{60}=\frac{3}{\square}=\frac{3}{\square\times5}$

45 $\frac{10}{144}$ 답 ....

46 $\frac{33}{240}$ 답 ....

47 $\frac{27}{120}$ 답 ....

유형07 유한소수가 되도록 하는 미지수의 값

[48~52] 다음 유리수가 유한소수로 나타내어질 때, a의 값이 될 수 있는 가장 작은 자연수를 구하여라.

48 $\frac{a}{2\times3}$ 답 ....

해 기약분수의 분모에 2나 5 이외의 소인수가 없도록 해야 한다. 따라서 기약분수의 분모의 소인수 중에서 2나 5가 아닌 수를 모두 곱한 수가 a이므로 $a=3$

49 $\frac{a}{2\times5^2\times7}$ 답 ....

50 $\frac{39\times a}{2\times3^2\times5}$ 답 ....

해 $\frac{39\times a}{2\times3^2\times5}=\frac{\square\times a}{2\times\square\times5}$

분모의 소인수 중에서 2나 5가 아닌 3을 곱해야 유한소수로 나타낼 수 있으므로 $a=\square$

51 $\frac{5}{18}\times a$ 답 ....

해 $\frac{5}{18}\times a=\frac{5}{2\times3^2}\times a$

분모의 소인수 중에서 2나 5가 아닌 9를 곱해야 유한소수로 나타낼 수 있으므로 $a=\square$

52 $\frac{63}{330}\times a$ 답 ....

개념 체크

53 다음 빈칸에 알맞은 것을 써넣어라.

분수를 [ ]분수로 나타낸 후 분모를 [ ]했을 때, 분모의 소인수가 2나 5뿐인 기약분수는 [ ]소수로 나타낼 수 있다.

I -2 순환소수

05 순환소수

(1) **순환소수** : 소수점 아래의 어떤 자리에서부터 일정한 숫자의 배열이 한없이 되풀이되는 무한소수

예 0.222⋯, 0.123123123⋯

(2) **순환마디** : 순환소수의 소수점 아래에서 숫자의 배열이 일정하게 되풀이되는 한 부분

(3) **순환소수의 표현** : 순환마디의 양 끝의 숫자 위에 점을 찍어 나타낸다.

예 $0.252525\cdots=0.\dot{2}\dot{5}$

순환소수 : 3.41212⋯

순환마디 12 양 끝 양 끝

순환소수의 표현 : $3.4\dot{1}\dot{2}$

참고 소수의 분류 (① 끝이 있는가? ② 끝이 없다면 순환하는가 순환하지 않는가?)

소수
- 유한소수
- 무한소수
  - 순환소수
  - 순환하지 않는 무한소수

유형08 순환소수

[54~58] 다음 소수가 순환소수인 것은 ○표, 순환하지 않는 무한소수인 것은 ×표를 하여라.

54 0.555⋯ 답

해 ❶ 소수점 아래의 어떤 자리에서부터 일정한 숫자의 배열이 한없이 되풀이되는가? (예, 아니오)
❷ 이 소수는 순환소수인가? (예, 아니오)

55 1.234234⋯ 답

56 0.32323321⋯ 답

해 ❶ 소수점 아래의 어떤 자리에서부터 일정한 숫자의 배열이 한없이 되풀이되는가? (예, 아니오)
❷ 이 소수는 순환소수인가? (예, 아니오)

57 3.14592⋯ 답

58 1.00035⋯ 답

유형09 순환마디

[59~63] 다음 순환소수의 순환마디를 말하여라.

59 0.333⋯

답

60 0.717171⋯

답

61 0.93535⋯

답

62 1.234234⋯

답

63 1.508508⋯

답

유형10 순환소수의 표현

[64~69] 다음 순환소수를 순환마디를 써서 간단히 나타내어라.

64 0.444…

답

65 0.3111…

답

66 0.575757…

답

67 0.96363…

답

68 0.123123…

답

69 3.241241…

답

유형11 분수를 순환소수로 나타내기

[70~75] 다음 분수를 소수로 고친 후 순환마디를 써서 간단히 나타내어라.

70 $\frac{8}{9}$

답

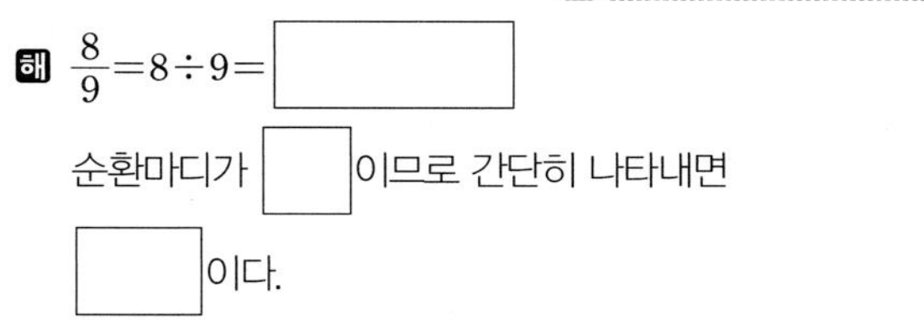

71 $\frac{1}{9}$

답

72 $\frac{2}{3}$

답

73 $\frac{5}{6}$

답

74 $\frac{8}{11}$

답

75 $\frac{5}{12}$

답

유형12 소수점 아래의 n번째 자리의 숫자 구하기

[76~77] 다음은 주어진 순환소수의 소수점 아래 40번째 자리의 숫자를 구하는 과정이다. □ 안에 알맞은 수를 써넣고, 옳은 문장을 완성하여라.

76 $0.\dot{2}\dot{3}$

해 $0.\dot{2}\dot{3}$의 순환마디의 숫자의 개수는 2, 3의 2개이므로

$40=\square\times 20$

따라서 $0.\dot{2}\dot{3}$의 소수점 아래 40번째 자리의 숫자는 순환마디의 (1번째, 2번째) 자리의 숫자와 같은 □이다.

77 $0.\dot{6}5\dot{4}$

해 $0.\dot{6}5\dot{4}$의 순환마디의 숫자의 개수는 6, 5, 4의 3개이므로

$40=3\times 13+\square$

따라서 $0.\dot{6}5\dot{4}$의 소수점 아래 40번째 자리의 숫자는 순환마디의 (1번째, 2번째, 3번째) 자리의 숫자와 같은 □이다.

78 분수 $\frac{5}{11}$에 대하여 다음 물음에 답하여라.

1) 분수 $\frac{5}{11}$를 소수로 나타낸 후 순환마디를 써서 간단히 나타내어라.

답 ....

2) 분수 $\frac{5}{11}$를 소수로 나타내었을 때, 소수점 아래 25번째 자리의 숫자를 구하여라.

답 ....

유형13 유한소수와 순환소수의 판별

[79~82] 다음 □ 안에 알맞은 수를 써넣고, 옳은 문장을 완성하여라.

79 $\frac{1}{20}=\frac{1}{2^2\times 5}$

해 ❶ 분모의 소인수가 2와 □뿐이다.

❷ (유한소수, 순환소수)로 나타낼 수 있다.

80 $\frac{7}{30}=\frac{7}{2\times\square\times 5}$

해 ❶ 분모에 2나 5 이외의 소인수 □이 있다.

❷ (유한소수, 순환소수)로 나타낼 수 있다.

81 $\frac{15}{168}=\square=\frac{5}{2^{\square}\times\square}$

해 분모에 2나 5 이외의 소인수 □이 있으므로 (유한소수, 순환소수)로 나타낼 수 있다.

82 $\frac{63}{330}=\square=\frac{21}{2\times 5\times\square}$

해 분모에 2나 5 이외의 소인수 □이 있으므로 (유한소수, 순환소수)로 나타낼 수 있다.

개념 체크

83 다음 빈칸에 알맞은 것을 써넣어라.

소수점 아래의 어떤 자리에서부터 일정한 숫자의 배열이 한없이 되풀이되는 무한소수를 [ ]라 한다. 순환소수의 소수점 아래에서 숫자의 배열이 일정하게 되풀이되는 한 부분을 [ ]라 하며, 순환마디의 양 끝의 숫자 [ ]에 점을 찍어 나타낸다.

* 정답 및 해설 p. 6

06 순환소수를 분수로 나타내기 (1)

소수점 아래 첫째 자리부터 순환마디가 시작되는 순환소수는 다음과 같이 분수로 나타낼 수 있다.

(ⅰ) 순환소수를 x로 놓는다.

(ⅱ) 순환마디의 숫자의 개수만큼 10의 거듭제곱을 양변에 곱하여 소수 첫째 자리부터 소수 부분을 같게 만든다.

(ⅲ) 위의 두 식을 변끼리 빼서 x의 값을 구한다.

순환소수 $0.\dot{3}$을 분수로 나타내기

x=(순환소수) $x=0.333\cdots$ $\cdots$ ㉠

㉠×10 : $10x=3.333\cdots$ $\cdots$ ㉡ ← 소수점 아래 첫째 자리부터 소수 부분 같게 하기

㉡−㉠을 하면

$9x=3$ $\therefore x=\dfrac{1}{3}$

유형14 순환소수의 분수 표현(1)

[84~85] 다음은 순환소수를 분수로 나타내는 과정이다. □ 안에 알맞은 수를 써넣어라.

84 $0.\dot{7}$

(ⅰ) 순환소수를 x로 놓는다.

$0.\dot{7}$을 x로 놓으면

$x=0.777\cdots$ $\cdots$ ㉠

(ⅱ) 순환마디의 숫자의 개수만큼 10의 거듭제곱을 양변에 곱한다.

$0.\dot{7}$의 순환마디는 7로 그 개수가 1개이므로 ㉠의 양변에 □을 곱하면

□$x=7.777\cdots$ $\cdots$ ㉡

(ⅲ) 두 식을 변끼리 빼서 x의 값을 구한다.

㉡에서 ㉠을 빼면

$$\begin{array}{r} \square x=7.777\cdots \\ -)\quad x=0.777\cdots \\ \hline \square x=7 \end{array}$$

$\therefore x=$□

85 $1.\dot{4}\dot{9}$

(ⅰ) 순환소수를 x로 놓는다.

$1.\dot{4}\dot{9}$를 x로 놓으면

$x=1.4949\cdots$ $\cdots$ ㉠

(ⅱ) 순환마디의 숫자의 개수만큼 10의 거듭제곱을 양변에 곱한다.

$1.\dot{4}\dot{9}$의 순환마디는 □로 그 개수가 2개이므로 ㉠의 양변에 □을 곱하면

□$x=149.4949\cdots$ $\cdots$ ㉡

(ⅲ) 두 식을 변끼리 빼서 x의 값을 구한다.

㉡에서 ㉠을 빼면

$$\begin{array}{r} \square x=149.4949\cdots \\ -)\quad x=\quad 1.4949\cdots \\ \hline \square x=\square \end{array}$$

$\therefore x=$□

[86~91] 다음은 순환소수를 분수로 나타내는 과정이다. □ 안에 알맞은 수를 써넣어라.

86 $0.\dot{5}$

$x=0.\dot{5}=0.555\cdots$로 놓으면

$$\begin{array}{rl} 10x&=5.555\cdots \\ -)\quad x&=0.555\cdots \\ \hline \square\, x&=\square \end{array}$$

$\therefore x=\square$

87 $0.\dot{3}\dot{4}$

$x=0.\dot{3}\dot{4}=0.3434\cdots$로 놓으면

$$\begin{array}{rl} \square\, x&=34.3434\cdots \\ -)\quad x&=\ \ 0.3434\cdots \\ \hline \square\, x&=34 \end{array}$$

$\therefore x=\square$

88 $0.\dot{2}1\dot{5}$

$x=0.\dot{2}1\dot{5}=0.215215\cdots$로 놓으면

$$\begin{array}{rl} \square\, x&=215.215215\cdots \\ -)\quad x&=\ \ \ \ 0.215215\cdots \\ \hline \square\, x&=215 \end{array}$$

$\therefore x=\square$

89 $2.\dot{8}$

$x=2.\dot{8}=2.888\cdots$로 놓으면

$$\begin{array}{rl} \square\, x&=28.888\cdots \\ -)\quad x&=\ \ 2.888\cdots \\ \hline \square\, x&=26 \end{array}$$

$\therefore x=\square$

90 $3.\dot{1}\dot{2}$

$x=3.\dot{1}\dot{2}=3.1212\cdots$로 놓으면

$$\begin{array}{rl} \square\, x&=312.1212\cdots \\ -)\quad x&=\ \ \ \ 3.1212\cdots \\ \hline \square\, x&=\square \end{array}$$

$\therefore x=\square=\square$

91 $1.\dot{4}0\dot{3}$

$x=1.\dot{4}0\dot{3}=1.403403\cdots$으로 놓으면

$$\begin{array}{rl} \square\, x&=1403.403403\cdots \\ -)\quad x&=\ \ \ \ \ \ 1.403403\cdots \\ \hline \square\, x&=\square \end{array}$$

$\therefore x=\square$

[92~94] 다음 순환소수를 10의 거듭제곱을 이용하여 기약분수로 나타내어라.

92 $4.\dot{6}$

답 ______

93 $0.\dot{5}\dot{3}$

답 ______

94 $1.\dot{1}2\dot{3}$

답 ______

[95~98] 다음 순환소수를 x로 놓고 분수로 나타낼 때, [보기] 중 가장 편리한 식을 찾아 그 기호를 써라.

[보기]
ㄱ $10x-x$ ㄴ $100x-x$ ㄷ $1000x-x$

95 $0.\dot{7}$

답 ______

96 $1.\dot{2}\dot{7}$

답 ______

97 $0.\dot{1}7\dot{3}$

답 ______

98 $3.\dot{5}2\dot{1}$

답 ______

개념 체크

99 다음 빈칸에 알맞은 것을 써넣어라.

소수점 아래 [   ] 자리부터 순환마디가 시작되는 순환소수를 분수로 나타내려면

(i) 순환소수를 [   ]로 놓는다.

(ii) 양변에 순환마디의 숫자의 개수만큼 [   ]의 거듭제곱을 곱하여 소수 [   ] 자리부터 [   ]부분을 같게 만든다.

(iii) (i), (ii)의 두 식을 변끼리 [   ] x의 값을 구한다.

07 순환소수를 분수로 나타내기 (2)

소수점 아래 첫째 자리부터 순환마디가 시작되지 않는 순환소수는 다음과 같이 분수로 나타낼 수 있다.

(i) 순환소수를 x로 놓는다.

(ii) (i)의 양변에 소수점 아래의 순환하지 않는 숫자의 개수를 a, 순환마디의 숫자의 개수를 b라 하면 $a+b$만큼 10의 거듭제곱을 곱한다.

(iii) (i)의 양변에 a만큼 10의 거듭제곱을 곱한다.

(iv) 위의 (ii), (iii)의 두 식을 변끼리 빼서 x의 값을 구한다.

순환소수 $0.1\dot{2}$를 분수로 나타내기

x=(순환소수) → $x=0.1222\cdots$ ⋯ ㉠

㉠$\times 100$: $100x=12.222\cdots$ ⋯ ㉡

㉠$\times 10$: $10x=1.222\cdots$ ⋯ ㉢

소수 부분이 같은 두 수의 차는 정수가 되므로 소수점 아래 첫째 자리부터 소수 부분을 같게 한다.

㉡−㉢을 하면 $90x=11$이므로 $x=\frac{11}{90}$

유형15 순환소수의 분수 표현 (2)

[100~101] 다음은 순환소수를 분수로 나타내는 과정이다. 소수점 아래의 순환하지 않는 숫자의 개수를 a, 순환마디의 숫자의 개수를 b라 할 때, □ 안에 알맞은 수를 써넣어라.

100 $0.3\dot{2}$

(i) 순환소수를 x로 놓는다.

$0.3\dot{2}$를 x로 놓으면

$x=0.3222\cdots$ ⋯ ㉠

(ii) ㉠의 양변에 $a+b$만큼 10의 거듭제곱을 곱한다.

$0.3\dot{2}$에서 소수점 아래의 순환하지 않는 숫자는 3으로 $a=1$이고, 순환마디는 2로 $b=1$이다. 즉, ㉠의 양변에 □을 곱하면

□$x=32.222\cdots$ ⋯ ㉡

(iii) ㉠의 양변에 a만큼 10의 거듭제곱을 곱한다.

㉠의 양변에 □을 곱하면

□$x=3.222\cdots$ ⋯ ㉢

(iv) 두 식을 변끼리 빼서 x의 값을 구한다.

㉡에서 ㉢을 빼면

□$x=32.222\cdots$

−) □$x=3.222\cdots$

□$x=29$ ∴ $x=$□

101 $0.4\dot{3}\dot{2}$

(i) 순환소수를 x로 놓는다.

$0.4\dot{3}\dot{2}$를 x로 놓으면

$x=0.43232\cdots$ ⋯ ㉠

(ii) ㉠의 양변에 $a+b$만큼 10의 거듭제곱을 곱한다.

$0.4\dot{3}\dot{2}$에서 소수점 아래의 순환하지 않는 숫자는 □로 $a=1$이고, 순환마디는 □로 $b=2$이다. 즉, ㉠의 양변에 □을 곱하면

□$x=432.3232\cdots$ ⋯ ㉡

(iii) ㉠의 양변에 a만큼 10의 거듭제곱을 곱한다.

㉠의 양변에 □을 곱하면

□$x=4.3232\cdots$ ⋯ ㉢

(iv) 두 식을 변끼리 빼서 x의 값을 구한다.

㉡에서 ㉢을 빼면

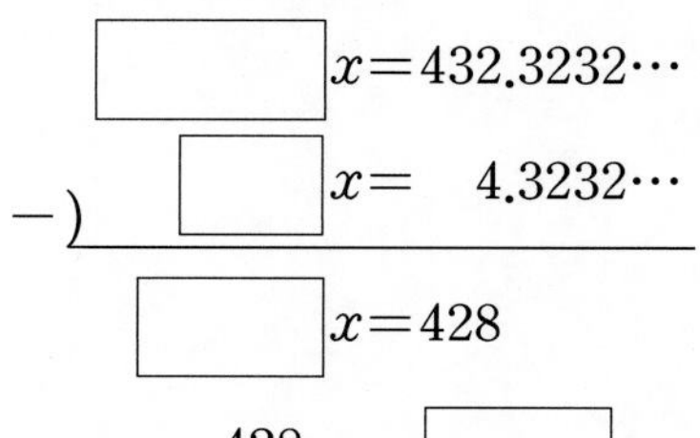

□$x=432.3232\cdots$

−) □$x=4.3232\cdots$

□$x=428$

∴ $x=\frac{428}{□}=$□

[102~107] 다음은 순환소수를 분수로 나타내는 과정이다. □ 안에 알맞은 수를 써넣어라.

102 $0.5\dot{2}$

$x=0.5\dot{2}=0.5222\cdots$로 놓으면

$$\begin{array}{rl} 100x &= 52.222\cdots \\ -)\ \square\, x &= \ \ 5.222\cdots \\ \hline \square\, x &= 47 \end{array}$$

$\therefore\ x=\square$

103 $0.1\dot{3}$

$x=0.1\dot{3}=0.1333\cdots$으로 놓으면

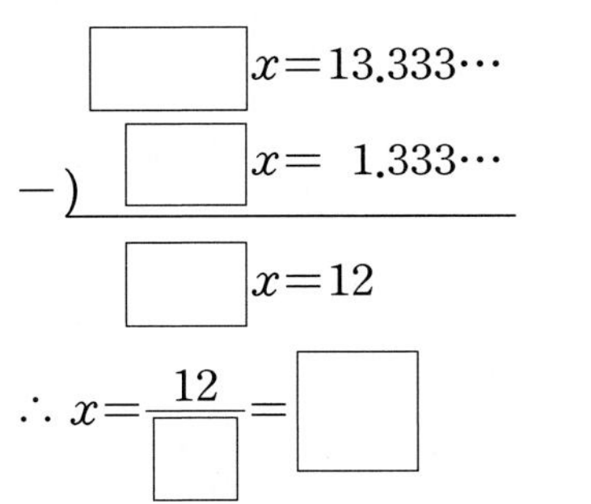

104 $0.1\dot{3}\dot{4}$

$x=0.1\dot{3}\dot{4}=0.13434\cdots$로 놓으면

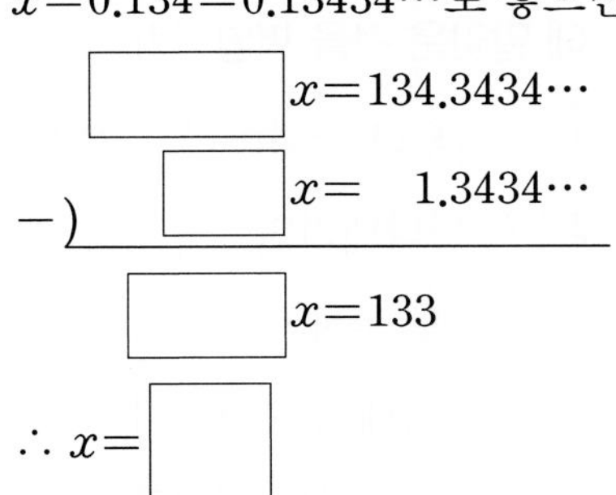

105 $0.47\dot{5}$

$x=0.47\dot{5}=0.47555\cdots$로 놓으면

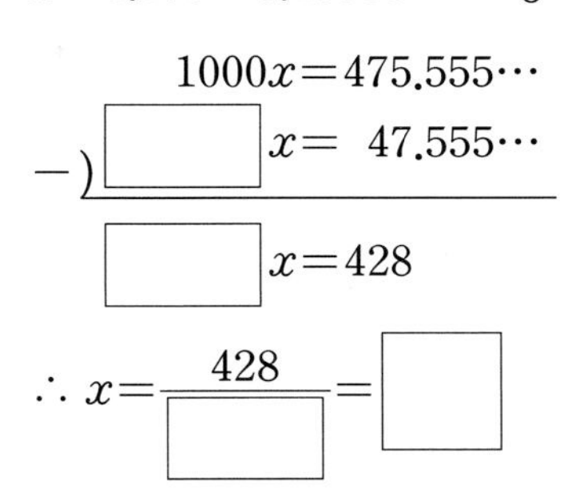

106 $2.5\dot{4}$

$x=2.5\dot{4}=2.5444\cdots$로 놓으면

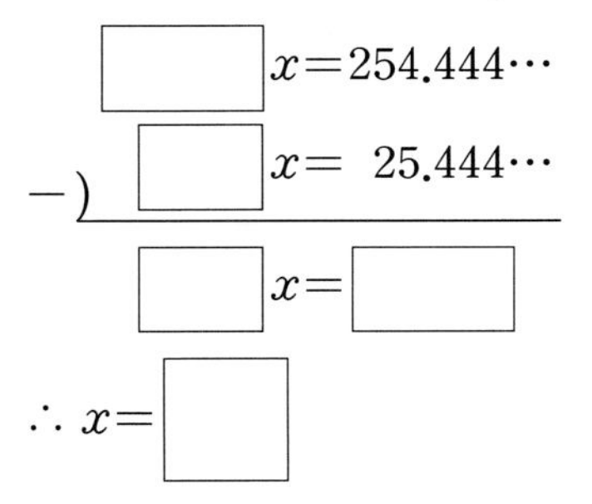

107 $1.7\dot{2}\dot{6}$

$x=1.7\dot{2}\dot{6}=1.72626\cdots$으로 놓으면

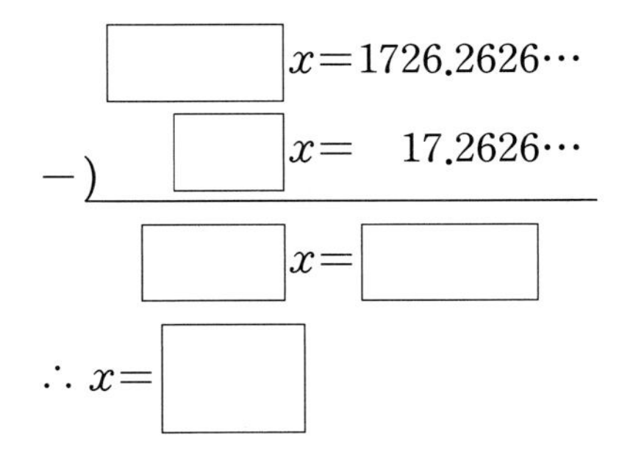

[108~110] 다음 순환소수를 10의 거듭제곱을 이용하여 기약분수로 나타내어라.

108 $0.1\dot{8}$

답 ____________

109 $0.1\dot{4}\dot{2}$

답 ____________

110 $2.8\dot{2}$

답 ____________

[111~114] 다음 순환소수를 x로 놓고 분수로 나타낼 때, [보기] 중 가장 편리한 식을 찾아 그 기호를 써라.

[보기]

㉠ $100x-10x$　　㉡ $1000x-10x$

㉢ $1000x-100x$

111 $0.7\dot{3}$

답 ____________

112 $3.0\dot{7}$

답 ____________

113 $0.3\dot{2}\dot{8}$

답 ____________

114 $0.17\dot{2}$

답 ____________

개념 체크

115 다음 빈칸에 알맞은 것을 써넣어라.

소수점 아래 첫째 자리부터 순환마디가 시작되지 않는 순환소수를 분수로 나타내려면

(ⅰ) 순환소수를 [　　] 로 놓자.

(ⅱ) (ⅰ)의 양변에 소수점 아래의 순환하지 않는 숫자의 개수를 a, 순환마디의 숫자의 개수를 b라 하면 순환소수를 [　　] 로 놓은 식에 $a+b$만큼 10의 거듭제곱을 곱한다.

(ⅲ) (ⅰ)의 양변에 a만큼 10의 거듭제곱을 곱한다.

(ⅳ) (ⅱ), (ⅲ)의 두 식을 변끼리 [　　] x의 값을 구한다.

08 순환소수를 분수로 나타내기 (3) – 공식

(1) 소수점 아래 첫째 자리부터 순환마디가 시작되는 순환소수는 다음과 같이 분수로 나타낼 수 있다.

(분모) : 순환마디의 숫자의 개수만큼 9를 쓴다.

(분자) : (전체의 수)−(정수 부분)

① $0.\dot{a}\dot{b}=\dfrac{ab}{99}$ ② $a.\dot{b}c\dot{d}=\dfrac{abcd-a}{999}$

$a.\dot{b}c\dot{d}=\dfrac{abcd-a}{999}$ → $abcd$ 중 순환하지 않는 부분의 수

순환마디의 숫자 3개

(2) 소수점 아래 첫째 자리부터 순환마디가 시작되지 않는 순환소수는 다음과 같이 분수로 나타낼 수 있다.

(분모) : 순환마디의 숫자의 개수만큼 9를 쓰고, 그 뒤에 소수점 아래의 순환하지 않는 숫자의 개수만큼 0을 쓴다.

(분자) : (전체의 수)−(순환하지 않는 부분의 수)

① $0.a\dot{b}\dot{c}=\dfrac{abc-a}{990}$ ② $a.b\dot{c}\dot{d}=\dfrac{abcd-ab}{990}$

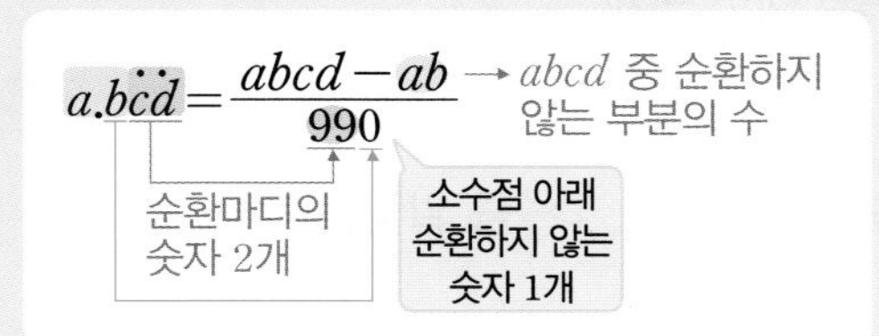

유형16 순환소수의 분수 표현 (3) – 공식

[116~122] 다음 순환소수를 기약분수로 나타내어라.

116 $0.\dot{4}$

답

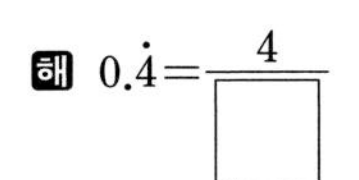

117 $11.\dot{5}$

답

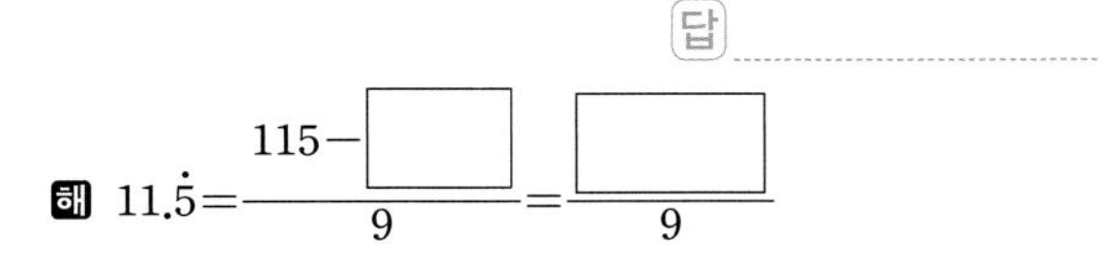

118 $2.\dot{0}\dot{3}$

답

119 $0.2\dot{5}$

답

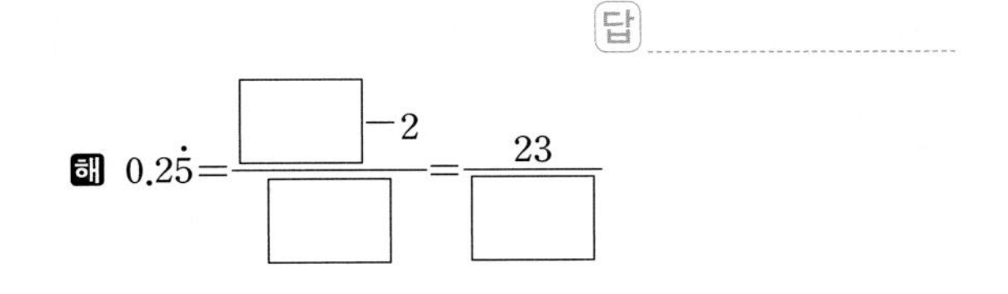

120 $0.4\dot{2}$

답

121 $0.1\dot{2}\dot{3}$

답

122 $2.5\dot{1}$

답

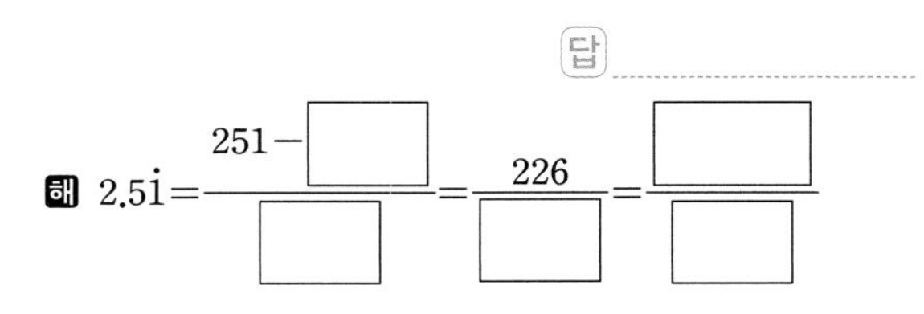

개념 체크

123 다음 빈칸에 알맞은 것을 써넣어라.

소수점 아래 첫째 자리부터 순환마디가 시작되지 않는 순환소수는

(i) [　　] : 순환마디의 숫자의 개수만큼 [　　]를 쓰고, 그 뒤에 소수점 아래의 순환하지 않는 숫자의 개수만큼 [　　]을 쓴다.

(ii) [　　] : 소수점을 뺀 전체의 수에서 [　　　　] 부분의 수를 뺀 수를 사용하여 분수로 나타낼 수 있다.

09 순환소수의 대소 관계

(1) **자리의 수로 비교하는 방법**

순환소수의 순환마디를 풀어 쓴 후 앞자리부터 각 자리의 숫자의 크기를 비교한다.

(2) **분수로 비교하는 방법**

순환소수를 분수로 나타낸 후, 분모가 같은 분수로 고쳐서 크기를 비교한다.

순환마디 풀어쓰기

$0.3\dot{4} \rightarrow 0.3444\cdots$) 0.00444… 만큼 크다.

$0.34 \quad 0.34$

유형17 순환소수의 대소 관계

[124~131] 다음 □ 안에 <, > 중 알맞은 것을 써넣어라.

124 0.3 □ $0.\dot{3}$

해 ❶ 자리의 수로 비교하는 방법

$0.3=0.3$

$0.\dot{3}=0.333\cdots$

$\Rightarrow 0.3$ □ $0.\dot{3}$

❷ 분수로 비교하는 방법

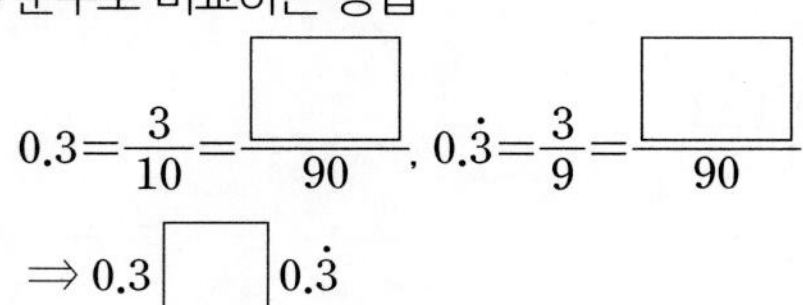

$0.3=\frac{3}{10}=\frac{\square}{90}$, $0.\dot{3}=\frac{3}{9}=\frac{\square}{90}$

$\Rightarrow 0.3$ □ $0.\dot{3}$

125 2.4 □ $2.\dot{4}$

126 $2.\dot{7}\dot{4}$ □ 2.74

127 0.39 □ $0.\dot{3}\dot{9}$

128 0.357 □ $0.3\dot{5}\dot{7}$

129 $0.\dot{7}$ □ $0.7\dot{2}$

해 ❶ 자리의 수로 비교하는 방법

$0.\dot{7}=0.7777\cdots$

$0.7\dot{2}=0.7222\cdots$

$\Rightarrow 0.\dot{7}$ □ $0.7\dot{2}$

❷ 분수로 비교하는 방법

$0.\dot{7}=\frac{7}{9}=\frac{\square}{90}$, $0.7\dot{2}=\frac{72-7}{90}=\frac{\square}{90}$

$\Rightarrow 0.\dot{7}$ □ $0.7\dot{2}$

130 $0.3\dot{2}$ □ $\frac{32}{99}$

131 $0.0\dot{4}$ □ $\frac{4}{99}$

개념 체크

132 다음 빈칸에 알맞은 것을 써넣어라.

순환소수의 [　　　　]를 풀어 쓴 후 앞자리부터 각 자리의 숫자의 [　　　]를 비교하거나 순환소수를 분수로 나타낸 후 [　　　]가 같은 분수로 고쳐서 크기를 비교한다.

* 정답 및 해설 pp. 9~10

10 유리수와 소수의 관계

(1) 정수가 아닌 유리수는 유한소수 또는 순환소수로 나타낼 수 있다.

(2) 유한소수와 순환소수는 모두 유리수이다.

참고 유한소수와 순환소수는 분수로 나타낼 수 있으므로 유리수이다.

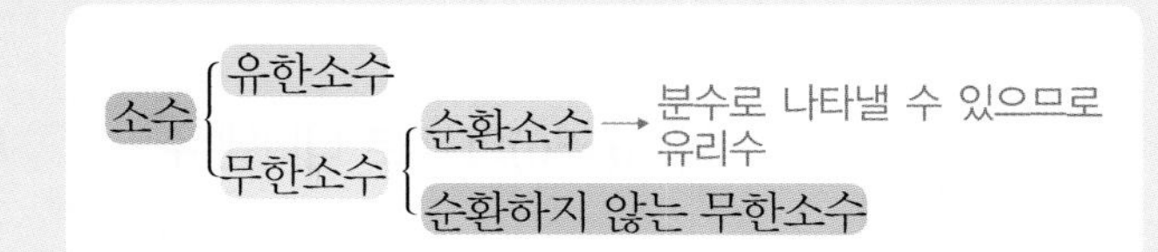

유형18 유리수와 소수의 관계

[133~137] 다음 중 옳은 것은 ○표, 옳지 않은 것은 ×표를 하여라.

133 모든 유리수는 분모($\neq 0$), 분자가 정수인 분수로 나타낼 수 있다.

답

134 모든 소수는 분수로 나타낼 수 있다.

답

135 모든 무한소수는 순환소수이다.

답

136 모든 순환소수는 유리수이다.

답

137 모든 유리수는 유한소수로 나타낼 수 있다.

답

138 다음 [보기] 중 유리수가 아닌 것을 모두 골라라.

[보기]

ㄱ. $\frac{1}{2}$　　ㄴ. 0

ㄷ. π　　ㄹ. -6

ㅁ. $0.3030030003\cdots$　　ㅂ. $-\frac{7}{5}$

ㅅ. $-0.\dot{2}\dot{4}$　　ㅇ. 0.000000001

답

139 다음 [보기] 중 $a=1.8949494\cdots$에 대한 설명으로 옳은 것을 모두 골라라.

[보기]

ㄱ. a는 순환소수이다.

ㄴ. a는 무한소수이므로 유리수가 아니다.

ㄷ. 순환마디는 894이다.

ㄹ. a를 분수로 나타내기 위해 필요한 가장 간단한 식은 $1000a-10a$이다.

ㅁ. a를 기약분수로 나타내었을 때, 분모의 소인수는 2 또는 5뿐이다.

답

개념 체크

140 다음 빈칸에 알맞은 것을 써넣어라.

정수가 아닌 유리수는 [　　]소수 또는 [　　]소수로 나타낼 수 있고, 유한소수와 순환소수는 모두 [　　]이다.

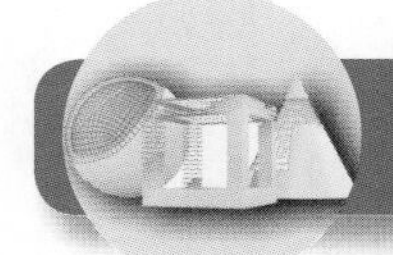

단원 총정리 문제

01 다음 중 $\frac{b}{a}$(a, b는 정수, $a \neq 0$)의 꼴로 나타낼 수 없는 것은?

① 자연수 ② 정수 ③ 유한소수
④ 순환소수 ⑤ 순환하지 않는 무한소수

02 다음 중 정수가 아닌 유리수를 모두 고르면? (정답 2개)

① $\frac{12}{3}$ ② 0 ③ -0.02
④ $-\frac{11}{8}$ ⑤ $-\frac{20}{4}$

03 다음 설명 중 옳지 않은 것은?

① 모든 자연수는 유리수이다.
② 음의 정수가 아닌 정수는 양의 정수뿐이다.
③ 0은 양의 유리수도 아니고 음의 유리수도 아니다.
④ 분수 꼴로 나타낼 수 없는 유리수는 없다.
⑤ 모든 순환소수는 유리수이다.

04 다음 [보기] 중 유한소수를 모두 골라라.

[보기]

ㄱ. $0.2333\cdots$ ㄴ. 7.98304
ㄷ. -2.45 ㄹ. 1.09099

05 다음 중 순환소수와 순환마디가 바르게 연결된 것은?

① $0.0555\cdots \rightarrow 555$
② $0.151515\cdots \rightarrow 15$
③ $1.541541\cdots \rightarrow 154$
④ $0.8999\cdots \rightarrow 89$
⑤ $3.079079\cdots \rightarrow 79$

06 다음 중 순환소수의 표현이 옳은 것은?

① $0.2888\cdots=0.2\dot{8}$
② $1.75858\cdots=1.75\dot{8}$
③ $0.9222\cdots=0.92\dot{2}$
④ $3.753753\cdots=\dot{3}.7\dot{5}$
⑤ $0.082082\cdots=0.\dot{0}\dot{8}\dot{2}$

07 두 분수 $\frac{11}{12}$과 $\frac{7}{27}$을 순환소수로 나타낼 때, 순환마디의 숫자의 개수를 각각 a개, b개라 하자. 이때, $a+b$의 값을 구하여라.

08 분수 $\frac{12}{33}$를 소수로 나타낼 때, 소수점 아래 35번째 자리의 숫자를 구하여라.

09 다음 분수를 소수로 나타낼 때, 유한소수로 나타낼 수 있는 것은?

① $\frac{1}{15}$ ② $\frac{1}{12}$ ③ $\frac{20}{75}$
④ $\frac{44}{2^2\times5\times11}$ ⑤ $\frac{8}{2^2\times3\times7}$

10 분수 $\frac{28}{5\times a}$을 소수로 나타내면 유한소수가 될 때, 다음 중 a의 값이 될 수 없는 것은?

① 2 ② 3 ③ 5
④ 7 ⑤ 14

11 다음은 순환소수 $0.4\dot{3}$을 분수로 나타내는 과정이다. ㉠~㉤에 들어갈 수로 옳지 않은 것은?

> $x=0.4\dot{3}=0.4333\cdots$으로 놓으면
> [㉠]$x=43.333\cdots$ $\cdots$ ⓐ
> [㉡]$x=4.333\cdots$ $\cdots$ ⓑ
> ⓐ$-$ⓑ를 하면 [㉢]$x=$[㉣]
> $\therefore x=$[㉤]

① ㉠$=100$ ② ㉡$=10$ ③ ㉢$=99$
④ ㉣$=39$ ⑤ ㉤$=\frac{13}{30}$

12 순환소수 $x=0.5\dot{2}\dot{8}$을 분수로 나타내려고 할 때, 다음 중 가장 편리한 식은?

① $10x-x$ ② $100x-x$ ③ $100x-10x$
④ $1000x-x$ ⑤ $1000x-10x$

13 순환소수 $4.\dot{2}\dot{9}$를 기약분수로 나타낼 때, 분자와 분모의 합을 구하여라.

14 다음 중 순환소수를 분수로 나타낸 것으로 옳은 것을 모두 고르면? (정답 2개)

① $3.\dot{4}=\frac{34}{9}$ ② $0.\dot{2}\dot{9}=\frac{27}{99}$ ③ $4.\dot{0}\dot{9}=\frac{405}{99}$
④ $0.\dot{1}2\dot{4}=\frac{124}{990}$ ⑤ $1.\dot{2}8\dot{9}=\frac{1288}{999}$

15 두 분수 $\frac{7}{196}$과 $\frac{1}{220}$에 어떤 자연수 a를 각각 곱하여 소수로 나타내면 모두 유한소수가 된다고 할 때, a의 값이 될 수 있는 가장 작은 자연수를 구하여라.

16 순환소수 $0.\dot{0}\dot{9}$의 역수를 a, $0.9\dot{7}$의 역수를 b라 할 때, ab의 값을 구하여라. (단, a, b는 상수)

MIND MAP

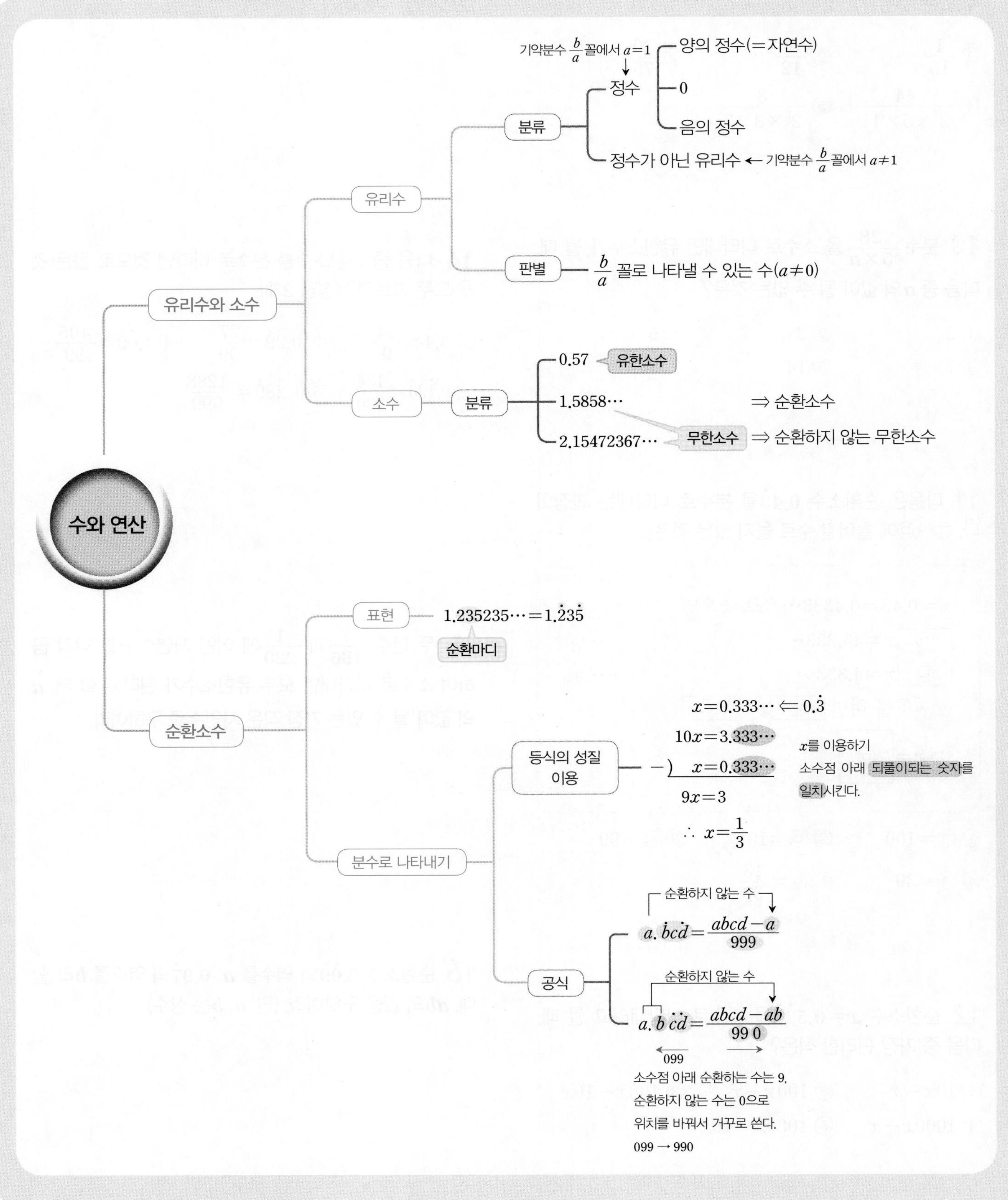

수와 연산
유리수와 소수
유리수
분류
기약분수 b/a 꼴에서 a=1
정수
양의 정수(=자연수)
0
음의 정수
정수가 아닌 유리수
기약분수 b/a 꼴에서 a≠1
판별
b/a 꼴로 나타낼 수 있는 수(a≠0)
소수
분류
0.57
유한소수
1.5858⋯
⇒ 순환소수
2.15472367⋯
무한소수
⇒ 순환하지 않는 무한소수
순환소수
표현
1.235235⋯=1.2̇35̇
순환마디
분수로 나타내기
등식의 성질 이용
x=0.333⋯ ⇐ 0.3̇
10x=3.333⋯
−) x=0.333⋯
9x=3
∴ x=1/3
x를 이용하기
소수점 아래 되풀이되는 숫자를 일치시킨다.
공식
순환하지 않는 수
a.ḃcḋ=(abcd−a)/999
순환하지 않는 수
a.bċḋ=(abcd−ab)/990
099
소수점 아래 순환하는 수는 9,
순환하지 않는 수는 0으로
위치를 바꿔서 거꾸로 쓴다.
099 → 990

Ⅱ 식의 계산

Ⅱ-1 단항식의 계산

Ⅱ-2 다항식의 계산

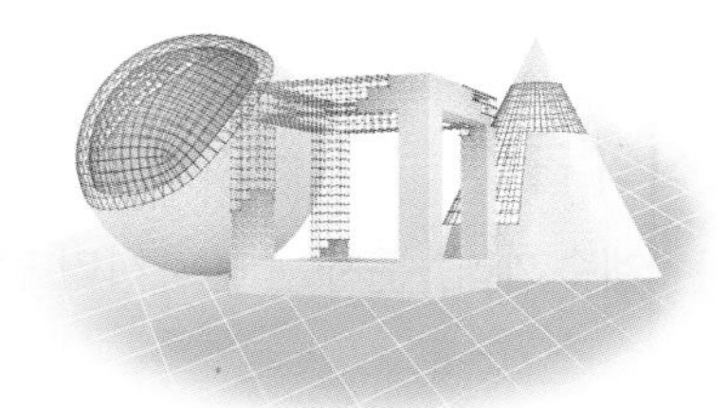

Ⅱ 식의 계산

1 지수법칙

(1) 지수의 합

m, n이 자연수일 때,

$a^m \times a^n = a^{m+n}$ ➡ 지수끼리 더한다.

참고

$a^3 \times a^2 = (\underbrace{a \times a \times a}_{3개}) \times (\underbrace{a \times a}_{2개}) = a^5$

지수끼리의 합

즉, $a^3 \times a^2 = a^{3+2} = a^5$

(2) 지수의 곱

m, n이 자연수일 때,

$(a^m)^n = a^{mn}$ ➡ 지수끼리 곱한다.

참고

$(a^2)^3 = \underbrace{a^2 \times a^2 \times a^2}_{3개} = a^{2+2+2} = a^6$

지수끼리의 곱

즉, $(a^2)^3 = a^{2 \times 3} = a^6$

(3) 지수의 차

$a \neq 0$이고 m, n이 자연수일 때,

$$a^m \div a^n = \begin{cases} m > n\text{이면 } a^{m-n} \\ m = n\text{이면 } 1 \\ m < n\text{이면 } \dfrac{1}{a^{n-m}} \end{cases}$$

참고

$a^5 \div a^2 = \dfrac{\overbrace{a \times a \times a \times a \times a}^{5개}}{\underbrace{a \times a}_{2개}} = a \times a \times a = a^3$

지수끼리의 차

즉, $a^5 \div a^2 = a^{5-2} = a^3$

(4) 지수의 분배

m이 자연수일 때,

$(ab)^m = a^m b^m$, $\left(\dfrac{a}{b}\right)^m = \dfrac{a^m}{b^m}$ (단, $b \neq 0$)

참고

$(ab)^3 = \underbrace{ab \times ab \times ab}_{3개} = \underbrace{a \times a \times a}_{3개} \times \underbrace{b \times b \times b}_{3개} = a^3 b^3$

즉, $(ab)^3 = a^3 b^3$

$\left(\dfrac{a}{b}\right)^3 = \underbrace{\dfrac{a}{b} \times \dfrac{a}{b} \times \dfrac{a}{b}}_{3개} = \dfrac{\overbrace{a \times a \times a}^{3개}}{\underbrace{b \times b \times b}_{3개}} = \dfrac{a^3}{b^3}$

즉, $\left(\dfrac{a}{b}\right)^3 = \dfrac{a^3}{b^3}$

2 단항식의 곱셈

계수는 계수끼리, 문자는 문자끼리 곱한다.

계수의 곱

$(-4x^3y) \times 2xy^2 = -8x^4y^3$

문자의 곱

3 단항식의 나눗셈

[방법1] 분수 꼴로 바꾸어 계수는 계수끼리, 문자는 문자끼리 나눈다.

$$\Rightarrow A \div B = \frac{A}{B}$$

예) $(-15x^3) \div 3x = \frac{-15x^3}{3x} = -5x^2$ ← $\frac{-15}{3} \times \frac{x^3}{x}$

[방법2] 나누는 식의 역수로 바꾸어 계수는 계수끼리, 문자는 문자끼리 나눈다.

역수로

$$\Rightarrow A \div B = A \times \frac{1}{B} = \frac{A}{B}$$

곱셈으로

예) $(-15x^3) \div 3x = (-15x^3) \times \frac{1}{3x} = -5x^2$ ← $\left(-15 \times \frac{1}{3}\right) \times \left(x^3 \times \frac{1}{x}\right)$

4 다항식의 덧셈과 뺄셈

(i) (소괄호) ➡ {중괄호} ➡ [대괄호]의 순서로 괄호를 푼다.

(ii) 괄호 앞에 ┌ $+$가 있으면 : 괄호 안의 부호 그대로 ➡ $A+(B-C)=A+B-C$
└ $-$가 있으면 : 괄호 안의 부호 반대로 ➡ $A-(B-C)=A-B+C$

(iii) 괄호를 풀고 동류항끼리 모아서 간단히 한다.

5 단항식과 다항식의 곱셈과 나눗셈

(1) (단항식)×(다항식) 또는 (다항식)×(단항식)

$$2a(b+3) = 2ab+6a$$

전개식

전개

(2) (다항식)÷(단항식)

[방법1] 분수로 바꾸어 계산한다.

$$\Rightarrow (A+B) \div C = \frac{A+B}{C} = \frac{A}{C} + \frac{B}{C}$$

[방법2] 역수의 곱셈으로 바꾸어 계산한다.

$$\Rightarrow (A+B) \div C = (A+B) \times \frac{1}{C} = A \times \frac{1}{C} + B \times \frac{1}{C} = \frac{A}{C} + \frac{B}{C}$$

* 정답 및 해설 p. 12

Ⅱ-1 단항식의 계산

01 지수법칙 – 거듭제곱끼리의 곱셈

m, n이 자연수일 때,

$a^m \times a^n = a^{m+n}$

예 $a^2 \times a^4 = a \times a \times a \times a \times a \times a = a^6$, 즉 $a^2 \times a^4 = a^{2+4} = a^6$

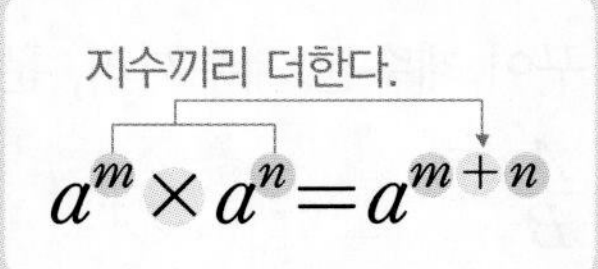

유형01 지수법칙 – 거듭제곱끼리의 곱셈

[01~11] 다음 식을 간단히 하여라.

01 $x^2 \times x^3$

답 ....

해 $x^2 \times x^3 = x^{2\square 3} = x^{\square}$

02 $y^5 \times y^6$

답 ....

03 $z \times z^3$

답 ....

04 $a^4 \times a^2$

답 ....

05 $b^7 \times b^5$

답 ....

06 $c^3 \times c^4$

답 ....

07 $x \times x^2 \times x^3$

답 ....

해 $x \times x^2 \times x^3 = x^{\square + \square + 3} = x^{\square}$

08 $a^2 \times a^2 \times a^3 \times a^5$

답 ....

09 $x^3 \times y^4 \times x^2$

답 ....

해 밑이 같은 것끼리만 지수법칙을 적용하면
$x^3 \times y^4 \times x^2 = x^{\square + 2} y^{\square} = x^{\square} y^{\square}$

10 $a^3 \times b \times a \times b^3$

답 ....

11 $a^2 \times x^2 \times x^4 \times a^3$

답 ....

개념 체크

12 다음 빈칸에 알맞은 것을 써넣어라.

m, n이 [　　　]일 때, a^m[　　　]$a^n = a^{m[\quad]n}$이다.

* 정답 및 해설 p. 12

02 지수법칙 – 거듭제곱의 거듭제곱

m, n이 자연수일 때,
$(a^m)^n = a^{mn}$

3개

예) $(a^3)^3 = a^3 \times a^3 \times a^3 = a^{3+3+3} = a^9$
a^3을 3번 곱한다.
즉, $(a^3)^3 = a^{3\times3} = a^9$

지수끼리 곱한다.
$(a^m)^n = a^{mn}$

유형02 지수법칙 – 거듭제곱의 거듭제곱

[13~18] 다음 식을 간단히 하여라.

13 $(x^3)^2$

답 ....

해 $(x^3)^2 = x^{3\square 2} = x^{\square}$

14 $(y^8)^3$

답 ....

15 $(z^3)^7$

답 ....

16 $(a^4)^2$

답 ....

17 $(b^3)^4$

답 ....

18 $(c^6)^4$

답 ....

[19~23] 다음 식을 간단히 하여라.

19 $(a^4)^2 \times (a^2)^7$

답 ....

해 $(a^4)^2 \times (a^2)^7 = a^{\square\times2} \times a^{2\times\square} = a^{\square+\square} = a^{\square}$

20 $b \times (b^3)^5$

답 ....

21 $x^5 \times (x^6)^2 \times (x^2)^3$

답 ....

22 $x^4 \times (y^3)^2 \times (x^2)^3$

답 ....

23 $(a^3)^4 \times (y^2)^4 \times y^3$

답 ....

개념 체크

24 다음 빈칸에 알맞은 것을 써넣어라.

m, n이 [ ]일 때, $(a^m)^n = a^{[\ \ ]}$이다.

03 지수법칙 – 거듭제곱끼리의 나눗셈

$a\neq0$이고, m, n이 자연수일 때,

(1) $m>n$이면 $a^m\div a^n=a^{m-n}$

(2) $m=n$이면 $a^m\div a^n=1$

(3) $m<n$이면 $a^m\div a^n=\dfrac{1}{a^{n-m}}$

참고 $a^m\div a^n$을 계산할 때에는 먼저 m과 n의 크기를 비교한다.

예 $a^5\div a^3=\dfrac{a^5}{a^3}=\dfrac{a\times a\times a\times a\times a}{a\times a\times a}$

$=a\times a=a^2$ ← 지수끼리 뺀다.

예 $a^3\div a^5=\dfrac{a^3}{a^5}=\dfrac{a\times a\times a}{a\times a\times a\times a\times a}$

$=\dfrac{1}{a\times a}=\dfrac{1}{a^2}$ ← 뒤의 지수가 크면 분모로 내린다.

유형03 지수법칙 – 거듭제곱끼리의 나눗셈

[25~36] 다음 식을 거듭제곱을 이용하여 간단히 하여라.

25 $2^5\div2^2$

답 ....

해 $2^5\div2^2=2^{\square-\square}=2^{\square}$

26 $a^6\div a^4$

답 ....

27 $x^7\div x^2$

답 ....

28 $y^{10}\div y^9$

답 ....

29 $7^7\div7^3$

답 ....

30 $a^9\div a^9$

답 ....

31 $5^8\div5^8$

답 ....

32 $x^2\div x^7$

답 ....

해 $x^2\div x^7=\dfrac{1}{x^{\square-\square}}=\dfrac{1}{x^{\square}}$

33 $a^3\div a^6$

답 ....

34 $b^5\div b^{12}$

답 ....

35 $3^4\div3^9$

답 ....

36 $x^{14}\div x^{18}$

답 ....

[37~44] 다음 식을 간단히 하여라.

37 $(x^3)^2 \div x^4$

답 ....

해 $(x^3)^2 \div x^4 = x^{\square} \div x^4 = x^{\square - 4} = x^{\square}$

38 $(a^4)^3 \div a^9$

답 ....

39 $(y^2)^5 \div (y^3)^3$

답 ....

40 $a^{10} \div (a^2)^5$

답 ....

41 $(x^3)^2 \div (x^2)^3$

답 ....

42 $(b^4)^3 \div (b^3)^5$

답 ....

43 $(y^{10})^3 \div (y^5)^7$

답 ....

44 $(a^4)^5 \div (a^9)^3$

답 ....

[45~49] 다음 식을 간단히 하여라.

Tip

왼쪽에서 오른쪽으로 순차적으로 계산한다.

$a^8 \div a^2 \div a^3$ (○): $a^8 \div a^2 = a^6$, $a^6 \div a^3 = a^3$

$a^8 \div a^2 \div a^3$ (×): $a^2 \div a^3 = \frac{1}{a}$, $a^8 \div \frac{1}{a} = a^9$

45 $a^5 \div a^2 \div a$

답 ....

해 $a^5 \div a^2 \div a = a^{\square} \div a = a^{\square}$

46 $x^6 \div x^2 \div x^4$

답 ....

47 $b^3 \div b \div b^6$

답 ....

48 $(a^5)^3 \div (a^4)^2 \div (a^2)^3$

답 ....

49 $(y^3)^3 \div (y^2)^4 \div (y^4)^2$

답 ....

개념 체크

50 다음 빈칸에 알맞은 것을 써넣어라.

$a \neq 0$이고, m, n이 [   ]일 때,

① m[   ]n이면 $a^m \div a^n =$[   ]이다.

② m[   ]n이면 $a^m \div a^n =$[   ]이다.

③ m[   ]n이면 $a^m \div a^n =$[   ]이다.

* 정답 및 해설 p. 13

04 지수법칙 – 지수의 분배

n이 자연수일 때,

① $(ab)^n=a^nb^n$

$$(ab)^n=\overbrace{ab\times ab\times\cdots\times ab}^{ab\text{가 }n\text{개}}=\overbrace{a\times a\times\cdots\times a}^{a\text{가 }n\text{개}}\times\overbrace{b\times b\times\cdots\times b}^{b\text{가 }n\text{개}}=a^n\times b^n=a^nb^n$$

② $\left(\frac{a}{b}\right)^n=\frac{a^n}{b^n}$ (단, $b\neq0$)

$$\left(\frac{a}{b}\right)^n=\overbrace{\frac{a}{b}\times\frac{a}{b}\times\cdots\times\frac{a}{b}}^{\frac{a}{b}\text{가 }n\text{개}}=\frac{\overbrace{a\times a\times\cdots\times a}^{a\text{가 }n\text{개}}}{\underbrace{b\times b\times\cdots\times b}_{b\text{가 }n\text{개}}}=\frac{a^n}{b^n}$$

참고 m, n, l이 자연수일 때,

① $(a^mb^n)^l=a^{ml}b^{nl}$ ② $\left(\frac{a^m}{b^n}\right)^l=\frac{a^{ml}}{b^{nl}}$

유형04 지수법칙 – 지수의 분배 (1)

[51~56] 다음 식을 간단히 하여라.

51 $(ab)^3$

답 ______

52 $(xy)^5$

답 ______

53 $(ab^2)^4$

답 ______

해 $(ab^2)^4=a^{\square}b^{2\times\square}=a^{\square}b^{\square}$

54 $(x^3y)^2$

답 ______

55 $(a^4b^3)^3$

답 ______

56 $(x^2y^3)^2$

답 ______

유형05 지수법칙 – 지수의 분배 (2)

[57~60] 다음 식을 간단히 하여라.

57 $\left(\frac{y}{x}\right)^4$

답 ______

58 $\left(\frac{a}{b^2}\right)^3$

답 ______

해 $\left(\frac{a}{b^2}\right)^3=\frac{a^3}{(b^2)^{\square}}=\frac{a^3}{b^{\square\times\square}}=\frac{a^3}{b^{\square}}$

59 $\left(\frac{x^2}{y}\right)^5$

답 ______

60 $\left(\frac{b^7}{a^4}\right)^3$

답 ______

개념 체크

61 다음 빈칸에 알맞은 것을 써넣어라.

n이 [   ]일 때, $(ab)^n=a^nb^{[\quad]}$이고, $\left(\frac{a}{b}\right)^n=\frac{a^{[\quad]}}{b^n}$이다.

05 단항식의 곱셈

(1) 단항식끼리 곱할 때에는 계수는 계수끼리, 문자는 문자끼리 곱하여 계산한다.

(2) 같은 문자끼리 곱할 때에는 지수법칙을 이용한다.

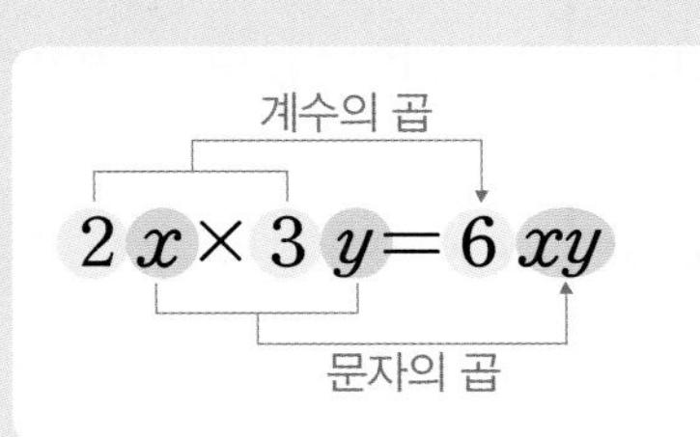

유형06 단항식의 곱셈

[62~67] 다음 식을 간단히 하여라.

62 $3a\times2b$

답

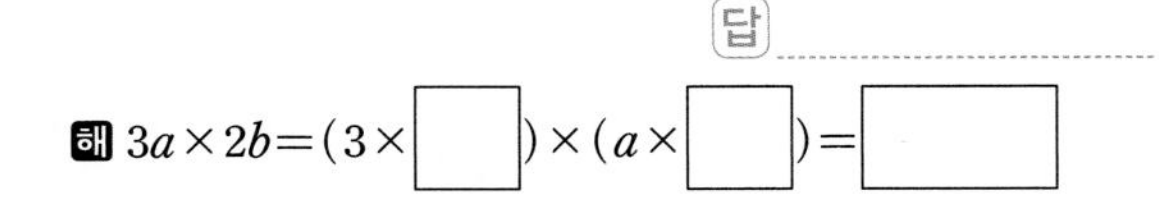

63 $5x\times3y$

답

64 $4a\times7b$

답

65 $(-4a)\times4b$

답

> **Tip**
> 계수에 음수가 있는 식은 전체의 부호를 결정한 다음 곱셈을 하면 편리하다.

66 $2x\times(-6y)$

답

67 $-5x\times(-6y)$

답

[68~73] 다음 식을 간단히 하여라.

68 $2x\times(-3x^2)$

답

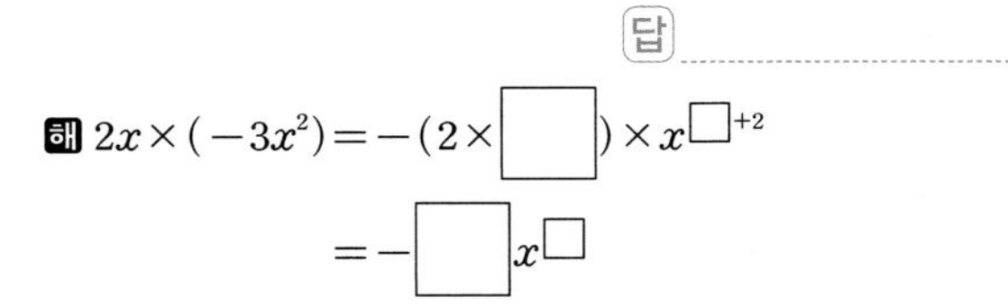

69 $4a^2b\times(-2ab^3)$

답

70 $-5x^3y^2\times(-6x^2y^6)$

답

71 $(-3a)^2\times(-4a)$

답

72 $(-2a)^3\times a^2$

답

73 $x^2y^3\times(4xy^2)^2$

답

[74~79] 다음 식을 간단히 하여라.

74 $-x^2yz^2\times(-6x^2y^3z^3)$

답

75 $6a^2b^2c\times2a^3bc^5$

답

76 $-2xy^3z^2\times2x^5yz$

답

77 $3ab\times(-4a)\times5b^2$

답

해 (주어진 식)$=-(3\times4\times\square)\times a^{1+\square}b^{1+\square}$

$=\square$

78 $-3a^2b\times(-2ab^3)\times4ab$

답

79 $3x^3\times2x^2y^4\times(-xy^3)$

답

[80~83] 다음 식을 간단히 하여라.

80 $6x^2\times2xy\times(-xy)^2$

답

81 $(-2x^3y^2)^2\times4xy^2\times(3x^2y^2)^2$

답

82 $(-2xy^2)^2\times(3x^2y)^3\times2xy^4$

답

83 $(-2a^3b^2)^3\times(-2a^2b)^2\times(3a^2b^3)^2$

답

개념 체크

84 다음 빈칸에 알맞은 것을 써넣어라.

단항식끼리 곱할 때에는 계수는 [ ]끼리, 문자는 [ ]끼리 곱하여 계산한다. 같은 문자끼리 곱할 때에는 [ ]법칙을 이용한다.

* 정답 및 해설 pp. 14~15

06 단항식의 나눗셈

단항식의 나눗셈은 다음 두 가지 방법 중 편리한 방법으로 계산한다.

(1) 분수 꼴로 고친 후 계수는 계수끼리, 문자는 문자끼리 약분하여 간단히 한다.

예) $4ab \div 2a = \frac{4ab}{2a} = 2b$

(2) 나누는 단항식의 분모와 분자를 바꾼 식을 곱하여 계산한다.

예) $4ab \div 2a = 4ab \times \frac{1}{2a} = 2b$

나누는 다항식의 분모와 분자를 바꾼다. (=역수로 바꿔준다.)

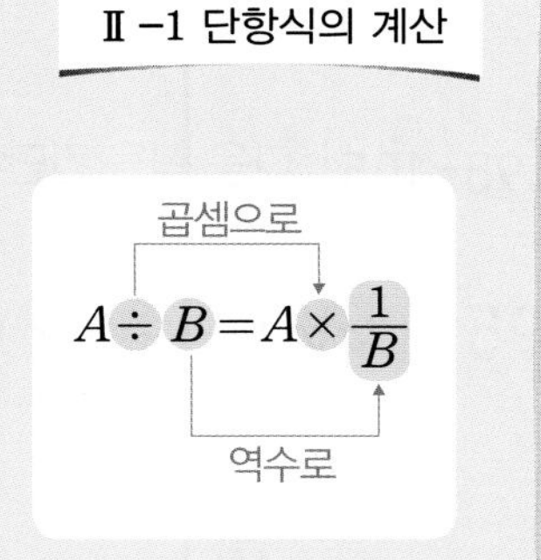

유형07 단항식의 나눗셈

[85~89] 다음 식을 간단히 하여라.

85 $6a \div 2a$

답

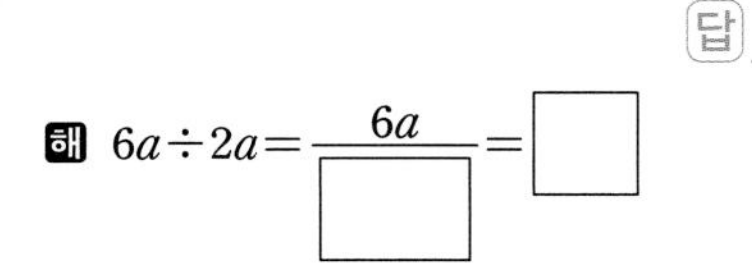

해 $6a \div 2a = \frac{6a}{\square} = \square$

86 $8x \div 4x$

답

87 $-9xy \div 3x$

답

88 $ab^2 \div (-2a^2b)$

답

89 $-6x^2y \div (-3xy)$

답

[90~94] 다음 식을 간단히 하여라.

90 $16x^3 \div \frac{4}{3}x^2$

답

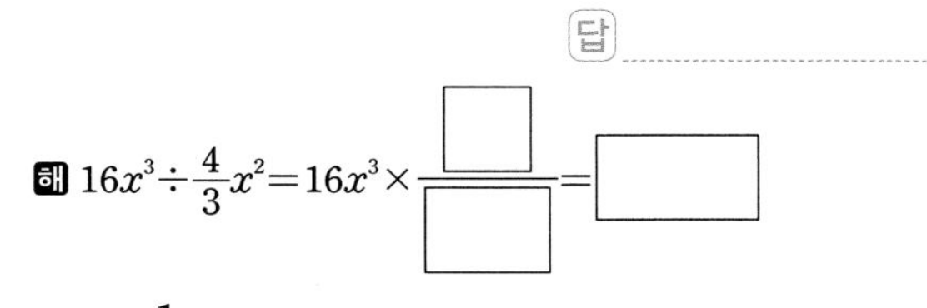

해 $16x^3 \div \frac{4}{3}x^2 = 16x^3 \times \frac{\square}{\square} = \square$

91 $2a^3 \div \frac{1}{5}a$

답

92 $-4x^2y^3 \div \frac{2}{3}x^2y$

답

93 $3xy \div \left(-\frac{1}{2}x^2y\right)$

답

94 $-\frac{3}{4}a^3b^2 \div \left(-\frac{a^4}{2b}\right)$

답

[95~105] 다음 식을 간단히 하여라.

95 $(2a^3x^3)^3 \div (-2ax^2)^2$

답 ....

96 $(-x^2y)^3 \div (-4xy^2)^2$

답 ....

97 $(-3x^2y^2)^3 \div (-xy^2)^3$

답 ....

98 $\left(-\frac{3}{2}a^2b\right)^2 \div 3a^3b^4$

답 ....

99 $\left(-\frac{2}{3}x^2y^2\right)^2 \div \left(-\frac{5}{6}xy^2\right)$

답 ....

100 $\left(\frac{1}{3}xy\right)^2 \div \left(-\frac{2}{3}y\right)^3$

답 ....

101 $\left(-\frac{1}{2}a^2b\right)^3 \div \left(-\frac{3}{2}ab^2\right)^2$

답 ....

102 $(2a^2b)^4 \div a^4b^2 \div 8a^2b$

답 ....

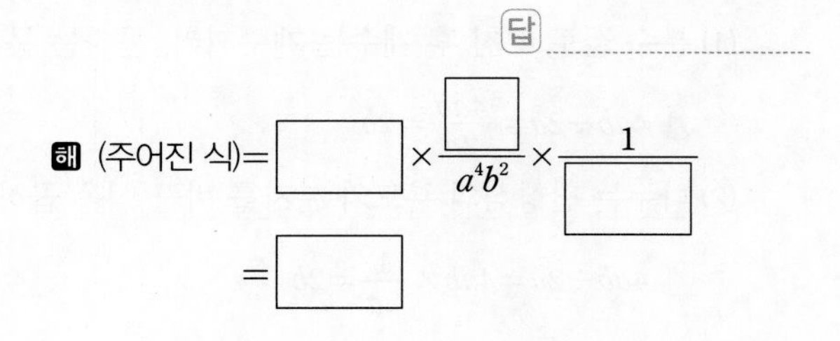

103 $8a^3b^9 \div (-ab)^2 \div 4a$

답 ....

104 $(xy^2)^5 \div (-x^2y)^3 \div \frac{y}{x}$

답 ....

105 $(-3x^2y^3)^3 \div \left(-\frac{2y^2}{x}\right)^2 \div xy$

답 ....

개념 체크

106 다음 빈칸에 알맞은 것을 써넣어라.

단항식의 나눗셈은 다음 두 가지 방법 중 편리한 방법으로 계산한다.

1) [ ] 꼴로 고친 후 계수는 계수끼리, 문자는 문자끼리 [ ]하여 간단히 한다.
2) 나누는 단항식의 [ ]와 분자를 바꾼 식을 곱하여 계산한다.

* 정답 및 해설 pp. 15~16

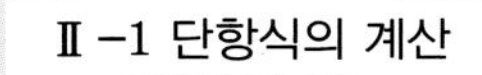

07 단항식의 곱셈과 나눗셈의 혼합 계산

단항식의 곱셈과 나눗셈의 혼합 계산은 다음 순서로 한다.

(1) 괄호가 있으면 지수법칙을 이용하여 괄호를 푼다.

(2) 나눗셈은 곱셈으로 고친다.

(3) 계수는 계수끼리, 문자는 같은 문자끼리 계산한다.

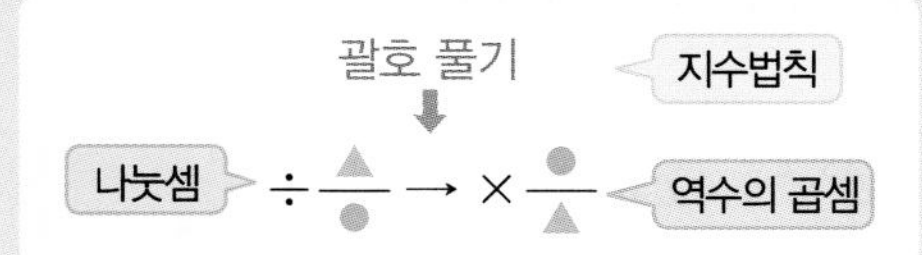

07 DAY

유형 08 단항식의 곱셈과 나눗셈의 혼합 계산

[107~116] 다음 식을 간단히 하여라.

107 $3x^2\times 2x^3\div 6x$

답 ____________

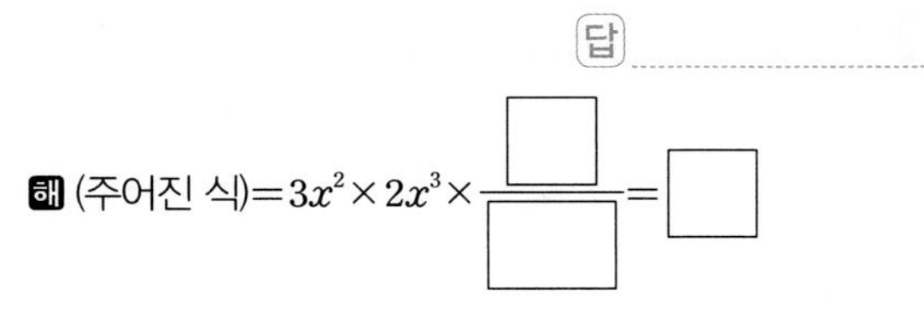

108 $4x^4\times 6x\div 2x^2$

답 ____________

109 $12a^4\times 4a\div 8a^3$

답 ____________

110 $-x^2\times(-9x^2)\div 3x^3$

답 ____________

111 $y^2\times(-3y)^3\div 9y^4$

답 ____________

112 $4a^3\div 2a^2\times 3a$

답 ____________

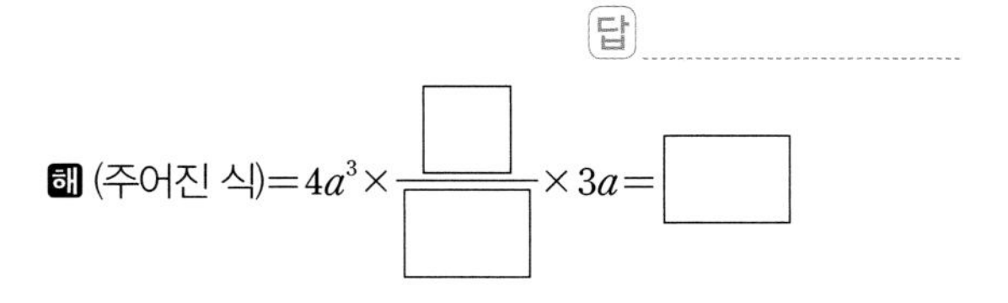

113 $2x^3\div 6x^2\times 3x^2$

답 ____________

114 $-8a^3\div 2a^2\times 3a$

답 ____________

115 $18y^3\div(-6y^4)\times(-y^2)$

답 ____________

116 $-3b^2\div 6b^3\times(-4b^4)$

답 ____________

[117~130] 다음 식을 간단히 하여라.

117 $(2x^2y)^3 \times x^5y^4 \div 4x^3y^2$

답

118 $24a^4b^3 \times (3a^2b)^2 \div (-2ab)^3$

답

119 $(3x^2y)^3 \times (-16x) \div (-2y)^3$

답

120 $(4ab^2)^2 \times 2a^2b^3 \div (-2a^2b)^2$

답

121 $(3x^2y^4)^2 \times (2x^3y)^4 \div (-2x^4y^3)^3$

답

122 $(-2x^2y^3)^2 \times (x^2y)^3 \div (-xy^2)^3$

답

123 $(-2x^3y)^2 \times (-xy)^6 \div (-xy^3)^2$

답

124 $(2x^2y)^2 \div 6x^4y^3 \times 3x^5y^2$

답

125 $(3x^2y)^3 \div 8x^7y^3 \times (-4xy^2)^2$

답

126 $6xy^3 \div (-4x^2y^4)^2 \times (2x^2y^3)^2$

답

127 $(3ab^2)^2 \div (2a^2b)^2 \times (-4a^2b^3)$

답

128 $(2x^2y)^3 \div (-2xy)^3 \times (-3xy^5)$

답

129 $-2x^2y^5 \div (-xy^3)^2 \times (x^2y)^3$

답

130 $(-x^3y)^2 \div (xy^2)^3 \times (-2x^2y^2)^3$

답

개념 체크

131 다음 빈칸에 알맞은 것을 써넣어라.

단항식의 곱셈과 나눗셈의 혼합 계산은 [　　　]가 있으면 지수법칙을 이용하여 [　　　]를 풀고, 나눗셈은 [　　　]으로 고친 뒤, 계수는 [　　　]끼리 문자는 같은 [　　　]끼리 계산한다.

* 정답 및 해설 p. 17

Ⅱ-2 다항식의 계산

08 다항식의 덧셈과 뺄셈

(1) 다항식의 덧셈 : 괄호를 풀고 동류항끼리 모아서 간단히 한다.

예) $(x+4)+(2x-3)=x+4+2x-3=(x+2x)+(4-3)=3x+1$

괄호 풀기 / 동류항끼리 간단히

(2) 다항식의 뺄셈 : 빼는 식의 각 항의 부호를 바꾸어서 괄호를 풀고, 동류항끼리 모아서 간단히 한다.

예) $(x-5)-(3x+2)=x-5-3x-2=(x-3x)-5-2=-2x-7$

빼는 식의 각 항의 부호 바꾸기

(3) 여러 가지 괄호가 있는 식

소괄호 ( ) ➡ 중괄호 { } ➡ 대괄호 [ ]의 순으로 괄호를 풀고 간단히 한다.

부호 주의

$(-3a+5b)-(5a-b)$

$=-3a+5b-5a+b$

$=(-3a-5a)+(5b+b)$

$=-8a+6b$

07 DAY

유형09 다항식의 덧셈

[132~136] 다음 식을 간단히 하여라.

Tip
괄호를 푸는 과정을 생략하고 바로 동류항끼리 모아 계산하면 편리하다.

132 $(a+2b)+(3a-5b)$ 답 ______

해 (주어진 식)$=a+2b+\square-\square$

$=(a+\square)+(2b-\square)$

$=\square a-\square b$

133 $(4a-3b)+(5a+6b)$ 답 ______

134 $(2x+5y)+(x-y)$ 답 ______

135 $(a-3b)+(3a+2b)$ 답 ______

136 $(-x+3y)+(2x-5y)$ 답 ______

유형10 다항식의 뺄셈

[137~142] 다음 식을 간단히 하여라.

137 $(5x+3y)-(2x-5y)$ 답 ______

해 (주어진 식)$=5x+3y-\square+\square$

$=(5x-\square)+(3y+\square)$

$=\square x+\square y$

138 $(3a+6b)-(2a-5b)$ 답 ______

139 $(4a-3b)-(6a-4b)$ 답 ______

140 $(7x+5y)-(9x+7y)$ 답 ______

141 $(2a-5b)-(4a-b)$ 답 ______

142 $(6x-4y)-(2x+y)$ 답 ______

유형11 여러 가지 괄호가 있는 다항식의 계산

[143~150] 다음 식을 간단히 하여라.

143 $3x+y-\{y-(2x-4y)\}$

답

해 (주어진 식) $=3x+y-(y-2x+4y)$

$=3x+y-(-\square x+\square y)$

$=3x+y+\square x-\square y$

$=\square x-\square y$

144 $3x+\{x-4y-(2x-3y)\}$

답

145 $10a-\{6b-(3a-2b)\}$

답

146 $2x-7y-\{2x-(x-3y)\}$

답

147 $4a-6b-\{7a-3b-(5a-4b)\}$

답

148 $-x-[2y-\{9x-5y-(3x-y)\}]$

답

149 $2x-[7y-2x-\{2x-(x-3y)\}]$

답

150 $x-[x+2y-\{5x-(2x-y)\}]$

답

개념 체크

151 다음 빈칸에 알맞은 것을 써넣어라.

1) 다항식의 덧셈은 [ ]를 풀고 [ ]끼리 모아서 간단히 한다.

2) 다항식의 뺄셈은 빼는 식의 각 항의 [ ]를 바꾸어서 [ ]를 풀고, [ ]끼리 모아서 간단히 한다.

3) 여러 가지 괄호가 있는 식은 [ ]괄호 ( ) ➡ [ ]괄호 { } ➡ [ ]괄호 [ ]의 순으로 괄호를 풀고 간단히 한다.

09 이차식의 덧셈과 뺄셈

(1) **이차식** : 항 중에서 차수가 가장 큰 항의 차수가 2인 다항식

예) x^2, $3x^2-2$, $-x^2+x+3$
→ 문자 x에 대한 다항식 중에서 차수가 가장 큰 항의 차수가 2이므로 모두 x에 대한 이차식이다.

(2) **이차식의 덧셈과 뺄셈** : 괄호를 풀고 동류항끼리 모아서 간단히 한다.

예) $(2x^2+x+3)+(3x^2-2x-1)=2x^2+x+3+3x^2-2x-1$
$=(2x^2+3x^2)+(x-2x)+(3-1)$
$=5x^2-x+2$

괄호 풀기
$x^2+2x+3-(3x^2+2x+1)$
$=x^2+2x+3-3x^2-2x-1$ (부호 주의)
$=x^2-3x^2+2x-2x+3-1$ (동류항끼리 간단히 계산: 이차항, 일차항, 상수항)
$=-2x^2+2$

유형12 이차식

[152~157] 다음 식이 이차식이면 ○표, 이차식이 아니면 ×표 하여라.

152 a^2+a+5 ( )

해 문자 a에 대한 다항식 중에서 차수가 가장 큰 항의 차수가 ☐이므로 a에 대한 ☐차식이다.

153 $4y+3$ ( )

154 x^2-2x ( )

155 $-x^2+3x^3$ ( )

156 $3-7y$ ( )

157 $4a^2-5a+3$ ( )

유형13 이차식의 덧셈

[158~163] 다음 식을 간단히 하여라.

158 $(x^2+1)+(2x^2-x)$

답 ____

해 (주어진 식)$=(x^2+2x^2)-x+1$
$=$ ☐ x^2-x+1

159 $(3a^2-a)+(a^2-4a)$

답 ____

160 $(2x^2-2x)+(-x^2+3x)$

답 ____

161 $(3x^2+4)+(-5x^2+1)$

답 ____

162 $(-a^2+3a)+(-2a^2+5)$

답 ____

163 $(-x^2-2x)+(-2x^2+x)$

답 ____

[164~169] 다음 식을 간단히 하여라.

164 $(3x^2+3x-1)+(2x^2-3x+2)$

답

해 (주어진 식)$=3x^2+3x-1+2x^2-3x+2$
$=(3x^2+2x^2)+(3x-3x)+(-1+2)$
$=\square x^2+\square$

165 $(3y^2-4y+1)+(y^2-y+3)$

답

166 $(3a^2-3a+5)+(-6a^2+4a-9)$

답

167 $(-2x^2+5x-7)+(4x^2-8x+5)$

답

168 $(-5x^2-4x-3)+(8x^2-6x-1)$

답

169 $(-2x^2+3x+3)+(x^2-5x+4)$

답

유형14 이차식의 뺄셈

[170~175] 다음 식을 간단히 하여라.

Tip
괄호 앞에 $-$가 있으면 괄호속 부호는
$-$는 $+$로, $+$는 $-$로 바꾸어 괄호를 푼다.

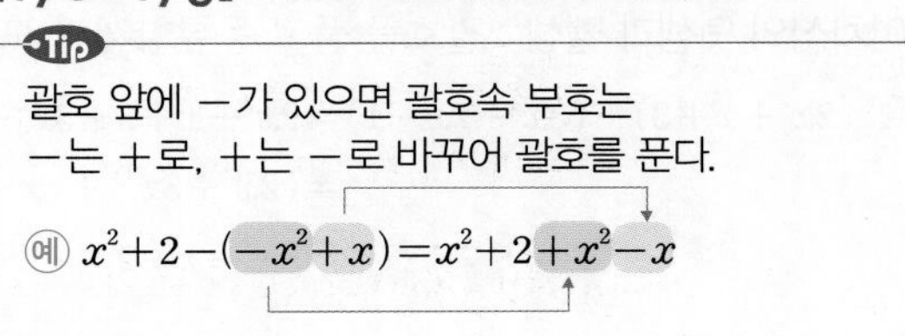

170 $(3x^2-2x)-(x^2-3)$

답

해 (주어진 식)$=3x^2-2x-x^2+3$
$=(3x^2-x^2)-2x+3$
$=\square x^2-\square x+3$

171 $(4b^2-3b)-(2b^2+7)$

답

172 $(5x^2+3)-(-x^2-2x)$

답

173 $(-3x^2-2x)-(2x^2-3x)$

답

174 $(-3a^2+a)-(-2a^2+a)$

답

175 $(3y^2-2y)-(-y^2-y)$

답

[176~181] 다음 식을 간단히 하여라.

176 $(2x^2+3x-3)-(-x^2+x-7)$

답

해 (주어진 식)$=2x^2+3x-3+x^2-x+7$
$=(2x^2+x^2)+(3x-x)+(-3+7)$
$=\square x^2+\square x+\square$

177 $(3a^2-3a-2)-(a^2+5a-2)$

답

178 $(-5b^2-3b+2)-(-8b^2-4b+5)$

답

179 $(-x^2+3x-2)-(2x^2+5x+3)$

답

180 $(-7x^2+4x)-(-4x^2+2x-3)$

답

181 $(-2y^2+y-3)-(-y^2-2y+1)$

답

유형15 **이차식의 덧셈과 뺄셈**

[182~185] 다음 □ 안에 알맞은 식을 구하여라.

182 $(\square)-(2a^2-3a+5)$
$=a^2+4a-1$

해 $\square=a^2+4a-1+(2a^2-3a+5)$
$=(a^2+2a^2)+(4a-3a)+(-1+5)$
$=\square a^2+a+\square$

183 $4x^2-3x+7+(\square)$
$=6x^2-5x+3$

184 $2x^2-3x+1-(\square)$
$=4x^2-5x+2$

185 $3x^2-2x-1-(\square)$
$=5x^2+x+2$

개념 체크

186 다음 빈칸에 알맞은 것을 써넣어라.

항 중에서 차수가 가장 큰 항의 차수가 2인 다항식을 [ ]이라 한다. 이차식의 덧셈과 뺄셈은 [ ]를 풀고 [ ]끼리 모아서 간단히 한다.

10 단항식과 다항식의 곱셈

(1) **전개** : 단항식과 다항식의 곱을 하나의 다항식으로 나타내는 것

(2) **전개식** : 전개하여 얻은 다항식

(3) **단항식과 다항식의 곱셈**

분배법칙을 이용하여 단항식을 다항식의 각 항에 곱하여 계산한다.

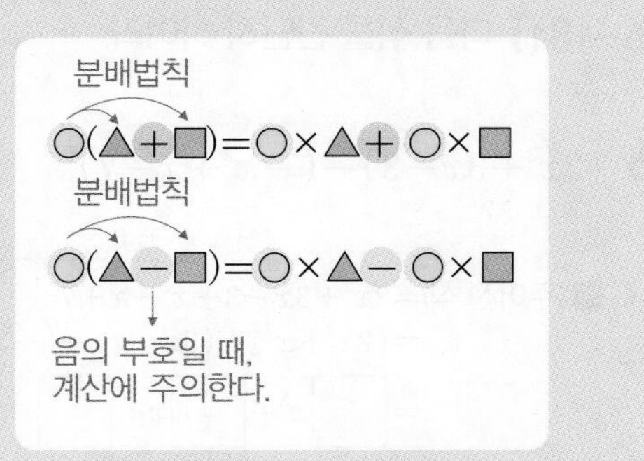

유형16 단항식과 다항식의 곱셈

[187~197] 다음 식을 간단히 하여라.

187 $2x(3x+1)$

답 ____________

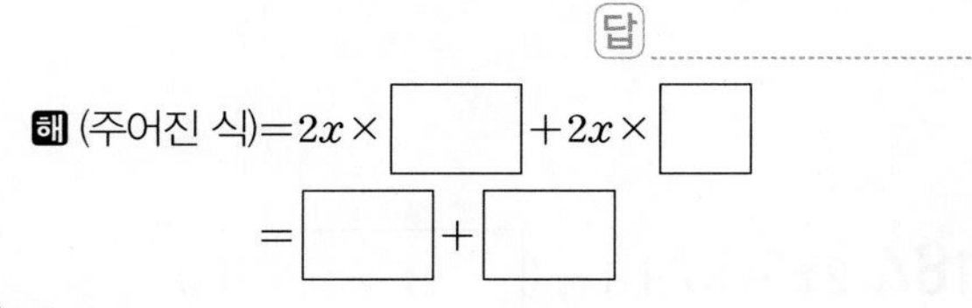

188 $x(x-2y)$

답 ____________

189 $-3a(3a+4)$

답 ____________

190 $3x(2x-3y+3)$

답 ____________

191 $7x(-x+y+3)$

답 ____________

192 $-3x(x-3y-2)$

답 ____________

193 $(2a+5)a$

답 ____________

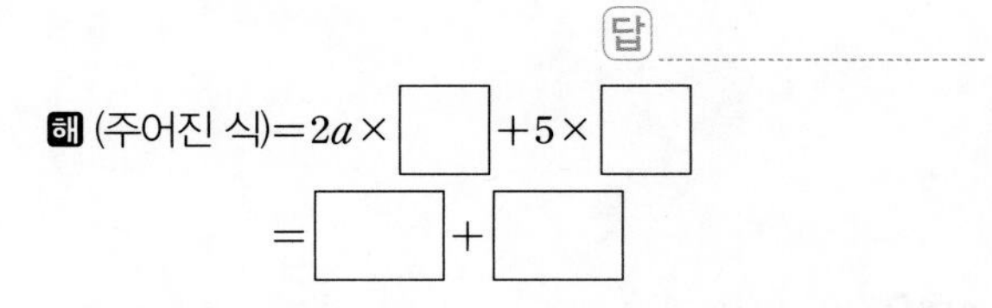

194 $(3a-5)\times 2a$

답 ____________

195 $(3a-4b+1)\times 2a$

답 ____________

196 $(2x-3)\times(-3x)$

답 ____________

197 $(3a-5b+8)\times(-2b)$

답 ____________

개념 체크

198 다음 빈칸에 알맞은 것을 써넣어라.

단항식과 다항식의 곱을 하나의 [　　　]으로 나타내는 것을 [　　　]라 하고, [　　　]하여 얻은 다항식을 [　　　]이라 한다.

단항식과 다항식의 곱셈은 [　　　　]을 이용하여 [　　　]을 다항식의 각 [　　　]에 곱하여 계산한다.

* 정답 및 해설 pp. 20~21

11 다항식과 단항식의 나눗셈

다항식을 단항식으로 나눌 때에는 다음의 두 가지 방법 중 하나를 택하여 간단히 한다.

(1) 식을 분수 꼴로 나타내어 계산한다.

$$(a+b)\div c=\frac{a+b}{c}=\frac{a}{c}+\frac{b}{c}$$

(2) 나눗셈을 곱셈으로 고친 다음 분배법칙을 이용하여 계산한다.

$$(a+b)\div c=(a+b)\times\frac{1}{c}=a\times\frac{1}{c}+b\times\frac{1}{c}=\frac{a}{c}+\frac{b}{c}$$

역수의 곱셈으로 고친 뒤 계산한다.

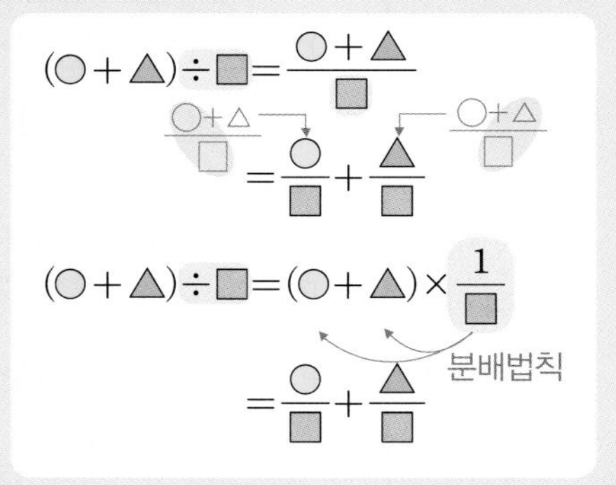

유형17 다항식과 단항식의 나눗셈

[199~207] 다음 식을 간단히 하여라.

199 $(4x+8)\div 2$

답

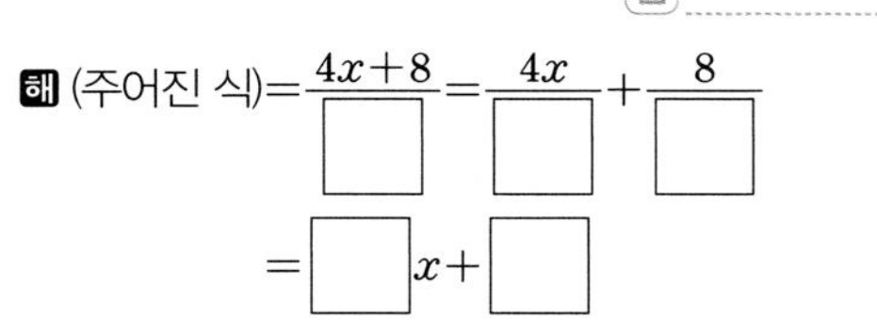

200 $(6ab+4a)\div 2a$

답

201 $(9xy-15y)\div(-3y)$

답

202 $(12xy^2+8xy)\div 4xy$

답

203 $(9xy^2-15x^3y^4)\div 3xy^2$

답

204 $(2ab+3b)\div\frac{b}{2}$

답

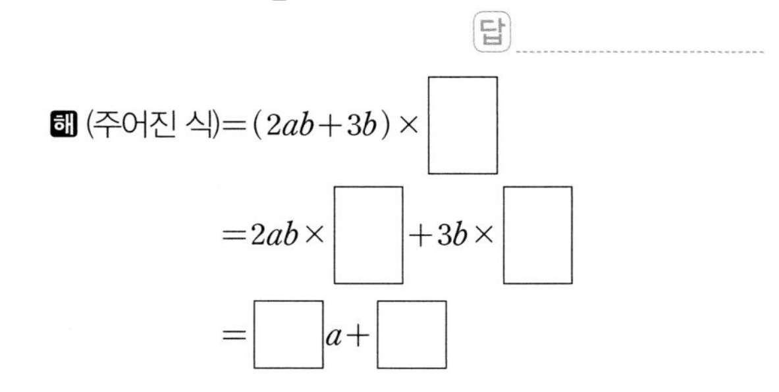

205 $(x^2-3x)\div\frac{1}{2}x$

답

206 $(2xy^2-2y^2)\div\frac{1}{3}y$

답

207 $(12x^2y-8xy^2)\div\frac{2}{3}xy$

답

개념 체크

208 다음 빈칸에 알맞은 것을 써넣어라.

다항식과 단항식의 나눗셈은 다음 두 가지 방법 중 편리한 방법으로 계산한다.

1) 식을 [　　　] 꼴로 나타내어 계산한다.

2) 나눗셈을 [　　　]으로 고친 다음 [　　　　]을 이용하여 계산한다.

* 정답 및 해설 p. 21

12 다항식의 혼합 계산

(i) 지수법칙을 이용하여 거듭제곱을 계산한다.

(ii) 괄호는 (소괄호) ➡ {중괄호} ➡ [대괄호]의 순서로 푼다.

(iii) 분배법칙을 이용하여 곱셈과 나눗셈을 덧셈과 뺄셈보다 먼저 계산한다.

① 단항식과 다항식의 곱셈은 전개하여 다항식으로 나타낸다.

② 다항식과 단항식의 나눗셈은 나눗셈을 곱셈으로 고쳐서 계산한다.

(iv) 동류항끼리 덧셈과 뺄셈을 하여 식을 간단히 한다.

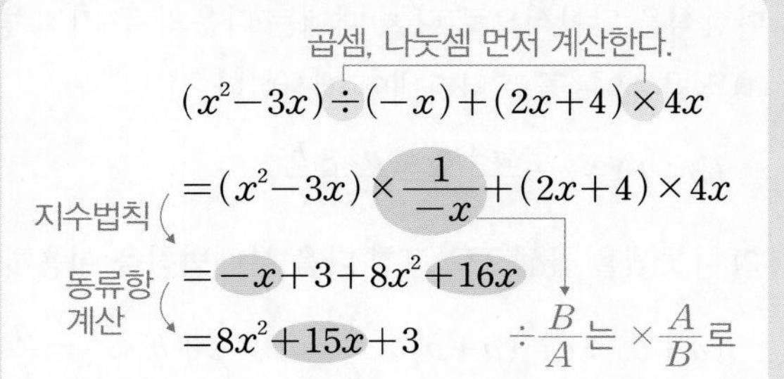

유형18 다항식의 혼합 계산

[209~215] 다음 식을 간단히 하여라.

209 $(2xy-4y^2)\div(-2y)+(-2x+y)$

답 ____________

210 $(ab-2a)+(4b+6)\times 2a$

답 ____________

211 $2(-5x-2y)+(4x^2-8xy)\div 2x$

답 ____________

212 $(4x^2+6x)\div(-2x)+(2x-5)\times 3x$

답 ____________

213 $(y+2xy)\div(-y)-(-4x-6)$

답 ____________

214 $-2x(y-6)-(-6xy+4x)$

답 ____________

215 $(2xy+3y^2)\div y-2(-x+3y)$

답 ____________

개념 체크

216 다음 빈칸에 알맞은 것을 써넣어라.

(i) 거듭제곱이 있으면 [   ]을 이용하여 정리한다.

(ii) 여러 가지 괄호가 있는 식은 [   ]괄호 ( ) ➡ [   ]괄호 { } ➡ [   ]괄호 [ ]의 순으로 괄호를 풀고 간단히 한다.

(iii) [   ]과 [   ]을 덧셈과 뺄셈보다 먼저 계산한다.

(iv) [   ]끼리 덧셈과 뺄셈을 하여 식을 간단히 한다.

* 정답 및 해설 p. 21

Ⅱ-2 다항식의 계산

13 식의 값

주어진 식의 문자에 그 문자의 값을 대입하여 얻은 값을 식의 값이라 한다.

예 $x=2$, $y=3$일 때,

$x^2+xy+y^2=2^2+2\times3+3^2=4+6+9=19$

$x=1$ $y=2$

$2x+3y^2=2\times1+3\times2^2$

$=2+12=14$

09 DAY

유형19 식의 값 — 문자 1개

[217~219] $x=3$일 때, 다음 식의 값을 구하여라.

217 $3x-4$

답 ____________

해 $3x-4=3\times\square-4=\square$

218 $-5x+2$

답 ____________

219 $-2x^2-3x-2$

답 ____________

[220~222] $x=-2$일 때, 다음 식의 값을 구하여라.

Tip
음수를 대입할 때, 반드시 괄호를 한 후 대입한다.

220 $-4x-1$

답 ____________

221 x^2+4

답 ____________

222 x^2+5x+1

답 ____________

유형20 식의 값 — 문자 2개

[223~227] $x=-2$, $y=1$일 때, 다음 식의 값을 구하여라.

223 $4x+y$

답 ____________

해 $4x+y=4\times\square+\square=\square$

224 $-x-3y$

답 ____________

225 $2(x+y)-5(-x+y)$

답 ____________

Tip
주어진 식이 복잡할 때, 먼저 주어진 식을 간단히 한다.

226 $(10x^2-5xy)\div(-5x)$

답 ____________

227 $\dfrac{x^2y-xy^2}{xy}$

답 ____________

개념 체크

228 다음 빈칸에 알맞은 것을 써넣어라.

주어진 식의 [ ]에 그 문자의 [ ]을 대입하여 얻은 값을 [ ]이라 한다.

14 식의 대입

식에 들어 있는 문자에 그 문자를 나타내는 다른 식을 넣는 것을 식의 대입이라 한다.

예 $A=x+y$, $B=x-y$일 때, $2A+B$를 x, y에 대한 식으로 나타내면
$2A+B=2(x+y)+(x-y)=2x+2y+x-y=3x+y$

$A=x+y$ $B=2x-3y$
$A+B=(x+y)+(2x-3y)$
$=3x-2y$

유형21 식의 대입 — 문자 1개

[229~233] $y=4x-3$일 때, 다음 식을 x에 대한 식으로 나타내어라.

Tip
식을 대입할 때, 반드시 괄호를 사용한다.

229 $5x-2y+5$

답

해 $5x-2y+5=5x-2(4x-3)+5$
$=5x-\square x+\square+5$
$=\square x+\square$

230 $2x+y+3$

답

231 $x+2y-1$

답

232 $4x-5y$

답

233 $4x-3y-2$

답

[234~236] $y=-3x-3$일 때, 다음 식을 x에 대한 식으로 나타내어라.

234 $8x-2(y+x)+7$

답

해 (주어진 식)$=8x-2y-2x+7$
$=6x-2y+7$
$=6x-2(-3x-3)+7$
$=6x+\square x+\square+7$
$=\square x+\square$

235 $2(2x-y-1)+5y-2$

답

236 $3(x+y)+4x-5y-9$

답

유형22 식의 대입 — 문자 2개

[237~241] $A=x+2y$, $B=x-3y$일 때, 다음 식을 x, y에 대한 식으로 나타내어라.

237 $3A+2B$

답 ______

해 $3A+2B=3(x+2y)+2(x-3y)$
$=3x+6y+\square x-\square y$
$=\square$

238 $2A-3B$

답 ______

239 $-2A+5B$

답 ______

240 $5A-2B$

답 ______

241 $-A-3B$

답 ______

[242~245] $A=2x-y$, $B=x+4y$일 때, 다음 식을 x, y에 대한 식으로 나타내어라.

242 $2A+3B-(3A-2B)$

답 ______

해 (주어진 식)$=2A+3B-3A+2B=-A+5B$
$=-(2x-y)+5(x+4y)$
$=\square x+y+5x+\square y$
$=\square x+\square y$

243 $-2(A+4B)+3B+4A$

답 ______

244 $3A-4B-(2A-B)$

답 ______

245 $B-A-(5A-2B)$

답 ______

개념 체크

246 다음 빈칸에 알맞은 것을 써넣어라.

식에 들어 있는 [ ]에 그 문자를 나타내는 다른 [ ]을 넣는 것을 [ ]이라 한다.

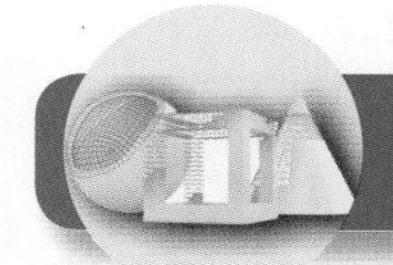

단원 총정리 문제

01 다음 중 옳은 것은?

① $x^4 \times x^2 = x^8$
② $y^3 \times y^3 = y^9$
③ $5^2 \times 5^6 = 5^8$
④ $(x^4)^2 = x^6$
⑤ $(a^5)^3 = a^8$

02 $(x^3)^4 \div (x^3)^2 \div (x^2)^4$을 간단히 한 것은?

① $\frac{1}{x^4}$
② $\frac{1}{x^2}$
③ x^2
④ x^3
⑤ x^4

03 다음 중 옳은 것은?

① $\left(\frac{x^2}{y}\right)^3 = \frac{x^6}{y^3} (y \neq 0)$
② $x^3 \div x^5 = x^2$
③ $x^2 \times x^6 = x^{12}$
④ $(x^3)^7 = x^{10}$
⑤ $(4x^2y^2)^2 = 8x^4y^4$

04 다음 중 □ 안에 들어갈 수가 가장 작은 것은?

① $x^{\square} \times x^4 = x^9$
② $(x^3)^{\square} = x^{27}$
③ $x^{16} \div x^{\square} = x^9$
④ $(2x^2y^3)^{\square} = 64x^{12}y^{18}$
⑤ $\left(\frac{x^5}{y^{\square}}\right)^2 = \frac{x^{10}}{y^{14}}$

05 $(-2a^3)^2 \times 4ab^2 \times (-ab^2)^3$을 간단히 한 것은?

① $-16a^{10}b^8$
② $-8a^{10}b^8$
③ $8a^8b^8$
④ $8a^{10}b^8$
⑤ $16a^{10}b^8$

06 $18x^3y \div 6x \div (-y)^2$을 간단히 한 것은?

① $-\frac{3x^2}{y}$
② $-3x^2y$
③ $3x^2y$
④ $3xy^3$
⑤ $\frac{3x^2}{y}$

07 $(-3x^2y^3)^2 \div \frac{3}{4}x^3y^2 = ax^by^c$일 때, $a+b+c$의 값을 구하여라. (단, a, b, c는 상수)

08 다음 □ 안에 알맞은 식은?

$$(-5x^7y^4)^2 \div \square \times 4x^6y^6 = 20x^7y^2$$

① $x^{13}y^{12}$
② $5x^{13}y^{12}$
③ $10x^{13}y^{12}$
④ $15x^{13}y^{12}$
⑤ $20x^{13}y^{12}$

09 $4x-[3y+\{2x-(x+y)\}]$를 간단히 한 것은?

① $3x-2y$ ② $3x+y$
③ $4x-2y$ ④ $4x-y$
⑤ $4x+2y$

10 다음 중 x에 대한 이차식인 것을 모두 고르면? (정답 2개)

① $x=y+3$ ② $2x^2-2(x^2+2)$
③ $-4-x^2$ ④ x^3+x^2+x+1
⑤ $-3x^3+x^2-2x+3x^3+1$

11 $(5x^2-x)-(2x^2+x-2)$를 간단히 한 것은?

① $7x^2+2x+2$ ② $7x^2-2$
③ $5x^2-2x-2$ ④ $5x^2+2$
⑤ $3x^2-2x+2$

12 어떤 식에서 $2x^2+x+10$을 빼어야 할 것을 잘못 하여 더하였더니 $7x^2-x+5$가 되었다. 이때, 바르게 계산한 답을 구하여라.

13 다음 중 식을 전개하였을 때, x의 계수가 가장 큰 것은?

① $2x(2x+1)$
② $-\frac{2}{5}x(10x-25)$
③ $(x^2-2x+2)\times(-4x)$
④ $3x(y-9)$
⑤ $-4x(x+2y+3)$

14 $(a^2x+2ax^2)\div(-ax)+a(3x+1)$을 간단히 한 것은?

① $-3ax-2x$ ② $3ax-2x$
③ $3ax+2x$ ④ $3ax-2x-2a$
⑤ $3ax-2x+2a$

15 $8x(3x+2y)-2x(5x+y)$를 간단히 한 식에서 xy의 계수를 구하여라.

16 $y=2x-1$일 때, $3x-2y+3$을 x에 대한 식으로 나타낸 것은?

① $x+5$ ② $x-5$
③ $-x+5$ ④ $-x+4$
⑤ $-x-4$

MIND MAP

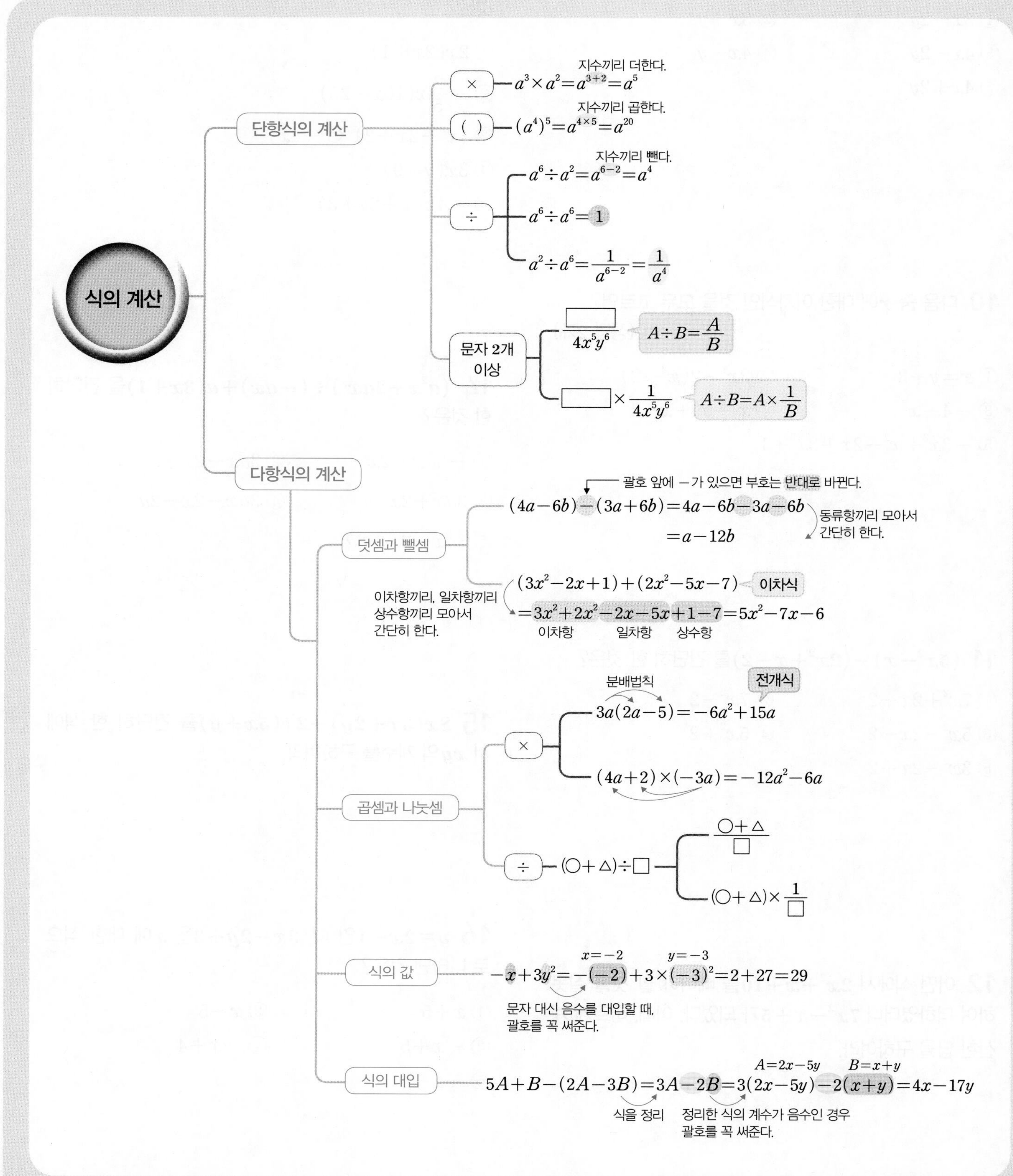

식의 계산
단항식의 계산
×
$a^3 \times a^2 = a^{3+2} = a^5$
지수끼리 더한다.
( )
$(a^4)^5 = a^{4\times5} = a^{20}$
지수끼리 곱한다.
÷
$a^6 \div a^2 = a^{6-2} = a^4$
지수끼리 뺀다.
$a^6 \div a^6 = 1$
$a^2 \div a^6 = \frac{1}{a^{6-2}} = \frac{1}{a^4}$
문자 2개 이상
$\frac{\square}{4x^5y^6}$
$A \div B = \frac{A}{B}$
$\square \times \frac{1}{4x^5y^6}$
$A \div B = A \times \frac{1}{B}$
다항식의 계산
덧셈과 뺄셈
괄호 앞에 −가 있으면 부호는 반대로 바뀐다.
$(4a-6b)-(3a+6b) = 4a-6b-3a-6b$
$= a-12b$
동류항끼리 모아서 간단히 한다.
$(3x^2-2x+1)+(2x^2-5x-7)$
이차식
$= 3x^2+2x^2-2x-5x+1-7 = 5x^2-7x-6$
이차항
일차항
상수항
이차항끼리, 일차항끼리 상수항끼리 모아서 간단히 한다.
곱셈과 나눗셈
×
분배법칙
전개식
$3a(2a-5) = -6a^2+15a$
$(4a+2)\times(-3a) = -12a^2-6a$
÷
$(\bigcirc + \triangle) \div \square$
$\frac{\bigcirc + \triangle}{\square}$
$(\bigcirc + \triangle) \times \frac{1}{\square}$
식의 값
$x=-2$
$y=-3$
$-x+3y^2 = -(-2)+3\times(-3)^2 = 2+27 = 29$
문자 대신 음수를 대입할 때, 괄호를 꼭 써준다.
식의 대입
$A=2x-5y$
$B=x+y$
$5A+B-(2A-3B) = 3A-2B = 3(2x-5y)-2(x+y) = 4x-17y$
식을 정리
정리한 식의 계수가 음수인 경우 괄호를 꼭 써준다.

Ⅲ 일차부등식과 연립일차방정식

Ⅲ-1 일차부등식

Ⅲ-2 연립일차방정식

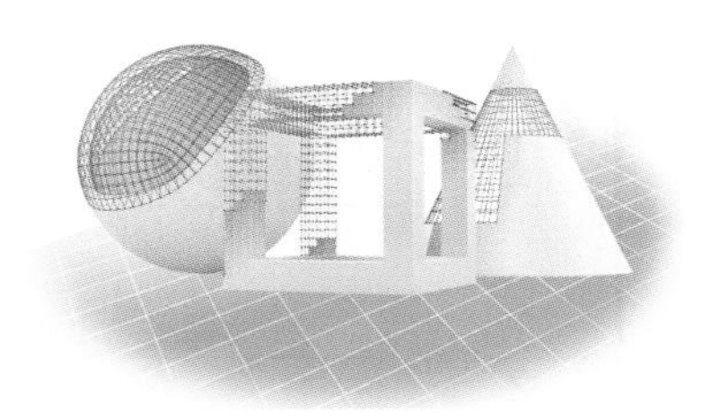

Ⅲ 일차부등식과 연립일차방정식

1 부등식

(1) 부등식 : 부등호 >, <, ≥, ≤를 사용하여 수 또는 식의 대소 관계를 나타낸 식

(2) 부등식의 표현

$x>a$	$x<a$	$x \ge a$	$x \le a$
x는 a보다 크다. x는 a 초과이다.	x는 a보다 작다. x는 a 미만이다.	x는 a보다 크거나 같다. x는 a보다 작지 않다. x는 a 이상이다.	x는 a보다 작거나 같다. x는 a보다 크지 않다. x는 a 이하이다.

2 부등식의 성질

부등식 $a<b$에서

① $a+c<b+c$, $a-c<b-c$ ② $ac<bc$, $\frac{a}{c}<\frac{b}{c}$ (단, $c>0$) ③ $ac>bc$, $\frac{a}{c}>\frac{b}{c}$ (단, $c<0$)

3 일차부등식과 그 풀이

(1) 부등식의 해를 수직선에 나타내기

$x>a$	$x \ge a$	$x<a$	$x \le a$
a	a	a	a

(2) 일차부등식의 풀이

① 일차부등식의 풀이 순서

$$4x+5>2x-1 \xrightarrow{\text{(i) 이항한다.}} 4x-2x>-1-5 \xrightarrow{\text{(ii) } ax>b\text{의 꼴로 정리한다.}} 2x>-6 \xrightarrow{\text{(iii) 양변을 } x\text{의 계수로 나눈다.}} x>-3$$

② 괄호가 있는 경우

$$4(x+3)<x \xrightarrow{\text{괄호를 푼다.}} 4x+12<x \xrightarrow{\text{(i), (ii)}} 3x<-12 \xrightarrow{\text{(iii)}} x<-4$$

③ 계수가 분수인 경우

$$\frac{x}{3}-\frac{1}{2}<x \xrightarrow{\text{양변에 분모의 최소공배수를 곱한다.}} 2x-3<6x \xrightarrow{\text{(i), (ii)}} -4x<3 \xrightarrow{\text{(iii)}} x>-\frac{3}{4}$$

④ 계수가 소수인 경우

$$0.4x-1\le 0.2 \xrightarrow{\text{양변에 10의 거듭제곱을 곱한다.}} 4x-10\le 2 \xrightarrow{\text{(i), (ii)}} 4x\le 12 \xrightarrow{\text{(iii)}} x\le 3$$

4 미지수가 2개인 연립방정식

(1) 미지수가 2개인 일차방정식

미지수

$ax+by+c=0$ (단, a, b, c는 상수, $a\neq0$, $b\neq0$)

(2) 연립방정식의 해

x, y가 자연수일 때, $\begin{cases} x+y=6 & \cdots ㉠ \\ 2x+y=10 & \cdots ㉡ \end{cases}$ 을 풀면 구하는 연립방정식의 해는 $x=4$, $y=2$이다.

(i) ㉠의 해 :

x	1	2	3	4
y	5	4	3	2

(ii) ㉡의 해 :

x	1	2	3	4
y	8	6	4	2

5 연립방정식의 풀이

(1) 가감법

① 소거할 미지수의 계수의 절댓값이 같을 때		② 소거할 미지수의 계수의 절댓값이 다를 때
〈부호가 다른 경우〉 $3x+2y=11$ $+)\,-3x+15y=6$ $\boxed{}\ 17y=17$ x 소거	〈부호가 같은 경우〉 $3x+6y=-2$ $-)\,-x+6y=14$ $4x\ \boxed{}=-16$ y 소거	$\begin{cases} x-y=4 & \cdots ㉠ \\ 2x+3y=3 & \cdots ㉡ \end{cases}$ $\xrightarrow{㉠\times3+㉡}$ $3x-3y=12$ $+)\,2x+3y=3$ $5x\ \boxed{}=15$ 소거할 미지수의 절댓값이 같도록 한 후 ①과 같은 방법으로 푼다.

(2) 대입법

$\begin{cases} x=-y+2 & \cdots ㉠ \\ 3x+2y=2 & \cdots ㉡ \end{cases}$

㉠을 ㉡에 대입하면 $3(-y+2)+2y=2$ $\quad\therefore y=4$

$y=4$를 ㉠에 대입하면 $x=-2$

(3) 계수가 분수 또는 소수인 연립방정식의 풀이

$\begin{cases} 0.3x-0.4y=1.1 & \cdots ㉠ \\ \frac{1}{2}x-\frac{1}{3}y=\frac{1}{6} & \cdots ㉡ \end{cases}$ $\xrightarrow[㉠\times10,\ ㉡\times6]{\text{계수를 정수로 고친다.}}$ $\begin{cases} 3x-4y=11 \\ 3x-2y=1 \end{cases}$

(4) $A=B=C$ 꼴의 방정식의 풀이

$5x+4y=x+2y=3$

$\xrightarrow{\begin{cases} A=B \\ B=C \end{cases} \text{또는} \begin{cases} A=C \\ B=C \end{cases} \text{또는} \begin{cases} A=B \\ A=C \end{cases} \text{꼴로 바꾼다.}}$ $\begin{cases} 5x+4y=3 \\ x+2y=3 \end{cases}$ 또는 $\begin{cases} 5x+4y=x+2y \\ x+2y=3 \end{cases}$ 또는 $\begin{cases} 5x+4y=x+2y \\ 5x+4y=3 \end{cases}$

* 정답 및 해설 p. 24

Ⅲ-1 일차부등식

01 부등식

(1) 부등식

부등호($<$, $>$, $\le$, $\ge$)를 사용하여 수 또는 식의 대소 관계를 나타낸 식

a는 b보다 크거나 같다.
$a \ge b$

(2) 부등식의 표현

$a>b$	$a<b$	$a\ge b$	$a\le b$
a는 b보다 크다. a는 b 초과이다.	a는 b보다 작다. a는 b 미만이다.	a는 b보다 크거나 같다. a는 b보다 작지 않다. a는 b 이상이다.	a는 b보다 작거나 같다. a는 b보다 크지 않다. a는 b 이하이다.

주의 기호 '$\ge$'는 '$>$' 또는 '$=$'를, 기호 '$\le$'는 '$<$' 또는 '$=$'를 의미한다.

유형01 부등식 찾기

[01~06] 다음 중 부등식인 것은 ○표, 아닌 것은 ×표를 하여라.

01 $3x+2=7$ ( )

02 $5x-2x=3x$ ( )

03 $2x-5+4x$ ( )

04 $x+3>-2$ ( )

05 $40\le 7\times 8$ ( )

06 $4x-5<4x$ ( )

유형02 부등식으로 나타내기

[07~11] 다음을 부등식으로 나타내어라.

07 x는 6보다 크다.

답 ....

08 x는 6보다 작거나 같다.

답 ....

09 x는 3보다 크거나 같다.

답 ....

10 x는 3 미만이다.

답 ....

11 x를 2배하여 8을 빼면 12보다 크다.

답 ....

개념 체크

12 다음 빈칸에 알맞은 것을 써넣어라.

부등호 [ ]를 사용하여 수 또는 식 사이의 [ ]를 나타낸 식이다.

* 정답 및 해설 p. 24

02 부등식과 그 해

(1) **좌변, 우변, 양변** : 부등호의 왼쪽 부분을 좌변, 오른쪽 부분을 우변, 좌변과 우변을 통틀어 양변이라고 한다.

(2) **부등식의 참, 거짓** : 부등식에서 좌변과 우변의 값의 대소 관계가

① 주어진 부등호의 방향과 같으면 ➡ 참인 부등식

② 주어진 부등호의 방향과 다르면 ➡ 거짓인 부등식

주의 (i) 부등호 $\leq$, $\geq$가 쓰인 부등식의 경우 : (좌변)=(우변) $\Rightarrow$ 참

예 $5x+3\leq 2x$ $[-1]$ $\Rightarrow$ $-2\leq -2$: 참

(ii) 부등호 $<$, $>$가 쓰인 부등식의 경우 : (좌변)=(우변) $\Rightarrow$ 거짓

예 $5x+3<2x$ $[-1]$ $\Rightarrow$ $-2=-2$: 거짓

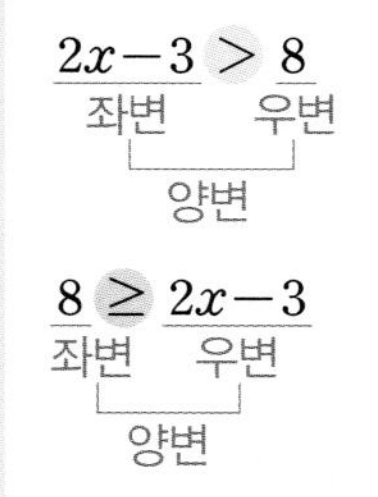

(3) **부등식의 해** : 미지수가 있는 부등식에서 부등식을 참이 되게 하는 미지수의 값

(4) **부등식을 푼다** : 부등식의 해를 구하는 것

유형 03 부등식의 해

[13~17] 다음 [ ] 안의 수가 주어진 부등식의 해인 것은 ○표, 아닌 것은 ×표를 하여라.

13 $2x+4>5$ $[0]$ ( )

해 $x=0$을 대입하면

(좌변)$=2\times 0+4=$☐, (우변)$=5$

즉, (좌변)<(우변)이므로 거짓인 부등식이다.

14 $7-3x\leq 6$ $[2]$ ( )

해 $x=$☐를 대입하면

(좌변)$=7-3\times$☐$=$☐, (우변)$=6$

즉, (좌변)☐(우변)이므로 참인 부등식이다.

15 $-2x+8\geq x+5$ $[3]$ ( )

16 $3(x+4)>-2$ $[-2]$ ( )

17 $\frac{x}{2}-3\leq 4-\frac{x}{3}$ $[1]$ ( )

[18~25] x의 값의 범위가 [ ] 안에 주어진 수와 같을 때, 다음 부등식의 해를 구하여라.

> **Tip**
> $x=a$를 부등식의 좌변, 우변에 각각 대입하여 계산한 뒤 비교해 보자.
> 예) $x=a$를 부등식의 좌변, 우변에 각각 대입하여 같은 값 2를 얻은 경우
> (1) $2>2$ 또는 $2<2$이면 거짓인 부등식 ⇒ $x=a$는 해가 아니다.
> (2) $2\geq 2$ 또는 $2\leq 2$이면 참인 부등식 ⇒ $x=a$는 해이다.

18 $x-4>0$ [4, 5]

답 ______

해 $x=4$일 때, $4-4>0$ (거짓)
$x=5$일 때, $5-4>0$ (참)
따라서 $x=5$일 때만 참이므로, 해는 $x=$ □

19 $2x-3>1$ [1, 2, 3]

답 ______

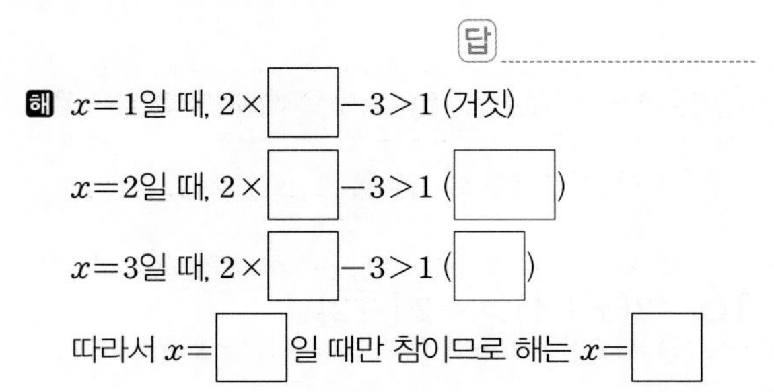

20 $-x+2\leq 1$ [0, 1, 2]

답 ______

21 $-3x-1\geq 2$ [-2, -1, 0]

답 ______

22 $5-2x<7$ [-2, -1, 0, 1]

답 ______

23 $2x-1\leq x+1$ [0, 1, 2, 3]

답 ______

24 $4x-3\geq 5$ [-1, 0, 1, 2]

답 ______

25 $1-x<2$ [-2, -1, 0, 1, 2]

답 ______

개념 체크

26 다음 빈칸에 알맞은 것을 써넣어라.

1) 부등호의 왼쪽 부분을 [ ], 오른쪽 부분을 [ ], 왼쪽 부분과 오른쪽 부분을 통틀어 [ ]이라고 한다.

2) 부등식의 [ ]는 미지수가 있는 부등식에서 부등식을 [ ]이 되게 하는 미지수의 값을 말한다.

* 정답 및 해설 p. 25

03 부등식의 성질

(1) 부등식의 양변에 같은 수를 더하거나 빼어도 부등호의 방향은 바뀌지 않는다.

(2) 부등식의 양변에 같은 양수를 곱하거나 나누어도 부등호의 방향은 바뀌지 않는다.

(3) 부등식의 양변에 같은 음수를 곱하거나 나누면 부등호의 방향이 바뀐다.

$a<b$이면 $\begin{cases} a+c<b+c \\ a-c<b-c \end{cases}$

$a<b$, $c>0$이면 $\begin{cases} ac<bc \\ \frac{a}{c}<\frac{b}{c} \end{cases}$ 부등호의 방향이 그대로이다.

$a<b$, $c<0$이면 $\begin{cases} ac>bc \\ \frac{a}{c}>\frac{b}{c} \end{cases}$ 부등호의 방향이 바뀐다.

유형04 부등식의 성질

[27~38] $a<b$일 때, 다음 □ 안에 알맞은 부등호를 써넣어라.

27 $a+3$ □ $b+3$

해 부등식의 양변에 같은 수 □을 더하여도 부등호의 방향은 바뀌지 않는다.

28 $a+(-1)$ □ $b+(-1)$

29 $a-7$ □ $b-7$

30 $a-(-2)$ □ $b-(-2)$

31 $3a$ □ $3b$

해 부등식의 양변에 같은 양수 □을 곱하여도 부등호의 방향은 바뀌지 않는다.

32 $\frac{a}{3}$ □ $\frac{b}{3}$

33 $-6a$ □ $-6b$

해 부등식의 양변에 같은 음수 □을 곱하면 부등호의 방향이 바뀐다.

34 $a\div\left(-\frac{1}{3}\right)$ □ $b\div\left(-\frac{1}{3}\right)$

35 $2a-3$ □ $2b-3$

36 $1+\frac{3}{2}a$ □ $1+\frac{3}{2}b$

37 $-4a+3$ □ $-4b+3$

38 $5-2a$ □ $5-2b$

[39~44] 다음 □ 안에 알맞은 부등호를 써넣어라.

39 $a+5>b+5$ ➡ a □ b

40 $3a\leq 3b$ ➡ a □ b

41 $\frac{2}{3}a\leq\frac{2}{3}b$ ➡ a □ b

42 $-4a-2\geq -4b-2$ ➡ a □ b

43 $1-2a<1-2b$ ➡ a □ b

44 $-\frac{a}{5}+1<-\frac{b}{5}+1$ ➡ a □ b

유형05 부등식의 성질을 이용한 식의 값의 범위

[45~48] $x<2$일 때, 다음 식의 값의 범위를 구하여라.

45 $x+5$

답 ________

해 $x<2$의 양변에 □를 더하여도 부등호의 방향은 바뀌지 않으므로

$x+$ □ $<2+$ □ $\quad\therefore x+5<$ □

46 $x-4$

답 ________

47 $-\frac{x}{4}$

답 ________

48 $2x-1$

답 ________

개념 체크

49 다음 빈칸에 알맞은 것을 써넣어라.

부등식의 양변에 같은 [ ]를 곱하거나 나누면 부등호의 [ ]이 바뀐다. 예를 들어, $-2x>4$에서 양변을 [ ]로 나누면 x[ ]-2이다.

유형28 미지수가 2개인 일차방정식 세우기

[143~147] 다음을 x, y를 미지수로 하는 일차방정식으로 나타내어라.

143 x개의 연필과 y개의 볼펜을 합하여 모두 20개를 샀다.

답 ....

해 (연필의 개수)+(볼펜의 개수)=(산 개수)

$\therefore x+y=$ ☐

144 3점짜리 문제 x개와 4점짜리 문제 y개를 맞혀서 92점을 받았다.

답 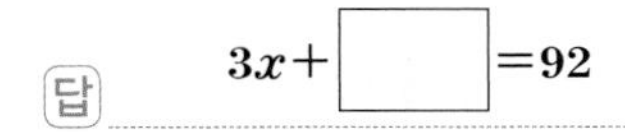

해 (3점짜리 총합)+(4점짜리 총합)=(총점)

$\therefore 3x+$ ☐ $=92$

145 500원짜리 사과 x개와 700원짜리 배 y개의 가격은 총 4800원이다.

답 ....

146 닭 x마리와 고양이 y마리의 다리 수는 모두 46개이다.

답 ....

147 밑변의 길이가 x이고 높이가 4인 삼각형의 넓이는 y이다.

답 ....

[148~151] 다음 중 x, y 사이의 관계를 식으로 나타낼 때, 미지수가 2개인 일차방정식인 것은 ○표, 아닌 것은 ×표를 하여라.

148 시속 x km의 속력으로 y시간 동안 달린 거리는 10 km이다. (　　　)

해 (거리)=(속력)×(시간)이므로

$xy=$ ☐

xy의 차수가 1이 아니다.

149 2000원씩 x개월, 5000원씩 y개월 동안 저축한 금액은 총 30000원이다. (　　　)

해 (x개월 저축한 금액)+(y개월 저축한 금액)=(총 금액)

☐ $+5000y=30000$

150 1송이에 500원 하는 장미 x송이와 1000원 하는 튤립 y송이의 가격은 총 7000원이다.

(　　　)

151 가로의 길이가 x cm, 세로의 길이가 y cm인 직사각형의 넓이는 48 cm^2 이다.

(　　　)

개념 체크

152 다음 빈칸에 알맞은 것을 써넣어라.

방정식의 모든 항을 좌변으로 이항하여 정리하였을 때 미지수가 [　　　]개이고 그 차수가 [　　　]인 방정식을 미지수가 [　　　]개인 [　　　　　]이라고 한다.

13 DAY

15 미지수가 2개인 일차방정식의 해

(1) **미지수가 2개인 일차방정식의 해**

미지수가 2개인 일차방정식을 참이 되게 하는 x, y의 값 또는 그 순서쌍 (x, y)

(2) **일차방정식을 푼다** : 일차방정식의 해를 구하는 것

예 $x-y=3$에서 ① $x=4$, $y=1$이면 $4-1=3$

② $x=3$, $y=2$이면 $3-2\neq3$

➡ $(4, 1)$은 해이고 $(3, 2)$는 해가 아니다.

x, y가 자연수일 때, $3x+y=10$의 해를 구하자.

x가 자연수가 아니다.

x	⋯	-1	0	1	2	3	4	⋯
y	⋯	13	10	7	4	1	-2	⋯

y가 자연수가 아니다.

➡ $(1, 7)$, $(2, 4)$, $(3, 1)$

참고 이때, "일차방정식 $x+2y=5$는 순서쌍 $(3, 1)$을 해로 갖는다." 또는 "순서쌍 $(3, 1)$은 일차방정식 $x+2y=5$의 해이다."

라고 표현한다. 자연수 x, y에 대하여 일차방정식 $x+2y=5$의 해를 구하면

x	3	1
y	1	2

이다.

유형29 미지수가 2개인 일차방정식의 해

[153~157] 다음 중 일차방정식 $3x-2y=4$의 해인 것은 ○표, 아닌 것은 ×표를 하여라.

153 $(0, -2)$ ( )

해 $x=0$, $y=-2$를 $3x-2y=4$에 대입하면

$3\times\square-2\times(-2)=\square$

즉, 주어진 일차방정식을 참이 되게 하므로 $(0, -2)$는 $3x-2y=4$의 해이다.

154 $(2, 1)$ ( )

155 $(4, 3)$ ( )

해 $x=4$, $y=3$을 $3x-2y=4$에 대입하면

$3\times\square-2\times\square=\square\neq4$

즉, 주어진 일차방정식을 참이 되게 하지 않으므로 $(4, 3)$은 $3x-2y=4$의 해가 아니다.

156 $(-2, -1)$ ( )

157 $(-4, -8)$ ( )

[158~162] 다음 중 순서쌍 $(3, 2)$를 해로 갖는 일차방정식인 것은 ○표, 아닌 것은 ×표를 하여라.

Tip

일차방정식 $ax+by+c=0$의 해가 (p, q)일 때,

($x=p$, $y=q$를 각각 대입)

$ap+bq+c=0$은 참이다.

158 $2x-4y=-2$ ( )

해 $x=3$, $y=\square$를 $2x-4y=-2$에 대입하면

$2\times\square-4\times\square=\square$

즉, 주어진 일차방정식을 참이 되게 하므로 $(3, 2)$를 해로 갖는다.

159 $x-5y=-7$ ( )

160 $7x-4y=9$ ( )

161 $-5x+3y=-9$ ( )

162 $-4x+2y=4$ ( )

유형30 x, y가 자연수일 때, 일차방정식의 해 구하기

[163~166] 주어진 일차방정식에 대하여 다음 표의 빈칸을 채우고, x, y가 자연수일 때, 주어진 일차방정식의 해의 개수를 구하여라.

163 $x+2y=6$

답 ______ 개

x	1	2	3	4	5	6
y	$\frac{5}{2}$	2			$\frac{1}{2}$	

해 x, y가 자연수인 해는 (2, 2), (4, □)의 2개이다.

164 $2x+y=10$

답 ______ 개

x	1	2	3	4	5
y	8			2	

165 $3x+y=15$

답 ______ 개

x	1	2	3	4	5
y	12				

166 $4x+2y=16$

답 ______ 개

x	1	2	3	4	5
y					

[167~171] x, y가 자연수일 때, 다음 일차방정식의 해를 구하여라.

167 $3x+2y=18$

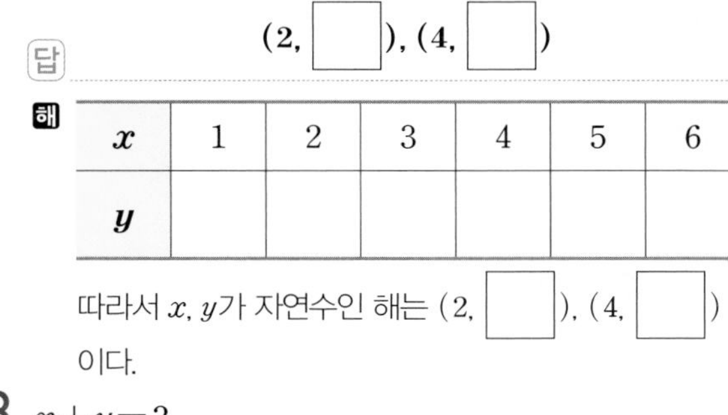

답 (2, □), (4, □)

해

x	1	2	3	4	5	6
y						

따라서 x, y가 자연수인 해는 (2, □), (4, □)이다.

168 $x+y=3$

답 ______

169 $2x+y=5$

답 ______

170 $2x+3y=11$

답 ______

171 $\frac{1}{2}x+y=4$

답 ______

13 DAY

유형31 일차방정식의 계수가 문자로 주어진 경우

[172~176] 순서쌍 $(2, 3)$이 다음 일차방정식의 해일 때, 상수 a의 값을 구하여라.

172 $4x-2y=a$

답 ____________

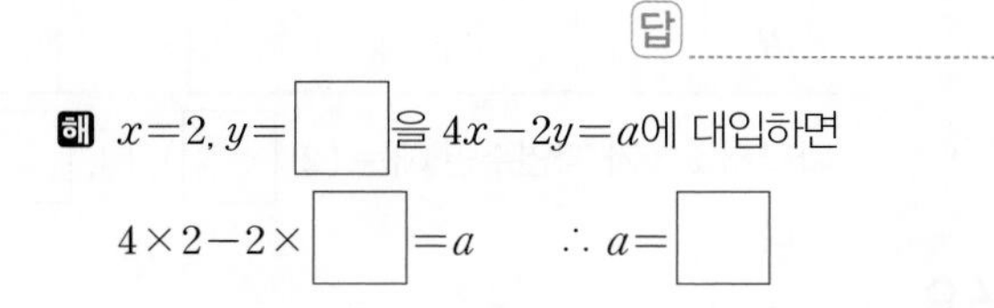

173 $x-ay=-7$

답 ____________

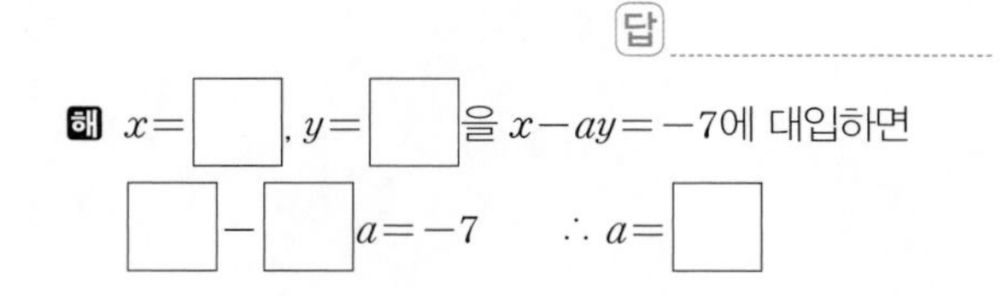

174 $ax+2y=14$

답 ____________

175 $-2x+ay=11$

답 ____________

176 $(a-1)x+4y=4$

답 ____________

유형32 일차방정식의 해가 문자로 주어진 경우

[177~179] 다음 주어진 일차방정식의 해가 $(3, a)$일 때, a의 값을 구하여라. (단, a는 상수)

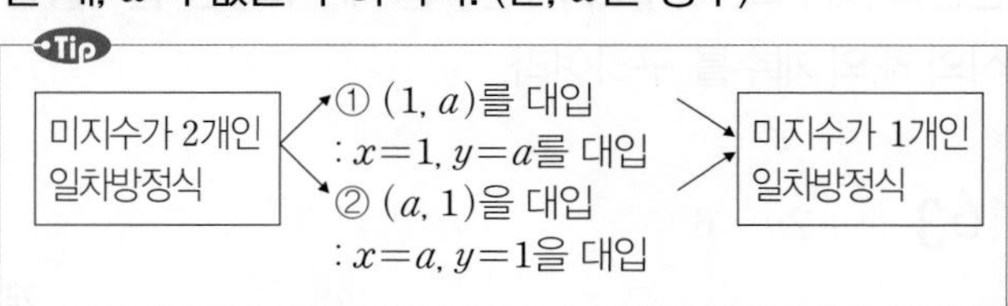

177 $3x+2y=15$

답 ____________

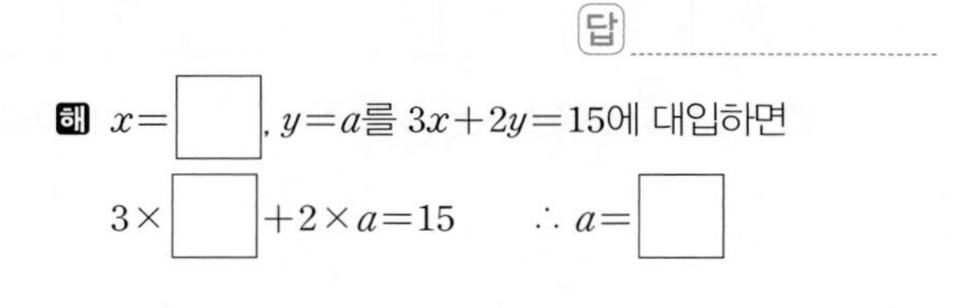

178 $7x-3y=6$

답 ____________

179 $-4x+9y=-30$

답 ____________

개념 체크

180 다음 빈칸에 알맞은 것을 써넣어라.

미지수가 [ ]개인 [ ]방정식을 [ ] 이 되게 하는 [ ], [ ]의 값 또는 그 순서쌍 [ ]를 일차방정식의 해라고 한다.

* 정답 및 해설 p. 33

Ⅲ-2 연립일차방정식

16 미지수가 2개인 연립일차방정식

(1) **미지수가 2개인 연립일차방정식(연립방정식)**

미지수가 2개인 일차방정식 두 개를 한 쌍으로 묶어 놓은 것 → $\begin{cases} ax+by=c \\ a'x+b'y=c' \end{cases}$

(2) **연립방정식의 해**

두 일차방정식을 동시에 만족하는 x, y의 값 또는 그 순서쌍 (x, y)

(3) **연립방정식을 푼다**

연립방정식의 해를 구하는 것

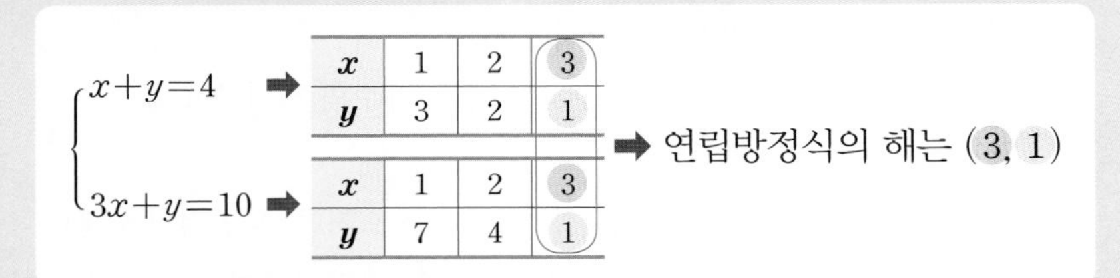

x	1	2	3
y	3	2	1

x	1	2	3
y	7	4	1

유형33 연립방정식 세우기

[181~183] 다음 문장을 x, y를 미지수로 하는 연립방정식으로 나타내어라.

181 두 수 x, y의 합은 10이고, x에서 y를 뺀 값은 4이다.

$\begin{cases} x+y=\square \\ x-y=\square \end{cases}$

답

182 두 수 x, y에 대하여 x의 2배에 y를 더한 값은 15이고, x의 3배에서 y의 2배를 뺀 값은 12이다.

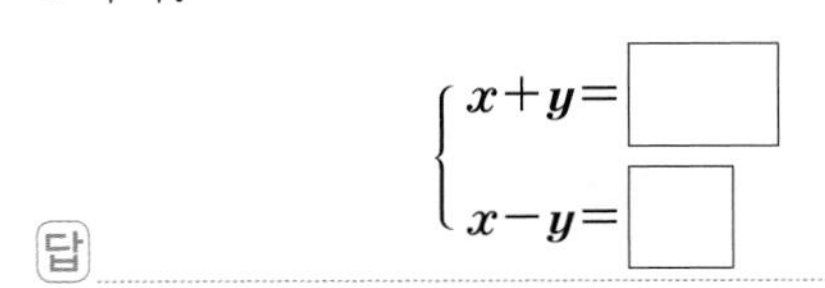

$\begin{cases} \square x+y=\square \\ \square x-\square y=\square \end{cases}$

답

183 두 수 x, y에 대하여 x에서 y에 3을 곱한 값을 빼면 -10이고, x에 2를 곱한 값과 y의 합은 1이다.

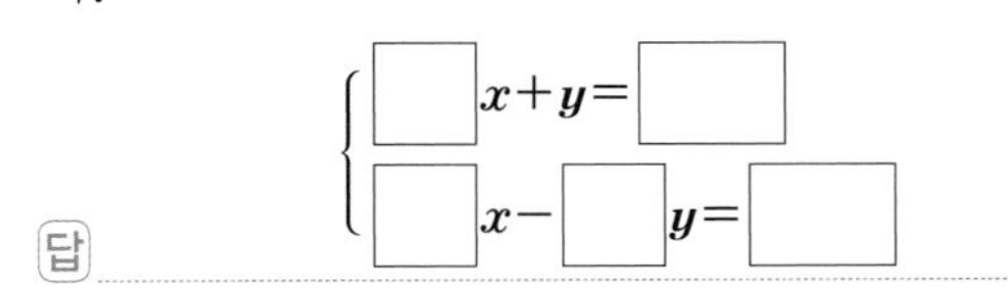

답

유형34 연립방정식의 해

[184~186] 다음 연립방정식 중 $x=1$, $y=2$를 해로 갖는 것은 ○표, 그렇지 않은 것은 ×표를 하여라.

184 $\begin{cases} x+2y=3 \\ 2x-3y=-4 \end{cases}$ ( )

해 $x=1$, $y=2$를 $x+2y=3$에 대입하면

$1+2\times\square=\square\neq3$

$x=1$, $y=2$를 $2x-3y=-4$에 대입하면

$2\times1-3\times\square=\square$

따라서 $x=1$, $y=2$는 일차방정식 $2x-3y=-4$만 만족하므로 연립방정식의 해가 $\square$

185 $\begin{cases} -x-3y=-7 \\ 5x-2y=1 \end{cases}$ ( )

186 $\begin{cases} 2x-5y=-8 \\ 6x-3y=5 \end{cases}$ ( )

개념 체크

187 다음 빈칸에 알맞은 것을 써넣어라.

두 일차방정식을 [ ] 만족하는 [ ], [ ]의 값 또는 그 순서쌍 [ ]를 연립방정식의 [ ]라고 한다.

14 DAY

17 연립방정식의 풀이 - 가감법

(1) **소거** : 연립방정식의 두 일차방정식에서 한 미지수를 없애는 것

(2) **가감법** : 연립방정식에서 두 식을 더하거나 빼어서 한 미지수를 소거하여 연립방정식의 해를 구하는 방법

(3) **가감법을 이용한 연립방정식의 풀이 순서**

(i) 적당한 수를 곱하여 소거하려는 미지수의 계수의 절댓값이 같도록 한다.

(ii) (i)의 두 식을 더하거나 빼어서 한 미지수를 소거한 후 방정식을 푼다.

(iii) (ii)에서 구한 해를 두 일차방정식 중 간단한 방정식에 대입하여 다른 미지수의 값을 구한다.

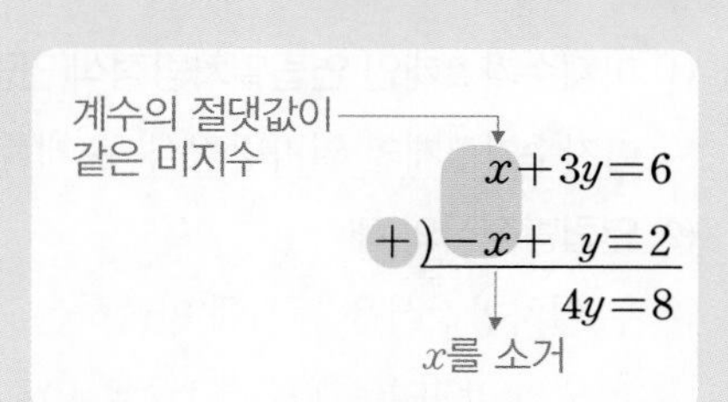

유형35 연립방정식에서 x 또는 y 소거하기

[188~189] 다음 연립방정식에서 x를 소거하려고 할 때, 필요한 식을 구하여라.

> **Tip**
> 소거하려는 미지수의 계수의 절댓값을 같게 하고 계수의 부호가
> ① 다르면 ➡ 변끼리 더하기
> ② 같으면 ➡ 변끼리 빼기

188 $\begin{cases} x+2y=5 & \cdots ㉠ \\ x-3y=10 & \cdots ㉡ \end{cases}$

답 ㉠ ☐ ㉡

해 x의 계수의 절댓값이 1로 같으므로 ㉠ ☐ ㉡을 하면

$x+2y=5$
☐ $)\ x-3y=10$
$5y=-5$

189 $\begin{cases} 3x+2y=11 & \cdots ㉠ \\ -x+5y=2 & \cdots ㉡ \end{cases}$

답 ㉠+㉡× ☐

[190~192] 다음 연립방정식에서 y를 소거하려고 할 때, 필요한 식을 구하여라.

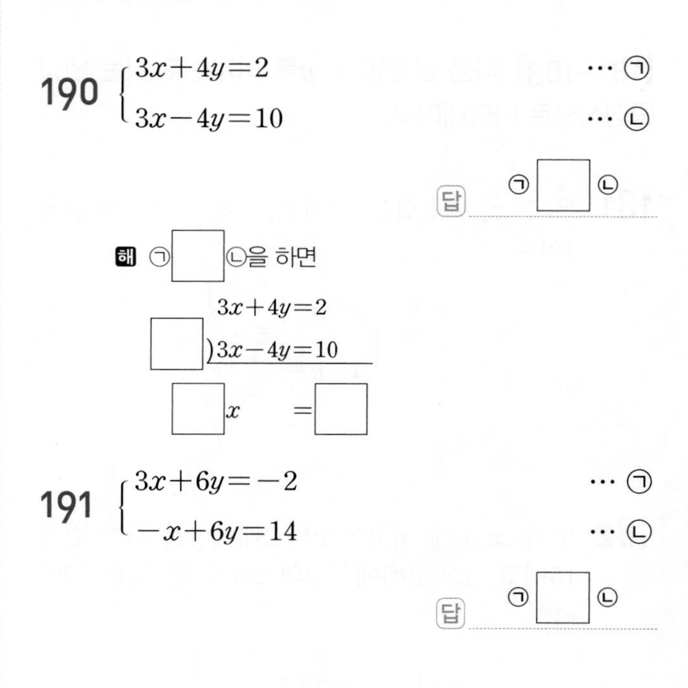

190 $\begin{cases} 3x+4y=2 & \cdots ㉠ \\ 3x-4y=10 & \cdots ㉡ \end{cases}$

답 ㉠ ☐ ㉡

해 ㉠ ☐ ㉡을 하면

$3x+4y=2$
☐ $)\ 3x-4y=10$
☐ x = ☐

191 $\begin{cases} 3x+6y=-2 & \cdots ㉠ \\ -x+6y=14 & \cdots ㉡ \end{cases}$

답 ㉠ ☐ ㉡

192 $\begin{cases} x+3y=7 & \cdots ㉠ \\ 3x-5y=21 & \cdots ㉡ \end{cases}$

답 ㉠× ☐ +㉡×3

유형36 가감법을 이용한 연립방정식의 풀이

[193~198] 다음 연립방정식을 가감법을 이용하여 풀어라.

193 $\begin{cases} 2x-y=6 & \cdots ㉠ \\ -3x+6y=-9 & \cdots ㉡ \end{cases}$

답 $x=$ [ ], $y=$ [ ]

해 ㉠$\times 6$ [ ] ㉡을 하면

$12x-6y=36$

[ ] $)\ -3x+6y=-9$

[ ] $x \quad =27 \quad \therefore x=$ [ ]

$x=$ [ ] 을 ㉠에 대입하면

[ ] $-y=6 \quad \therefore y=$ [ ]

194 $\begin{cases} x-y=4 & \cdots ㉠ \\ 2x+3y=3 & \cdots ㉡ \end{cases}$

답

195 $\begin{cases} x+2y=6 & \cdots ㉠ \\ -5x+y=14 & \cdots ㉡ \end{cases}$

답

196 $\begin{cases} 3x+5y=4 & \cdots ㉠ \\ 5x+3y=12 & \cdots ㉡ \end{cases}$

답 $x=$ [ ], $y=$ [ ]

해 ㉠$\times 3-$㉡$\times$ [ ] 를 하면

$9x+ \quad 15y= \quad 12$

$-)$ [ ] $x+$ [ ] $y=$ [ ]

[ ] $x \quad =$ [ ] $\quad \therefore x=$ [ ]

$x=$ [ ] 을 ㉠에 대입하면

[ ] $+5y=4 \quad \therefore y=$ [ ]

197 $\begin{cases} 2x-3y=4 & \cdots ㉠ \\ 3x+2y=-7 & \cdots ㉡ \end{cases}$

답

198 $\begin{cases} 2x+3y=1 & \cdots ㉠ \\ 3x-4y=10 & \cdots ㉡ \end{cases}$

답

개념 체크

199 다음 빈칸에 알맞은 것을 써넣어라.

1) 연립방정식에서 두 식을 [ ] 빼어서 한 미지수를 [ ]하여 연립방정식의 해를 구하는 방법을 [ ]이라고 한다.

2) 적당한 수를 곱하여 [ ]하려는 미지수의 계수의 [ ]을 같도록 한 후 두 식을 [ ] 빼어서 한 미지수를 [ ]하여 방정식을 푼다.

18 연립방정식의 풀이 – 대입법

(1) **대입법** : 연립방정식 중 한 방정식을 한 미지수에 대하여 풀고 그것을 다른 일차방정식에 대입하여 연립방정식의 해를 구하는 방법

(2) **대입법을 이용한 연립방정식의 풀이 순서**

(i) 한 방정식을 한 미지수에 대하여 푼 다음 다른 방정식에 대입하여 한 미지수를 소거한다.

(ii) 대입하여 만들어진 일차방정식의 해를 구한다.

(iii) (ii)에서 구한 해를 두 일차방정식 중 간단한 일차방정식에 대입하여 다른 미지수의 값을 구한다.

$\begin{cases} x=2y+3 \\ 3x+y=2 \end{cases}$ 의 해

➡ $3(2y+3)+y=2$

→ x대신 $2y+3$을 대입한다.

유형37 대입법을 이용한 연립방정식의 풀이

Tip
두 식이 x 또는 y에 대하여 정리되어 있으면 정리된 두 식을 이용하여 방정식을 푼다.

[200~205] 다음 연립방정식을 대입법으로 풀어라.

200 $\begin{cases} y=2x-3 & \cdots ㉠ \\ 2x+3y=7 & \cdots ㉡ \end{cases}$

답 $x=\square$, $y=\square$

해 ㉠을 ㉡에 대입하면

$2x+3(2x-3)=7$

$\square x=16 \quad \therefore x=\square$

$x=\square$를 ㉠에 대입하면 $y=\square$

따라서 구하는 연립방정식의 해는

$x=\square$, $y=\square$이다.

201 $\begin{cases} x=-y+2 & \cdots ㉠ \\ 3x+2y=2 & \cdots ㉡ \end{cases}$

답

202 $\begin{cases} y=3-x & \cdots ㉠ \\ 2x-3y=1 & \cdots ㉡ \end{cases}$

답

203 $\begin{cases} y=2x-3 & \cdots ㉠ \\ y=-x+6 & \cdots ㉡ \end{cases}$

답 $x=\square$, $y=\square$

해 ㉠을 ㉡에 대입하면

$2x-3=-x+6$

$\square x=9 \quad \therefore x=\square$

$x=\square$를 ㉠에 대입하면 $y=\square$

따라서 구하는 연립방정식의 해는

$x=\square$, $y=\square$이다.

204 $\begin{cases} x=4y+1 & \cdots ㉠ \\ x=3y-2 & \cdots ㉡ \end{cases}$

답

205 $\begin{cases} 3x=y-7 & \cdots ㉠ \\ 3x=2y-5 & \cdots ㉡ \end{cases}$

답

[206~211] 다음 연립방정식을 대입법으로 풀어라.

206 $\begin{cases} x+y=2 & \cdots ㉠ \\ 2x-3y=-1 & \cdots ㉡ \end{cases}$

답 $x=$ ☐, $y=$ ☐

해 ㉠을 y에 대하여 풀면

$y=-x+$ ☐ $\cdots$ ㉢

㉢을 ㉡에 대입하면

$2x-3(-x+$ ☐ $)=-1$

☐ $x=5$ $\quad \therefore x=$ ☐

$x=$ ☐ 을 ㉢에 대입하면 $y=$ ☐

따라서 구하는 연립방정식의 해는

$x=$ ☐, $y=$ ☐ 이다.

207 $\begin{cases} x-y=5 & \cdots ㉠ \\ 2x-3y=7 & \cdots ㉡ \end{cases}$

답 $x=$ ☐, $y=$ ☐

해 ㉠을 x에 대하여 풀면

$x=$ ☐ $+5$ $\cdots$ ㉢

㉢을 ㉡에 대입하면

$2($ ☐ $+5)-3y=7$

$-y=$ ☐ $\quad \therefore y=$ ☐

$y=$ ☐ 을 ㉢에 대입하면 $x=$ ☐

따라서 구하는 연립방정식의 해는

$x=$ ☐, $y=$ ☐ 이다.

208 $\begin{cases} x+y=3 & \cdots ㉠ \\ 2x+3y=8 & \cdots ㉡ \end{cases}$

답

209 $\begin{cases} x+y=1 & \cdots ㉠ \\ 2x-y=2 & \cdots ㉡ \end{cases}$

답

210 $\begin{cases} 2x-y=4 & \cdots ㉠ \\ 2x+3y=4 & \cdots ㉡ \end{cases}$

답

211 $\begin{cases} x-3y=2 & \cdots ㉠ \\ 3x+y=-4 & \cdots ㉡ \end{cases}$

답

* 정답 및 해설 p. 35

유형38 해의 조건이 주어질 때 미지수의 값 구하기

[212~215] 다음 연립방정식을 만족하는 x, y의 값이 $x+2y=5$를 만족할 때, 상수 a의 값을 구하여라.

212 $\begin{cases} x+y=3 \\ 3x-y=a-2 \end{cases}$

답

해 미지수를 포함한 식을 제외한 연립방정식

$\begin{cases} x+2y=5 \\ x+y=3 \end{cases}$을 풀면

$x=\square$, $y=\square$

이를 $3x-y=a-2$에 대입하면

$a=\square$

213 $\begin{cases} 2x+3y=6 \\ 3x+ay=11 \end{cases}$

답

214 $\begin{cases} 3x-y=15 \\ 4x+y=a+5 \end{cases}$

답

215 $\begin{cases} 4x+3y=5 \\ ax-4y=-8 \end{cases}$

답

유형39 해가 서로 같은 두 연립방정식

[216~218] 다음 연립방정식을 만족하는 상수 a, b의 값을 구하여라.

216 $\begin{cases} x-y=4 \\ ax-3y=2 \end{cases}$, $\begin{cases} x-2y=3 \\ 3x+by=8 \end{cases}$

답 $a=\square$, $b=\square$

해 두 연립방정식의 해가 같으므로 a, b를 포함하지 않은 연립방정식 $\begin{cases} x-y=4 \\ x-2y=3 \end{cases}$을 풀면 $x=\square$, $y=1$

이를 $ax-3y=2$, $3x+by=8$에 각각 대입하면

$a=\square$, $b=\square$

217 $\begin{cases} x-y=3 \\ x-2y=a \end{cases}$, $\begin{cases} 2x+y=9 \\ bx+2y=14 \end{cases}$

답

218 $\begin{cases} 3x+2y=-1 \\ ax+3y=1 \end{cases}$, $\begin{cases} 4x-y=6 \\ -5x+3y=b \end{cases}$

답

개념 체크

219 다음 빈칸에 알맞은 것을 써넣어라.

연립방정식 중 한 방정식을 한 [ ]에 대하여 풀고 그것을 다른 일차방정식에 [ ]하여 연립방정식의 해를 구하는 방법을 [ ]이라고 한다.

* 정답 및 해설 pp. 35~36

Ⅲ-2 연립일차방정식

19 괄호가 있는 연립방정식의 풀이

먼저 분배법칙을 이용하여 괄호를 풀고 동류항을 정리하여 간단한 모양으로 고친 후 가감법이나 대입법을 이용하여 연립방정식을 푼다.

예 $\begin{cases} 2(x+y)-3y=3 \\ x-3(x+y)=1 \end{cases}$ ➡ (괄호 풀기) $\begin{cases} 2x+2y-3y=3 \\ x-3x-3y=1 \end{cases}$ ➡ (정리하기) $\begin{cases} 2x-y=3 \\ -2x-3y=1 \end{cases}$

분배법칙을 적용한 후 정리한다.

$\begin{cases} 3(x-y)-2y=5 \\ 2x-3y=0 \end{cases}$

유형40 괄호가 있는 연립방정식의 풀이

[220~223] 주어진 연립방정식의 괄호를 풀어 간단히 정리하고, 연립방정식을 풀어라.

220 $\begin{cases} 3(x-y)+4y=2 & \cdots ㉠ \\ x+2(x-2y)=7 & \cdots ㉡ \end{cases}$

➡ $\begin{cases} \square x+y=2 \\ \square x-\square y=7 \end{cases}$

답 ______

해 ㉠의 괄호를 풀어 정리하면

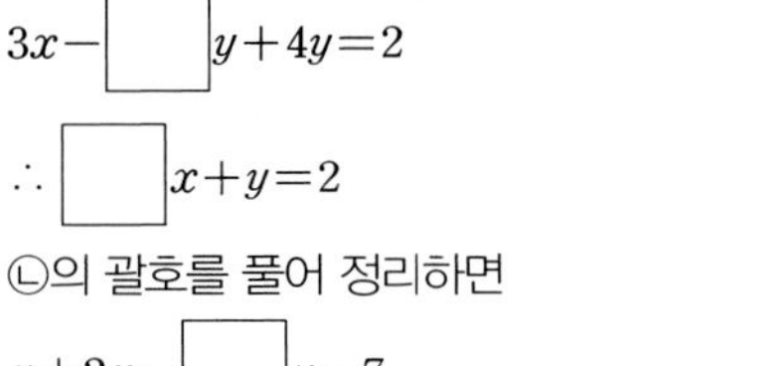

$3x-\square y+4y=2$

$\therefore \square x+y=2 \quad \cdots ㉢$

㉡의 괄호를 풀어 정리하면

$x+2x-\square y=7$

$\therefore \square x-\square y=7 \quad \cdots ㉣$

㉢-㉣을 하여 풀면

$x=\square, y=\square$

221 $\begin{cases} 4(x-1)+y=-3 \\ 5(2x-1)+y=2 \end{cases}$

➡ $\begin{cases} \square x+y=\square \\ \square x+y=\square \end{cases}$

답 ______

222 $\begin{cases} 4x+3(y-2)=5 \\ 2(x-4y)+3y=-1 \end{cases}$

➡ $\begin{cases} 4x+\square y=\square \\ \square x-\square y=-1 \end{cases}$

답 ______

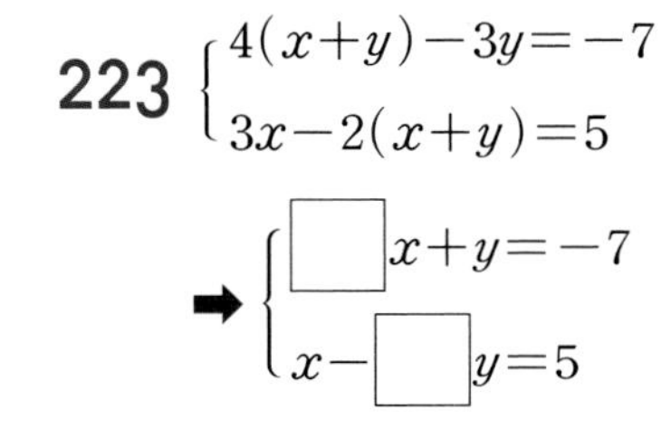

223 $\begin{cases} 4(x+y)-3y=-7 \\ 3x-2(x+y)=5 \end{cases}$

➡ $\begin{cases} \square x+y=-7 \\ x-\square y=5 \end{cases}$

답 ______

개념 체크

224 다음 빈칸에 알맞은 것을 써넣어라.

괄호가 있는 연립방정식은 먼저 [   ]법칙을 이용하여 괄호를 풀고 동류항을 정리하여 간단한 모양으로 고친 후 가감법이나 대입법을 이용하여 연립방정식을 푼다.

15 DAY

20 계수가 분수 또는 소수인 연립방정식의 풀이

계수가 분수 또는 소수인 연립방정식은 계수를 정수로 고쳐서 연립방정식을 푼다.

(1) **계수가 분수인 경우 :** 양변에 분모의 최소공배수를 곱한다.

(2) **계수가 소수인 경우 :** 양변에 10의 거듭제곱을 곱한다.
⇒ 10, 100, 1000, ⋯

$\frac{x}{6}+\frac{y}{3}=1$ ➡ $x+2y=6$ (×6)

$-\frac{x}{5}+\frac{y}{10}=3$ ➡ $-2x+y=30$ (×10) 상수항에도 반드시 곱한다.

유형41 방정식의 계수를 정수로 만들기

[225~228] 다음 주어진 방정식에 분모의 최소공배수를 곱하여 계수를 정수로 만들어라.

225 $\frac{x}{3}-\frac{y}{2}=\frac{1}{3}$

➡ 양변에 ☐을 곱한다.

답 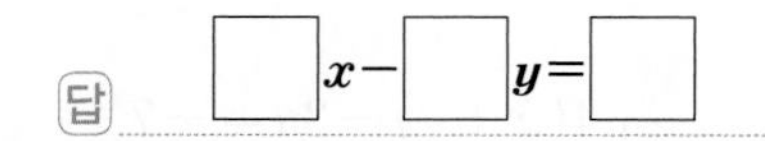

226 $\frac{x}{4}+\frac{y}{3}=2$

➡ 양변에 ☐를 곱한다.

답

227 $\frac{x}{6}-\frac{y}{3}=\frac{1}{6}$

➡ 양변에 ☐을 곱한다.

답

228 $\frac{x}{8}+\frac{3}{4}y=\frac{1}{6}$

➡ 양변에 ☐를 곱한다.

답

[229~232] 다음 주어진 방정식에 가장 작은 10의 거듭제곱을 곱하여 계수를 정수로 만들어라.

229 $0.1x+0.2y=0.3$

➡ 양변에 ☐을 곱한다.

답 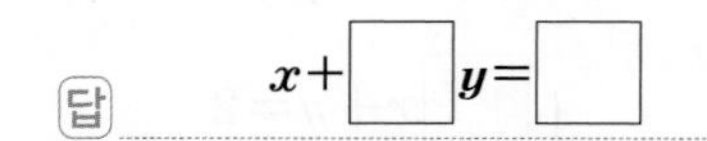

230 $0.02x-0.05y=0.1$

➡ 양변에 ☐을 곱한다.

답

231 $0.04x+0.03y=4$

➡ 양변에 ☐을 곱한다.

답

232 $0.3x-2y=2.4$

➡ 양변에 ☐을 곱한다.

답

유형42 계수가 분수인 연립방정식의 풀이

[233~237] 다음 연립방정식의 계수를 정수로 고친 후 그 해를 구하여라.

233 $\begin{cases} \dfrac{x}{4}-y=4 & \cdots ㉠ \\ \dfrac{x}{3}-\dfrac{y}{2}=\dfrac{1}{3} & \cdots ㉡ \end{cases}$

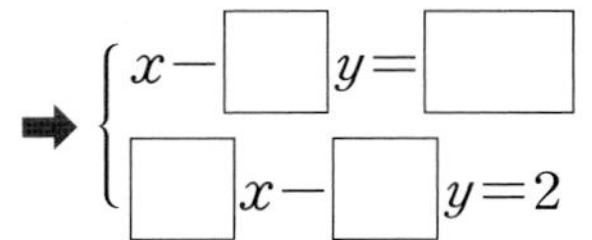

➡ $\begin{cases} x-\square y=\square \\ \square x-\square y=2 \end{cases}$

답

해 ㉠×4를 하면

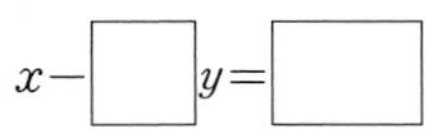

$x-\square y=\square$ ⋯ ㉢

㉡×6을 하면

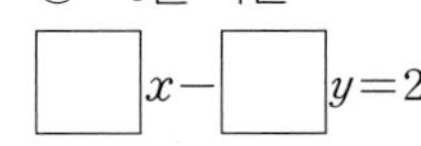

$\square x-\square y=2$ ⋯ ㉣

㉢×2−㉣을 하여 풀면

$x=\square$, $y=\square$

234 $\begin{cases} \dfrac{x}{2}-\dfrac{y}{3}=1 & \cdots ㉠ \\ \dfrac{x}{3}-\dfrac{y}{4}=\dfrac{2}{3} & \cdots ㉡ \end{cases}$

➡ $\begin{cases} \square x-\square y=6 \\ \square x-3y=\square \end{cases}$

답

해 ㉠×6을 하면

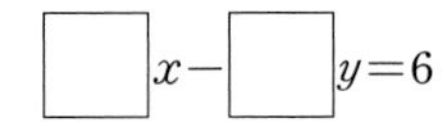

$\square x-\square y=6$ ⋯ ㉢

㉡×12를 하면

$\square x-3y=\square$ ⋯ ㉣

㉢×3−㉣×2를 하여 풀면

$x=\square$, $y=\square$

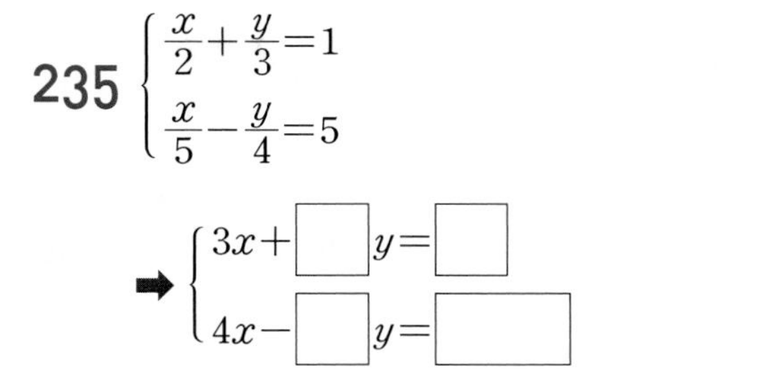

235 $\begin{cases} \dfrac{x}{2}+\dfrac{y}{3}=1 \\ \dfrac{x}{5}-\dfrac{y}{4}=5 \end{cases}$

➡ $\begin{cases} 3x+\square y=\square \\ 4x-\square y=\square \end{cases}$

답

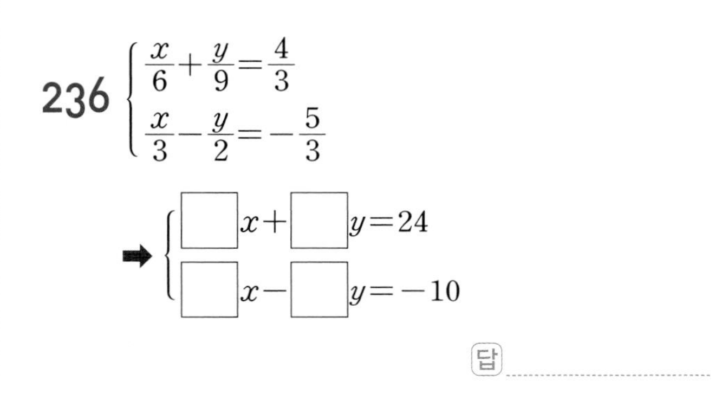

236 $\begin{cases} \dfrac{x}{6}+\dfrac{y}{9}=\dfrac{4}{3} \\ \dfrac{x}{3}-\dfrac{y}{2}=-\dfrac{5}{3} \end{cases}$

➡ $\begin{cases} \square x+\square y=24 \\ \square x-\square y=-10 \end{cases}$

답

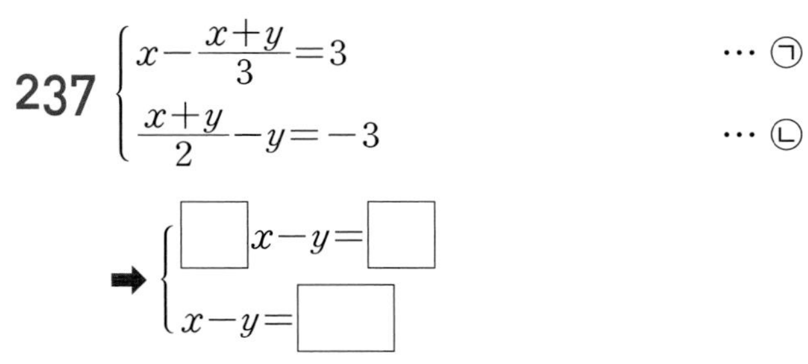

237 $\begin{cases} x-\dfrac{x+y}{3}=3 & \cdots ㉠ \\ \dfrac{x+y}{2}-y=-3 & \cdots ㉡ \end{cases}$

➡ $\begin{cases} \square x-y=\square \\ x-y=\square \end{cases}$

답

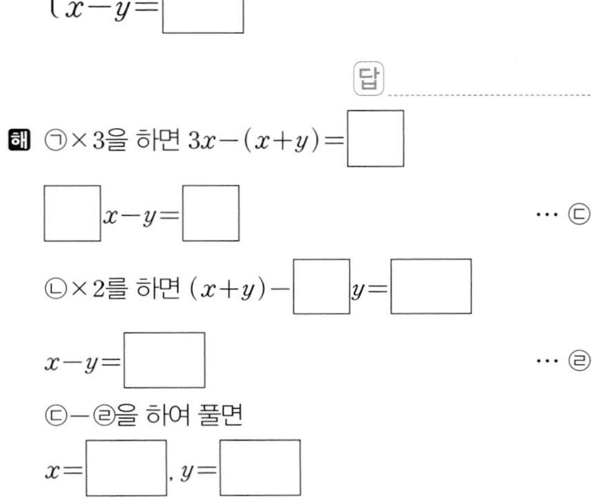

해 ㉠×3을 하면 $3x-(x+y)=\square$

$\square x-y=\square$ ⋯ ㉢

㉡×2를 하면 $(x+y)-\square y=\square$

$x-y=\square$ ⋯ ㉣

㉢−㉣을 하여 풀면

$x=\square$, $y=\square$

유형43 계수가 소수인 연립방정식의 풀이

[238~242] 다음 연립방정식의 계수를 정수로 고친 후 그 해를 구하여라.

238 $\begin{cases} 0.1x+0.2y=2 & \cdots ㉠ \\ 0.3x-0.2y=-0.4 & \cdots ㉡ \end{cases}$

➡ $\begin{cases} x+2y=\square \\ \square x-2y=\square \end{cases}$

답

해 ㉠×10을 하면

$x+2y=\square$ … ㉢

㉡×10을 하면

$\square x-2y=\square$ … ㉣

㉢+㉣을 하여 풀면

$x=\square$, $y=\square$

239 $\begin{cases} 0.5x-y=2 & \cdots ㉠ \\ 0.3x-1.2y=0.6 & \cdots ㉡ \end{cases}$

➡ $\begin{cases} \square x-\square y=20 \\ 3x-\square y=\square \end{cases}$

답

해 ㉠×10을 하면

$\square x-\square y=20$ … ㉢

㉡×10을 하면

$\square x-\square y=\square$ … ㉣

㉢×3−㉣×5를 하여 풀면

$x=\square$, $y=\square$

240 $\begin{cases} 0.2x+0.7y=0.1 \\ 0.5x+0.8y=-0.7 \end{cases}$

➡ $\begin{cases} 2x+\square y=\square \\ 5x+\square y=\square \end{cases}$

답

241 $\begin{cases} 0.3x-0.2y=0.6 \\ 0.2x+0.7y=5.4 \end{cases}$

➡ $\begin{cases} 3x-\square y=\square \\ \square x+7y=\square \end{cases}$

답

242 $\begin{cases} 0.2x-0.1y=0.6 \\ -0.3x+0.6y=-0.9 \end{cases}$

➡ $\begin{cases} \square x-y=\square \\ \square x+6y=\square \end{cases}$

답

유형44 복잡한 연립방정식의 풀이

[243~248] 다음 연립방정식을 풀어라.

243 $\begin{cases} 0.2x+0.4y=1.4 & \cdots ㉠ \\ \dfrac{x}{3}-\dfrac{y}{4}=-\dfrac{5}{12} & \cdots ㉡ \end{cases}$

답

해 ㉠×10을 하면

$2x+\square y=14$ … ㉢

㉡×12를 하면

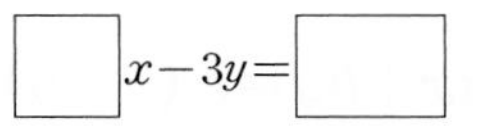

… ㉣

㉢×2−㉣을 연립하여 풀면

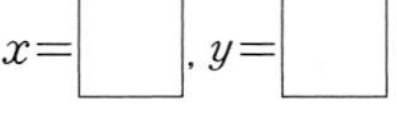

244 $\begin{cases} \dfrac{2}{5}x-\dfrac{3}{2}y=1 \\ 0.02x-0.03y=-0.04 \end{cases}$

답

245 $\begin{cases} 0.3x+0.2y=1.1 \\ \dfrac{x-1}{2}+\dfrac{y+1}{6}=\dfrac{1}{3} \end{cases}$

답

246 $\begin{cases} 2(2x+y)-3(x-1)=8 & \cdots ㉠ \\ 0.4x-0.2y=-1 & \cdots ㉡ \end{cases}$

답

해 ㉠의 괄호를 풀어 정리하면

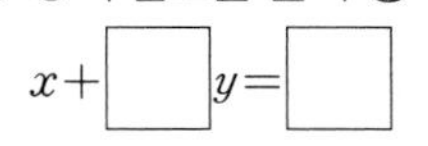

… ㉢

㉡×10을 하면

$\square x-2y=-10$ … ㉣

㉢+㉣을 연립하여 풀면

$x=\square$, $y=\square$

247 $\begin{cases} 3x-2(x+y)=6 \\ \dfrac{3}{4}x-\dfrac{5}{2}y=\dfrac{1}{2} \end{cases}$

답

248 $\begin{cases} 0.5(x+3y)-0.2y=-0.3 \\ \dfrac{2}{3}x+\dfrac{y}{2}=\dfrac{5}{6} \end{cases}$

답

15 DAY

개념 체크

249 다음 빈칸에 알맞은 것을 써넣어라.

계수가 [ ] 또는 [ ]인 연립방정식은 계수를 [ ]로 고쳐서 연립방정식을 푼다.

1) 계수가 분수인 경우 : 양변에 [ ]의 [ ]를 곱한다.

2) 계수가 소수인 경우 : 양변에 [ ]의 거듭제곱을 곱한다.

21 $A=B=C$ 꼴의 연립방정식의 풀이

$A=B=C$ 꼴의 연립방정식은 다음 세 경우

$\begin{cases} A=B \\ A=C \end{cases}$ 또는 $\begin{cases} A=B \\ B=C \end{cases}$ 또는 $\begin{cases} A=C \\ B=C \end{cases}$

세 연립방정식의 해는 모두 같으므로 계산이 간단한 연립방정식을 선택한다.

중에서 가장 간단한 것으로 고쳐서 푼다.

참고 특히, C가 상수인 경우에는

$\begin{cases} A=C \\ B=C \end{cases}$ 로 풀면 간단하다.

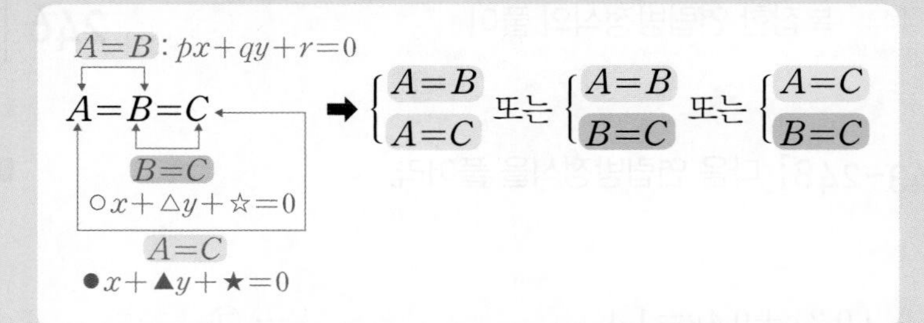

유형45 $A=B=C$ 꼴의 연립방정식

[250~252] 다음 $A=B=C$ 꼴의 연립방정식을 $\begin{cases} A=B \\ B=C \end{cases}$ 꼴로 고쳐 정리하여라.

(단, 방정식은 $ax+by=c$ $(a>0)$ 꼴이다.)

250 $x+2y=4x-3y=3x+y$

답

251 $2x+3y=5x+2y=3x+y$

답

252 $4x+2y=x+3=y+4$

답

[253~255] 다음 $A=B=C$ 꼴의 연립방정식을 $\begin{cases} A=C \\ B=C \end{cases}$ 꼴로 고쳐 정리하여라.

(단, 방정식은 $ax+by=c$ $(a>0)$ 꼴이다.)

253 $3x-2y+3=4x-y=7$

답

254 $x-2y+1=3x+y=2y-4$

답

255 $4x-y=3x-1=5y-6$

답

유형46 $A=B=C$ 꼴의 연립방정식의 풀이

[256~258] 다음 $A=B=C$ 꼴의 연립방정식을 $\begin{cases} A=C \\ B=C \end{cases}$ 꼴로 고친 후 풀어라.

256 $2x+3y=4x+y=10$

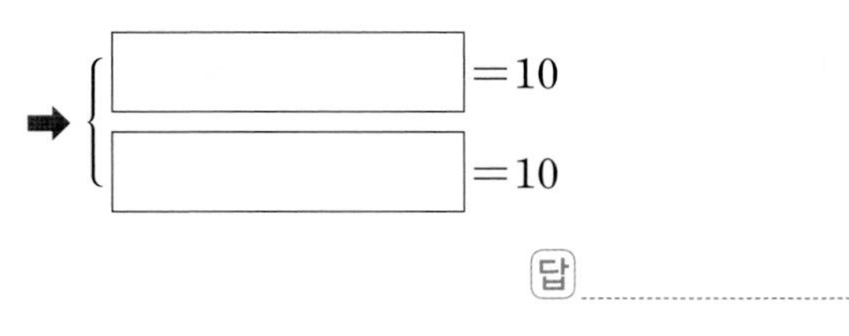

답

257 $5x+4y=x+2y=3$

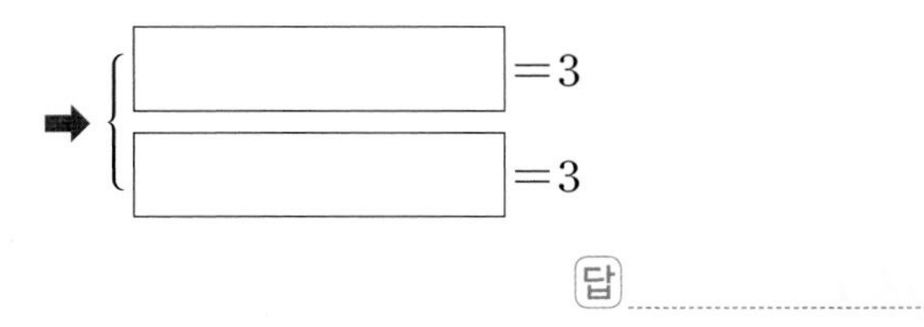

답

258 $3x+4y=x+y=-3$

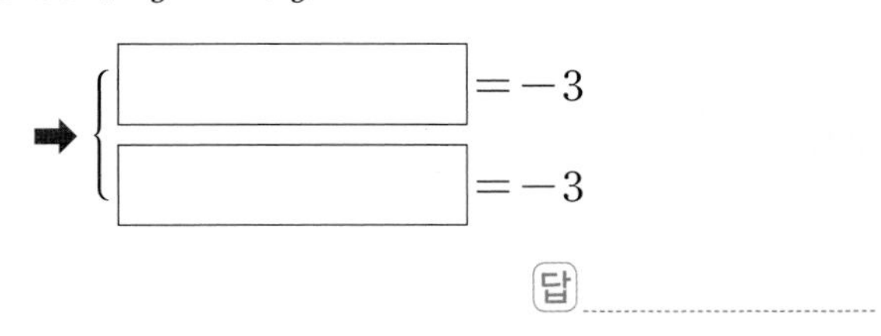

답

[259~261] 다음 연립방정식을 풀어라.

259 $x-2y+1=3x+y=2x-y+2$

답

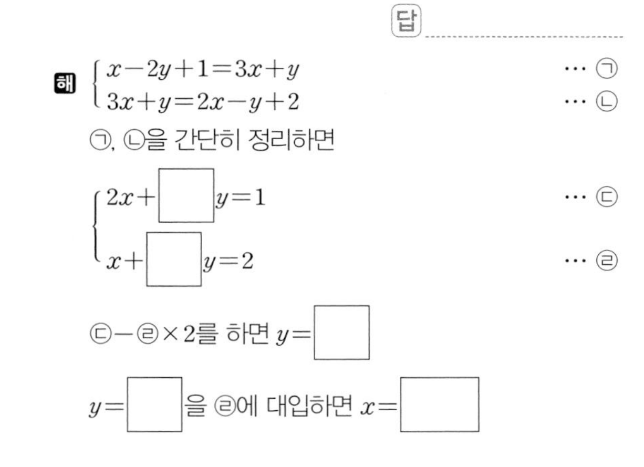

해 $\begin{cases} x-2y+1=3x+y & \cdots ㉠ \\ 3x+y=2x-y+2 & \cdots ㉡ \end{cases}$

㉠, ㉡을 간단히 정리하면

$\begin{cases} 2x+\square y=1 & \cdots ㉢ \\ x+\square y=2 & \cdots ㉣ \end{cases}$

㉢$-$㉣$\times 2$를 하면 $y=\square$

$y=\square$을 ㉣에 대입하면 $x=\square$

260 $3x+5y=-3y-14=x+y$

답

261 $x+2y=4x-2y=2x-y+5$

답

개념 체크

262 다음 빈칸에 알맞은 것을 써넣어라.

$A=B=C$ 꼴의 연립방정식은 다음 세 경우 중에서 가장 간단한 것으로 고쳐서 푼다.

1) $\begin{cases} A=[\quad] \\ A=[\quad] \end{cases}$ 2) $\begin{cases} A=[\quad] \\ [\quad]=[\quad] \end{cases}$

3) $\begin{cases} [\quad]=C \\ [\quad]=C \end{cases}$

22 해가 특수한 연립방정식

연립방정식 $\begin{cases} ax+by=c \\ a'x+b'y=c' \end{cases}$ 에서 두 방정식을 적당히 변형하였을 때,

(1) 두 방정식의 x, y의 계수와 상수항이 각각 일치하면

해가 무수히 많고, $\frac{a}{a'}=\frac{b}{b'}=\frac{c}{c'}$가 성립한다.
비율이 같다.

(2) 두 방정식의 x, y의 계수는 일치하고 상수항이 다르면

해가 없고, $\frac{a}{a'}=\frac{b}{b'}\neq\frac{c}{c'}$가 성립한다.
비율이 다르다.

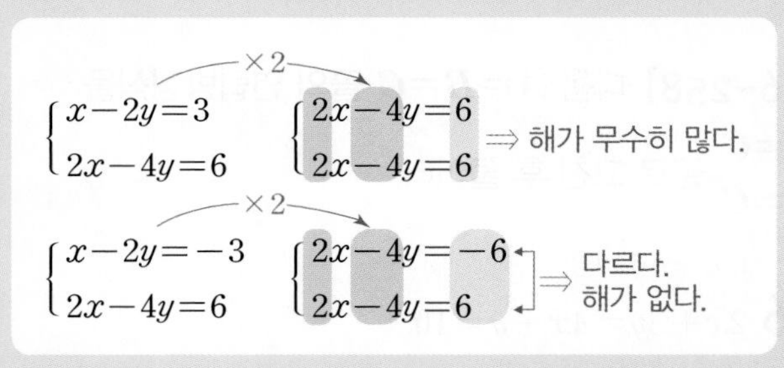

참고 연립방정식 중 하나의 방정식에 적당한 수를 곱하여 다른 방정식의 미지수의 계수와 상수항을 각각 비교하였을 때

① 두 방정식이 일치하면 ➡ 해가 무수히 많다.

② 상수항만 다르면 ➡ 해가 없다.

유형47 해가 특수한 연립방정식의 풀이

[263~268] 다음 연립방정식을 풀어라.

263 $\begin{cases} 4x+2y=8 & \cdots ㉠ \\ 2x+y=4 & \cdots ㉡ \end{cases}$

답

해 ㉡× ☐ 를 하면 $4x+2y=$ ☐ … ㉢

따라서 ㉠=㉢이므로

해가 ☐

264 $\begin{cases} 2x-y=3 \\ 6x-3y=9 \end{cases}$

답

265 $\begin{cases} y=2x+4 \\ 4x-2y=-8 \end{cases}$

답

266 $\begin{cases} 3x+2y=-2 & \cdots ㉠ \\ 9x+6y=6 & \cdots ㉡ \end{cases}$

답

해 ㉠× ☐ 을 하면 $9x+6y=$ ☐

따라서 ㉡과 ㉢은 x, y의 계수는 각각 일치하고

상수항만 다르므로 해가 ☐

267 $\begin{cases} 2x-3y=4 \\ 4x-6y=-8 \end{cases}$

답

268 $\begin{cases} x-\frac{1}{2}y=2 \\ 2x-y=2 \end{cases}$

답

* 정답 및 해설 p. 39

유형48 해가 무수히 많은 연립방정식에서 미지수 구하기

[269~272] 다음 연립방정식의 해가 무수히 많을 때, 상수 a의 값을 구하여라.

269 $\begin{cases} x+ay=3 \\ 2x+4y=6 \end{cases}$

답

해 연립방정식의 해가 무수히 많으려면

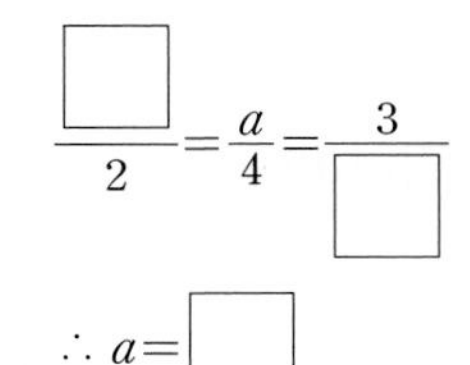

270 $\begin{cases} x-y=2 \\ 5x+ay=10 \end{cases}$

답

271 $\begin{cases} x-2y=a \\ 3x-6y=9 \end{cases}$

답

272 $\begin{cases} 4x-5y=2 \\ ax+15y=-6 \end{cases}$

답

유형49 해가 없는 연립방정식에서 미지수 구하기

[273~275] 다음 연립방정식의 해가 없을 때, 상수 a의 값을 구하여라.

273 $\begin{cases} 3x+ay=12 \\ x-2y=1 \end{cases}$

답

해 연립방정식의 해가 없으려면

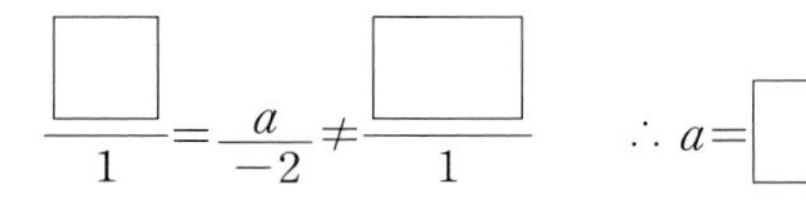

274 $\begin{cases} 2x+y=3 \\ ax+3y=4 \end{cases}$

답

275 $\begin{cases} 4x+2y=5 \\ 16x+ay=8 \end{cases}$

답

개념 체크

276 다음 빈칸에 알맞은 것을 써넣어라.

연립방정식 $\begin{cases} ax+by=c \\ a'x+b'y=c' \end{cases}$에서 두 방정식을 적당히 변형하였을 때,

1) 두 방정식의 x, y의 계수와 상수항이 각각 [ ]하면 해가 [ ],

$\frac{a}{a'}$[ ]$\frac{b}{b'}$[ ]$\frac{c}{c'}$가 성립한다.

2) 두 방정식의 x, y의 계수는 각각 [ ]하고 상수항이 [ ] 해가 [ ],

$\frac{a}{a'}$[ ]$\frac{b}{b'}$[ ]$\frac{c}{c'}$가 성립한다.

16 DAY

23 연립방정식의 활용 문제 풀이 순서

연립방정식의 활용 문제는 다음과 같은 순서로 푼다.

(i) 무엇을 미지수 x, y로 나타낼 것인지 정한다.

(ii) x, y를 사용하여 문제의 뜻에 맞게 연립방정식을 세운다.

(iii) 연립방정식을 풀어 x, y의 값을 각각 구한다.

(iv) 구한 해가 문제의 뜻에 맞는지 확인한다.

구하려는 것을 x, y로 놓는다.
⬇
연립방정식을 세운다.
⬇
연립방정식을 푼다.
⬇
해를 확인한다.

유형50 수에 관한 문제

277 다음을 읽고, 물음에 답하여라.

큰 정수 x와 작은 정수 y의 합은 20이고, 차는 6이다.

1) 두 정수의 합은 20임을 이용하여 방정식을 세워라.

답

2) 두 정수의 차는 6임을 이용하여 방정식을 세워라.

답

3) 1), 2)에서 세운 두 방정식을 연립방정식으로 나타내고, 그 연립방정식을 풀어라.

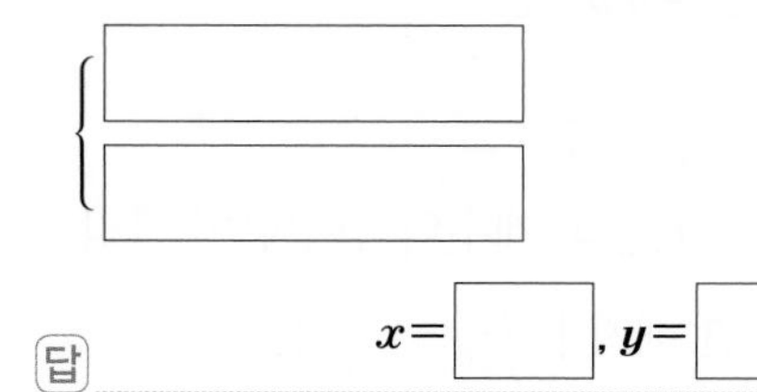

답 $x=$ ☐, $y=$ ☐

4) 두 정수를 각각 구하여라.

답 큰 정수 : ☐, 작은 정수 : ☐

278 다음을 읽고, 물음에 답하여라.

십의 자리의 숫자가 x, 일의 자리의 숫자가 y인 두 자리의 자연수가 있다. 각 자리의 숫자의 합이 9이고, 십의 자리의 숫자와 일의 자리의 숫자를 바꾼 수는 처음 수보다 27이 크다고 한다.

1) 각 자리의 숫자의 합이 9임을 이용하여 방정식을 세워라.

답

2) (십의 자리의 숫자와 일의 자리의 숫자를 바꾼 수)=(처음 수)+27임을 이용하여 방정식을 세워라.

답 ☐$y+x=$☐$x+y+$☐

3) 1), 2)에서 세운 두 방정식을 연립하여 풀어라.

답 $x=$ ☐, $y=$ ☐

4) 처음 두 자리의 자연수를 구하여라.

답

유형51 가격에 관한 문제

279 다음을 읽고, 물음에 답하여라.

100원짜리 동전 x개와 500원짜리 동전 y개를 모두 합하여 24개를 모았더니 4800원이 되었다.

1) (100원짜리 동전의 개수)+(500원짜리 동전의 개수)=24임을 이용하여 방정식을 세워라.

답

2) (100원짜리 동전의 총 금액)+(500원짜리 동전의 총 금액)=4800임을 이용하여 방정식을 세워라.

답 $\square x+\square y=4800$

3) 1), 2)에서 세운 두 방정식을 연립방정식으로 나타내고, 그 연립방정식을 풀어라.

$\begin{cases} \square \\ \square \end{cases}$

답 $x=\square$, $y=\square$

4) 100원짜리 동전과 500원짜리 동전의 개수를 각각 구하여라.

답 100원짜리 : □개, 500원짜리 : □개

280 다음을 읽고, 물음에 답하여라.

1개에 x원인 귤 5개와 1개에 y원인 사과 5개의 가격은 9000원이고, 귤 10개와 사과 4개의 가격은 10800원이다.

1) (귤 5개의 가격)+(사과 5개의 가격)=9000임을 이용하여 방정식을 세워라.

답 $\square x+5y=9000$

2) (귤 10개의 가격)+(사과 4개의 가격)=10800임을 이용하여 방정식을 세워라.

답 $\square x+4y=10800$

3) 1), 2)에서 세운 두 방정식을 연립하여 풀어라.

답 $x=\square$, $y=\square$

4) 귤 1개와 사과 1개의 가격을 각각 구하여라.

답 귤 : □원, 사과 : □원

17 DAY

유형52 나이에 관한 문제

281 다음을 읽고, 물음에 답하여라.

현재 x살인 아버지와 y살인 아들의 나이의 합은 55살이고, 16년 후 아버지의 나이는 아들의 나이의 2배가 된다.

1) (현재 아버지의 나이)+(현재 아들의 나이)=55임을 이용하여 방정식을 세워라.

답

2) (16년 후 아버지의 나이)=2×(16년 후 아들의 나이)임을 이용하여 방정식을 세워라.

답 $x+16=2(y+\square)$

해 16년 후 아버지의 나이는 $(x+16)$살, 아들의 나이는 $(y+\square)$살이므로
$x+16=2(y+\square)$

3) 1), 2)에서 세운 두 방정식을 연립하여 풀어라.

답 $x=\square$, $y=\square$

4) 현재 아버지와 아들의 나이를 각각 구하여라.

답 아버지 : □살, 아들 : □살

282 다음을 읽고, 물음에 답하여라.

현재 어머니의 나이를 x살, 아들의 나이를 y살이라고 할 때, 어머니와 아들의 나이의 차는 30살이고, 5년 전에 어머니의 나이는 아들의 나이의 4배였다.

1) (현재 어머니의 나이)−(현재 아들의 나이)=30임을 이용하여 방정식을 세워라.

답

2) (5년 전 어머니의 나이)=4×(5년 전 아들의 나이)임을 이용하여 방정식을 세워라.

답

해 5년 전 어머니의 나이는 $(x-5)$살, 아들의 나이는 $(y-\square)$살이므로
$x-5=4(y-\square)$

3) 1), 2)에서 세운 두 방정식을 연립하여 풀어라.

답

4) 현재 어머니와 아들의 나이를 각각 구하여라.

답 어머니 : □살, 아들 : □살

유형53 여러 가지 개수에 관한 문제

283 다음을 읽고, 물음에 답하여라.

> 돼지 x마리와 닭 y마리를 합하여 모두 11마리가 있는데 다리 수의 합은 30개라고 한다.

1) (돼지의 수)+(닭의 수)=11임을 이용하여 방정식을 세워라.

답

2) (돼지의 다리 수)+(닭의 다리 수)=30임을 이용하여 방정식을 세워라.

답

해 돼지 1마리의 다리는 4개이므로 돼지 x마리의 다리 수는 $4x$개, 닭 1마리의 다리는 2개이므로 닭 y마리의 다리 수는 □개이다.

$\therefore 4x+$ □ $=30$

3) 문제 1), 2)에서 세운 두 방정식을 연립하여 풀어라.

답

4) 돼지와 닭의 수를 각각 구하여라.

답 돼지 : □마리, 닭 : □마리

284 다음을 읽고, 물음에 답하여라.

> 자전거 x대와 자동차 y대를 합하여 9대가 주차되어 있는데 바퀴의 수는 모두 28개이다.
> (단, 자전거의 바퀴의 수는 2개이다.)

1) (자전거의 수)+(자동차의 수)=9임을 이용하여 방정식을 세워라.

답

2) (자전거의 바퀴 수)+(자동차의 바퀴 수)=28임을 이용하여 방정식을 세워라.

답

해 자전거 1대의 바퀴는 2개이므로 자전거 x대의 바퀴 수는 □개, 자동차 1대의 바퀴는 4개이므로 자동차 y대의 바퀴 수는 $4y$개이다.

$\therefore$ □ $+4y=28$

3) 1), 2)에서 세운 두 방정식을 연립하여 풀어라.

답

4) 자전거와 자동차의 수를 각각 구하여라.

답 자전거 : □대, 자동차 : □대

유형54 점수, 계단에 관한 문제

285 다음을 읽고, 물음에 답하여라.

어떤 시험의 문항 수는 총 25문항이다. 정답에 대해서는 5점을 주고, 오답에 대해서는 3점을 감점하는 방식으로 각 문제를 채점한다. 이때, 영주는 x문항을 맞히고 y문항을 틀려 45점을 받았다고 한다.

1) (맞힌 문항의 개수)+(틀린 문항의 개수)=25임을 이용하여 방정식을 세워라.

답

2) (맞힌 문항의 총 점수)−(틀린 문항의 총 점수)=45임을 이용하여 방정식을 세워라.

답

3) 1), 2)에서 세운 방정식을 연립하여 풀어라.

답

4) 영주가 정답을 맞힌 문항의 개수와 오답을 한 문항의 개수를 각각 구하여라.

답 정답 : ☐개, 오답 : ☐개

286 다음을 읽고, 물음에 답하여라.

가현이와 태민이가 계단에서 가위바위보를 하는데, 이기면 두 계단을 올라가고 지면 한 계단을 내려간다고 한다. 가현이가 이긴 횟수를 x회, 태민이가 이긴 횟수를 y회라고 할 때, 처음보다 가현이는 22계단, 태민이는 16계단 올라가 있었다.
(단, 비기는 경우는 없다.)

1) (가현이가 올라간 계단의 수)−(가현이가 내려간 계단의 수)=22임을 이용하여 방정식을 세워라.

Tip
(가현이가 이깃 횟수)=(태민이가 진 횟수)$=x$
(태민이가 이긴 횟수)=(가현이가 진 횟수)$=y$

답

해 가현이는 x회 이기고 y회 진 것이므로 올라간 계단은 $2x$계단, 내려간 계단은 ☐계단이다.
∴ $2x-$☐$=22$

2) (태민이가 올라간 계단의 수)−(태민이가 내려간 계단의 수)=16임을 이용하여 방정식을 세워라.

답

해 태민이는 y회 이기고 ☐회 진 것이므로 올라간 계단은 $2y$계단, 내려간 계단은 ☐계단이다.
∴ ☐$+2y=16$

3) 1), 2)에서 세운 방정식을 연립하여 풀어라.

답

4) 가현이가 이긴 횟수와 태민이가 이긴 횟수를 각각 구하여라.

답 가현 : ☐회, 태민 : ☐회

유형55 길이에 관한 문제

287 다음을 읽고, 물음에 답하여라.

길이가 23 cm인 끈을 두 개로 나누었더니 긴 끈의 길이 x cm가 짧은 끈의 길이 y cm의 3배보다 1 cm가 더 짧았다.

1) (긴 끈의 길이)+(짧은 끈의 길이)=23임을 이용하여 방정식을 세워라.

답

2) (긴 끈의 길이)=3×(짧은 끈의 길이)−1임을 이용하여 방정식을 세워라.

답

3) 1), 2)에서 세운 두 방정식을 연립하여 풀어라.

답

4) 긴 끈과 짧은 끈의 길이를 각각 구하여라.

답 **긴 끈 : ☐ cm, 짧은 끈 : ☐ cm**

288 다음을 읽고, 물음에 답하여라.

태영이네 중학교의 작년 남학생 수를 x명, 작년 여학생 수를 y명이라고 할 때, 작년 전체 학생 수는 1400명이었는데 올해는 작년에 비하여 남학생 수는 8 % 증가하고 여학생 수는 12 % 감소하여 전체적으로 18명이 감소하였다.

1) (작년 남학생 수)+(작년 여학생 수)=1400임을 이용하여 방정식을 세워라.

답

2) (증가한 남학생 수)−(감소한 여학생 수)=−18임을 이용하여 방정식을 세워라.

답

3) 1), 2)에서 세운 두 방정식을 연립하여 풀어라.

답

4) 올해의 남학생 수를 구하여라.

답 명

해 작년 남학생 수가 750명이고 증가한 남학생 수는

$750\times\frac{8}{100}=$ ☐(명)이므로

올해 남학생 수는

$750+$ ☐ $=$ ☐(명)

18 DAY

유형56 일에 관한 문제

289 다음을 읽고, 물음에 답하여라.

A가 4일, B가 6일 동안 하면 끝낼 수 있는 일이 있다. 이 일을 A가 6일 동안, B가 3일 동안 하여 끝냈다고 한다. 이때, A, B가 하루에 할 수 있는 일의 양을 각각 x, y, 전체 일의 양을 1이라고 한다.

1) (A가 4일 동안 한 일의 양)+(B가 6일 동안 한 일의 양)=1임을 이용하여 방정식을 세워라.

답

2) (A가 6일 동안 한 일의 양)+(B가 3일 동안 한 일의 양)=1임을 이용하여 방정식을 세워라.

답

3) 1), 2)에서 세운 두 방정식을 연립하여 풀어라.

답

4) B가 이 일을 혼자서 하면 며칠이 걸리는지 구하여라.

답 일

해 B가 하루에 할 수 있는 일의 양이 $\frac{1}{12}$이므로 이 일을 혼자서 하면 ☐일이 걸린다.

유형57 물의 양에 관한 문제

290 다음을 읽고, 물음에 답하여라.

어떤 물탱크에 물을 채우려고 한다. A 호스와 B 호스를 같이 사용하여 채우면 3시간이 걸리고, A 호스로 2시간 사용하여 물탱크를 채우고, 나머지를 B 호스로 채우면 4시간이 걸린다. 이때, A, B 호스가 1시간 동안 채우는 물의 양을 각각 x, y, 물탱크에 가득 찬 물의 양을 1이라고 한다.

1) (A 호스로 3시간 동안 채운 물의 양)+(B 호스로 3시간 동안 채운 물의 양)=1임을 이용하여 방정식을 세워라.

답

2) (A 호스로 2시간 동안 채운 물의 양)+(B 호스로 4시간 동안 채운 물의 양)=1임을 이용하여 방정식을 세워라.

답

3) 1), 2)에서 세운 두 방정식을 연립하여 풀고, 이 물탱크를 B 호스로만 채우려면 몇 시간이 걸리는지 구하여라.

답 $x=$☐, $y=$☐, ☐시간

개념 체크

291 다음 빈칸에 알맞은 것을 써넣어라.

연립방정식의 활용 문제는 다음과 같은 순서로 푼다.

(i) 무엇을 미지수 [ ], [ ]로 나타낼 것인지 정한다.

(ii) [ ], [ ]를 사용하여 문제의 뜻에 맞게 [ ] 방정식을 세운다.

(iii) [ ] 방정식을 풀어 [ ], [ ]의 값을 구한다.

(iv) 구한 [ ]가 문제의 뜻에 맞는지 확인한다.

* 정답 및 해설 p. 41

Ⅲ-2 연립일차방정식

24 거리, 속력, 시간에 관한 활용

(1) (거리)=(속력)×(시간)

(2) (시간)=$\frac{(거리)}{(속력)}$

(3) (속력)=$\frac{(거리)}{(시간)}$

주의 거리는 m, km, 시간은 (초), (분), (시), 속력은 분속, 시속 등 단위가 맞는지 먼저 확인하고 맞지 않으면 단위를 맞춘 뒤, 방정식을 세운다.

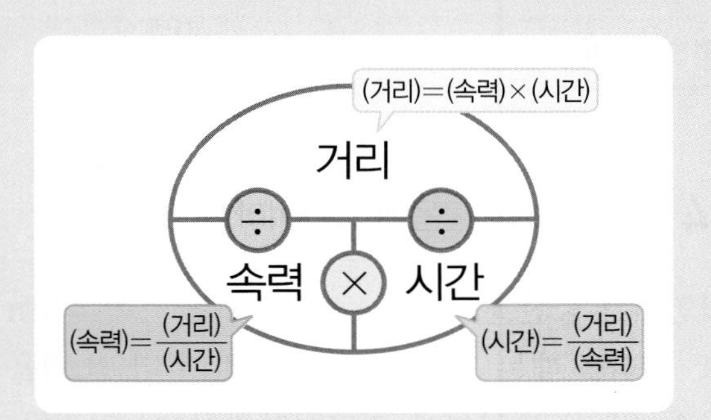

유형58 도중에 속력이 바뀌는 문제

292 다음을 읽고, 물음에 답하여라.

> 준표네 집에서 도서관까지의 거리는 5 km이다. 준표가 도서관을 향해 시속 4 km로 걷다가 약속에 늦을 것 같아 도중에 시속 6 km로 달려서 총 1시간이 걸렸다. 이때, 걸어간 거리를 x km, 달려간 거리를 y km라고 한다.

1) (걸어간 거리)+(달려간 거리)=5임을 이용하여 방정식을 세워라.

답

2) (걸어간 시간)+(달려간 시간)=1임을 이용하여 방정식을 세워라.

답 $\frac{x}{4}+\frac{y}{\square}=1$

해 (시간)=$\frac{(거리)}{(속력)}$이므로 걸어간 시간은 $\frac{x}{4}$시간, 달려간 시간은 $\frac{y}{\square}$시간이다.

3) 1), 2)에서 세운 두 방정식을 연립하여 풀어라.

답 $x=2, y=\square$

4) 준표가 달려간 거리를 구하여라.

답 km

293 다음을 읽고, 물음에 답하여라.

> 민호는 10 km 거리의 단축 마라톤 대회에 참가하여 처음에는 시속 9 km로 달리다가 도중에 시속 6 km로 걸어서 1시간 20분만에 결승점에 도착하였다. 이때, 달려간 거리를 x km, 걸어간 거리를 y km라고 한다.

1) (달려간 거리)+(걸어간 거리)=10임을 이용하여 방정식을 세워라.

답

2) (달려간 시간)+(걸어간 시간)=$\frac{4}{3}$임을 이용하여 방정식을 세워라.

답

해 (시간)=$\frac{(거리)}{(속력)}$이므로 달려간 시간은 $\frac{x}{\square}$시간, 걸어간 시간은 $\frac{y}{\square}$시간이고, 1시간 20분은 $1+\frac{20}{60}=\frac{4}{3}$ (시간)이다.

3) 1), 2)에서 세운 두 방정식을 연립하여 풀어라.

답

4) 민호가 걸어간 거리를 구하여라.

답 km

18 DAY

유형59 왕복에 관한 문제

294 다음을 읽고, 물음에 답하여라.

> 서연이가 등산을 하는데 올라갈 때는 시속 3 km로, 내려올 때는 올라간 길보다 4 km 더 먼 길을 시속 4 km로 걸어서 총 4시간 30분이 걸렸다. 이때, 올라간 거리를 x km, 내려온 거리를 y km라고 한다.

1) (내려온 거리)=(올라간 거리)+4임을 이용하여 방정식을 세워라.

답

2) (올라갈 때 걸린 시간)+(내려올 때 걸린 시간) $=\frac{9}{2}$임을 이용하여 방정식을 세워라.

답

3) 1), 2)에서 세운 두 방정식을 연립하여 풀어라.

답

4) 서연이가 올라간 거리와 내려온 거리를 각각 구하여라.

답 올라간 거리 : ☐ km, 내려온 거리 : ☐ km

295 다음을 읽고, 물음에 답하여라.

> 준기는 20 km 떨어진 두 지점 A, B를 왕복하는데 갈 때는 자전거로 1시간, 걸어서 1시간이 걸렸고, 올 때는 자전거로 30분, 걸어서 3시간이 걸렸다. 이때, 준기가 탄 자전거의 속력을 시속 x km, 걸어갈 때의 속력을 시속 y km라고 한다.

1) (자전거로 1시간 간 거리)+(걸어서 1시간 간 거리)=20임을 이용하여 방정식을 세워라.

답

2) (자전거로 30분 간 거리)+(걸어서 3시간 간 거리)=20임을 이용하여 방정식을 세워라.

답

3) 1), 2)에서 세운 두 방정식을 연립하여 풀어라.

답

4) 준기가 탄 자전거의 속력을 구하여라.

답 시속 km

개념 체크

296 다음 빈칸에 알맞은 것을 써넣어라.

1) (거리)=[ ]×(시간)

2) (시간)=$\frac{[\quad]}{(\text{속력})}$

3) (속력)=$\frac{(\text{거리})}{[\quad]}$

* 정답 및 해설 p. 42

Ⅲ-2 연립일차방정식

25 농도에 관한 활용

(1) (소금물의 농도)$=\dfrac{(\text{소금의 양})}{(\text{소금물의 양})}\times 100(\%)$

(2) (소금의 양)$=\dfrac{(\text{소금물의 농도})}{100}\times$(소금물의 양)

소금+물

(섞기 전 소금물의 양의 합)=(섞은 후 소금물의 양)

(섞기 전 소금의 양의 합)=(섞은 후 소금의 양)

유형60 소금물의 양을 구하는 문제

297 다음을 읽고, 물음에 답하여라.

> 5 %의 소금물 x g과 10 %의 소금물 y g을 섞어서 8 %의 소금물 500 g을 만들려고 한다.

1) (5 %의 소금물의 양)+(10 %의 소금물의 양)=500임을 이용하여 방정식을 세워라.

답

2) (5 % 소금물에 들어 있는 소금의 양)+(10 % 소금물에 들어 있는 소금의 양)=(8 % 소금물에 들어 있는 소금의 양)임을 이용하여 방정식을 세워라.

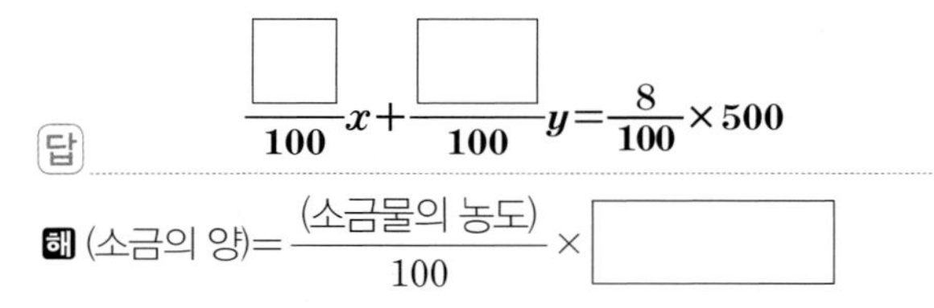

해 (소금의 양)$=\dfrac{(\text{소금물의 농도})}{100}\times\square$

3) 1), 2)에서 세운 두 방정식을 연립하여 풀어라.

답

4) 5 %의 소금물의 양과 10 %의 소금물의 양을 각각 구하여라.

답 **5 %의 소금물의 양 :** $\square$ **g**

10 %의 소금물의 양 : $\square$ **g**

유형61 소금물의 농도를 구하는 문제

298 다음을 읽고, 물음에 답하여라.

> 농도가 x %인 소금물 A와 농도가 y %인 소금물 B가 있다. 소금물 A를 200 g, 소금물 B를 200 g 섞으면 10 %의 소금물이 되고, 소금물 A를 100 g, 소금물 B를 300 g 섞으면 9 %의 소금물이 된다.

1) (A 소금물 200 g에 들어 있는 소금의 양)+(B 소금물 200 g에 들어 있는 소금의 양)=(10 % 소금물 400 g에 들어 있는 소금의 양)임과 (A 소금물 100 g에 들어 있는 소금의 양)+(B 소금물 300 g에 들어 있는 소금의 양)=(9 % 소금물 $\square$ g에 들어 있는 소금의 양)임을 이용하여 방정식을 세워라.

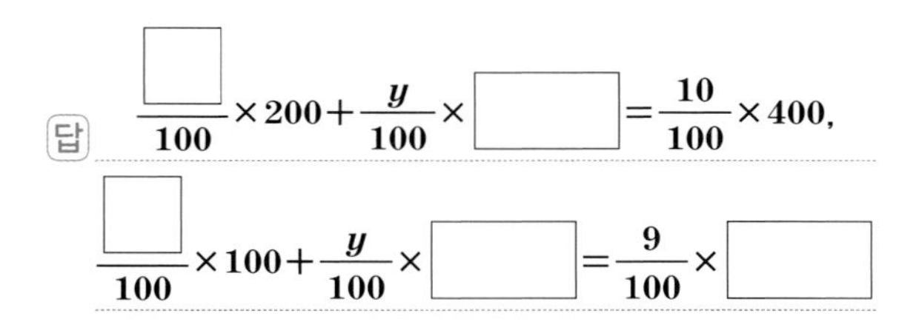

2) 1)에서 세운 두 방정식을 이용하여 두 소금물 A, B의 농도를 각각 구하여라.

답 **A의 농도 :** $\square$ %, **B의 농도 :** $\square$ %

개념 체크

299 다음 빈칸에 알맞은 것을 써넣어라.

(소금물의 농도)$=\dfrac{[\qquad]}{(\text{소금물의 양})}\times 100\ (\%)$

18 DAY

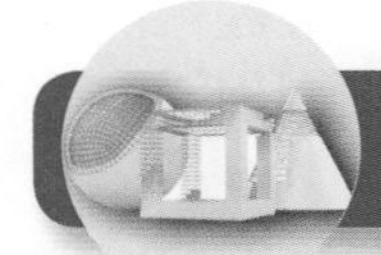

단원 총정리 문제

01 x의 값의 범위가 -2, -1, 0, 1, 2일 때, 다음 부등식 중 해가 없는 것은?

① $x+1\geq 0$　② $3-4x>-5$
③ $2x-6\leq 4$　④ $4x-3>2x$
⑤ $-x>x+4$

02 $a>b$일 때, 다음 중 옳지 않은 것은?

① $2a>2b$　② $3a-5>3b-5$
③ $-\frac{a}{4}<-\frac{b}{4}$　④ $3-a>3-b$
⑤ $\frac{a-1}{2}>\frac{b-1}{2}$

03 $a\leq 1$일 때, $4a+3$의 값의 범위를 구하여라.

04 일차부등식 $x-2\leq 3x-4$의 해를 수직선 위에 바르게 나타낸 것은?

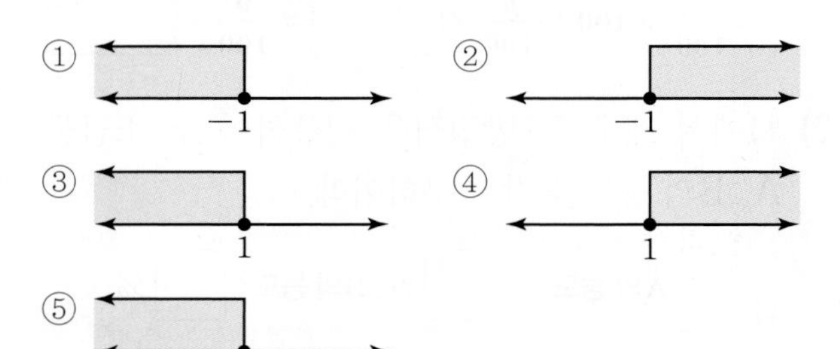

⑤ (수직선, 3)

05 다음 중 부등식 $0.3x-1<\frac{1}{4}(x-3)$의 해가 아닌 것을 모두 고르면? (정답 2개)

① 0　② 3　③ $\frac{9}{2}$
④ 5　⑤ 5.7

06 다음 [보기] 중 미지수가 2개인 일차방정식인 것의 개수는?

[보기]
ㄱ. $x-y$　ㄴ. $2x+7=0$
ㄷ. $2x-3y=7$　ㄹ. $x^2-4x+7=0$
ㅁ. $xy=5$　ㅂ. $y=x+2$

① 1개　② 2개　③ 3개
④ 4개　⑤ 5개

07 다음 연립방정식 중 $x=2$, $y=-3$을 해로 갖는 것은?

① $\begin{cases} 2x+y=6 \\ x-3y=4 \end{cases}$　② $\begin{cases} -x+2y=11 \\ 2x+y=1 \end{cases}$

③ $\begin{cases} 6x+y=9 \\ 2x=-3y+14 \end{cases}$　④ $\begin{cases} 5x-2y=3 \\ 2x-2y=1 \end{cases}$

⑤ $\begin{cases} 3x=-2y \\ x-y=5 \end{cases}$

08 연립방정식 $\begin{cases} x+2y=12 \cdots ㉠ \\ 2x+y=10 \cdots ㉡ \end{cases}$을 가감법을 이용하여 풀려고 한다. 다음 중 x를 소거하기 위하여 필요한 식은?

① ㉠×2−㉡　② ㉠×2+㉡　③ ㉠×3−㉡
④ ㉠×3+㉡　⑤ ㉠×4+㉡

09 연립방정식 $\begin{cases} ax+by=4 \\ bx-ay=-3 \end{cases}$ 의 해가 $x=2$, $y=-1$일 때, 상수 a, b의 값을 각각 구하여라.

10 연립방정식 $\begin{cases} 0.3x-0.4y=1.1 \\ \frac{1}{2}x-\frac{1}{3}y=\frac{1}{6} \end{cases}$ 을 풀어라.

11 연립방정식 $\frac{x-y}{3}=\frac{3x-y}{2}=2$를 풀어라.

12 방정식 $7x-2y=3(-x+y)=x+2y+4$의 해가 $x=a$, $y=b$일 때, $2ab$의 값은?

① -16 ② -8 ③ 0
④ 8 ⑤ 16

13 다음 연립방정식 중 해가 무수히 많은 것은?

① $\begin{cases} x+y=7 \\ x-y=7 \end{cases}$ ② $\begin{cases} x+y=4 \\ x+y=6 \end{cases}$
③ $\begin{cases} -x+2y=9 \\ 2x-4y=18 \end{cases}$ ④ $\begin{cases} 6x+2y=9 \\ 3x=-y+4 \end{cases}$
⑤ $\begin{cases} 3x=-2y-5 \\ 6x+4y=-10 \end{cases}$

14 연립방정식 $\begin{cases} 4x-3y=-9 \\ ax-4y=12 \end{cases}$ 의 해가 없을 때, 상수 a의 값을 구하여라.

15 현재 아버지와 딸의 나이의 합은 62살이고, 7년 후에는 아버지의 나이가 딸의 나이의 3배가 된다. 현재 아버지의 나이는?

① 48살 ② 49살 ③ 50살
④ 51살 ⑤ 52살

16 농도가 다른 두 종류의 소금물 A, B가 있다. 소금물 A 100 g과 소금물 B 300 g을 섞으면 6 %의 소금물이 되고, 소금물 A 300 g과 소금물 B 100 g을 섞으면 8 %의 소금물이 된다. 소금물 A, B의 농도는?

① A : 8 %, B : 6 % ② A : 8 %, B : 7 %
③ A : 8 %, B : 8 % ④ A : 9 %, B : 5 %
⑤ A : 8 %, B : 5 %

MIND MAP

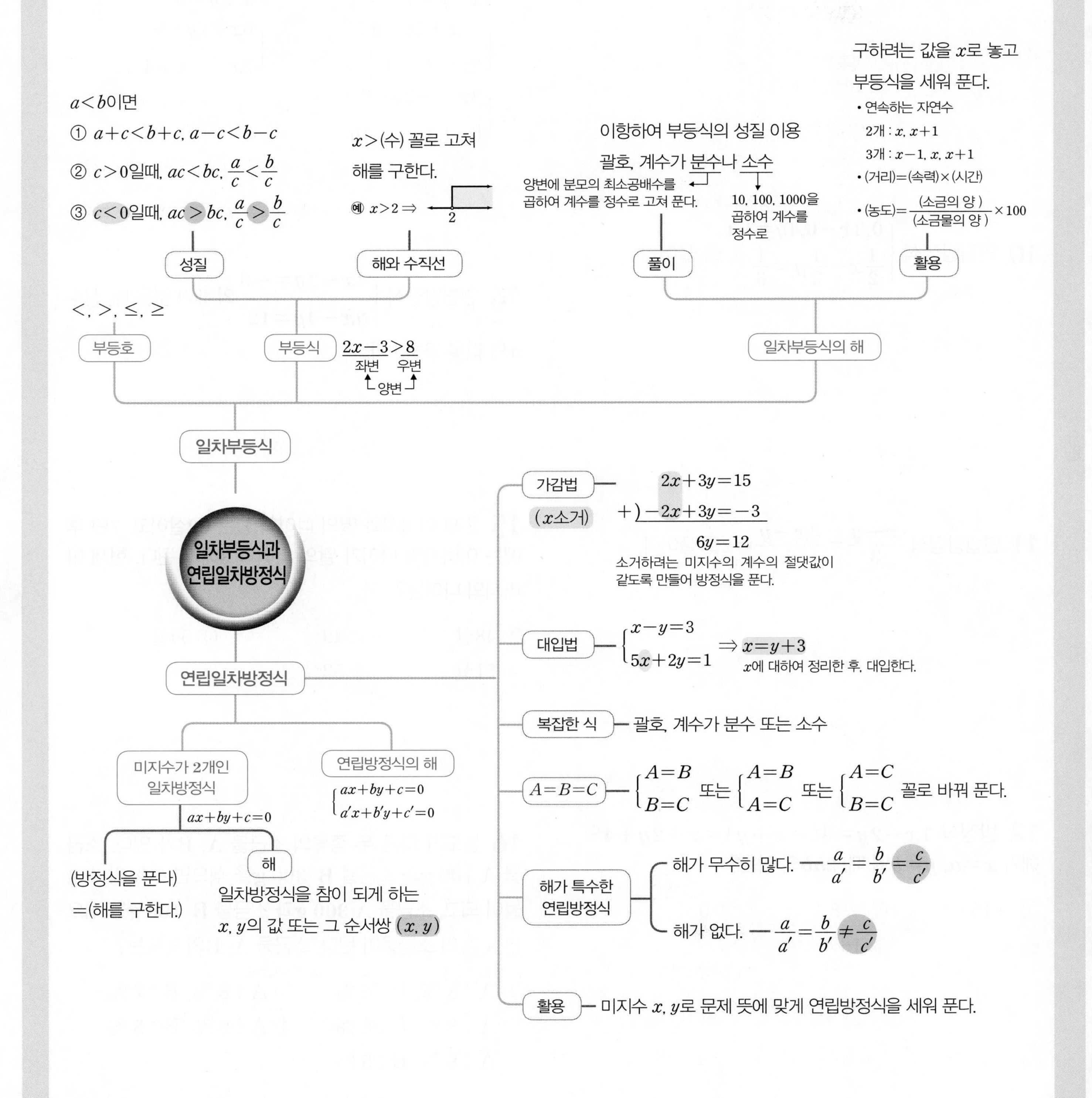

일차부등식과 연립일차방정식
일차부등식
부등호
<, >, ≤, ≥
부등식
2x−3>8
좌변 우변
양변
일차부등식의 해
성질
a<b이면
① a+c<b+c, a−c<b−c
② c>0일때, ac<bc, a/c<b/c
③ c<0일때, ac>bc, a/c>b/c
해와 수직선
x>(수) 꼴로 고쳐
해를 구한다.
예 x>2 ⇒
2
풀이
이항하여 부등식의 성질 이용
괄호, 계수가 분수나 소수
양변에 분모의 최소공배수를 곱하여 계수를 정수로 고쳐 푼다.
10, 100, 1000을 곱하여 계수를 정수로
활용
구하려는 값을 x로 놓고
부등식을 세워 푼다.
• 연속하는 자연수
2개 : x, x+1
3개 : x−1, x, x+1
• (거리)=(속력)×(시간)
• (농도)=(소금의 양)/(소금물의 양)×100
연립일차방정식
미지수가 2개인 일차방정식
ax+by+c=0
(방정식을 푼다)
=(해를 구한다.)
해
일차방정식을 참이 되게 하는
x, y의 값 또는 그 순서쌍 (x, y)
연립방정식의 해
ax+by+c=0
a′x+b′y+c′=0
가감법
(x소거)
2x+3y=15
+) −2x+3y=−3
6y=12
소거하려는 미지수의 계수의 절댓값이 같도록 만들어 방정식을 푼다.
대입법
x−y=3
5x+2y=1
⇒ x=y+3
x에 대하여 정리한 후, 대입한다.
복잡한 식
괄호, 계수가 분수 또는 소수
A=B=C
A=B, B=C 또는 A=B, A=C 또는 A=C, B=C 꼴로 바꿔 푼다.
해가 특수한 연립방정식
해가 무수히 많다. — a/a′=b/b′=c/c′
해가 없다. — a/a′=b/b′≠c/c′
활용
미지수 x, y로 문제 뜻에 맞게 연립방정식을 세워 푼다.

Ⅳ 일차함수와 그래프

Ⅳ-1 일차함수와 그래프

Ⅳ-2 일차함수와 일차방정식의 관계

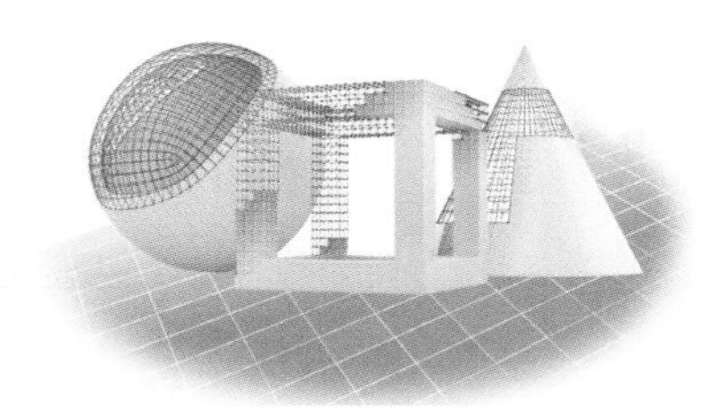

Ⅳ 일차함수와 그래프

1 함수의 뜻

(1) 함수의 뜻 → 여러 가지로 변하는 값을 나타내는 문자

두 변수 x, y에 대하여 x의 값이 하나 정해짐에 따라 y의 값이 오직 하나씩만 정해질 때, y를 x의 함수라 하고 $y=f(x)$로 나타낸다.

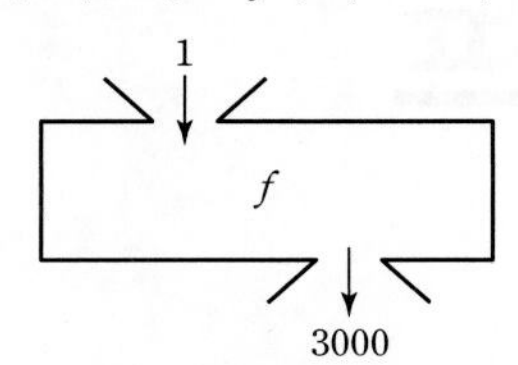

⇒ x의 값 하나에 y의 값이 오직 하나씩 대응하면 함수이다.

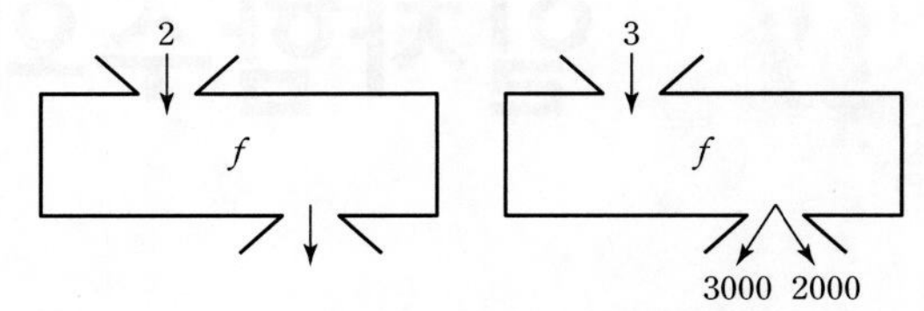

⇒ x의 값 하나에 y의 값이 대응하지 않거나 2개 이상 대응하면 함수가 아니다.

(2) 함숫값

함수 $y=f(x)$에 대하여 $f(▲)$는 ① $x=▲$일 때, 함숫값
② $x=▲$일 때, y의 값
③ $f(x)$에 x 대신 ▲를 대입한 값

2 일차함수 $y=ax+b$ $(a\neq0)$의 그래프

(1) 일차함수 $y=ax+b$ $(a\neq0)$의 그래프

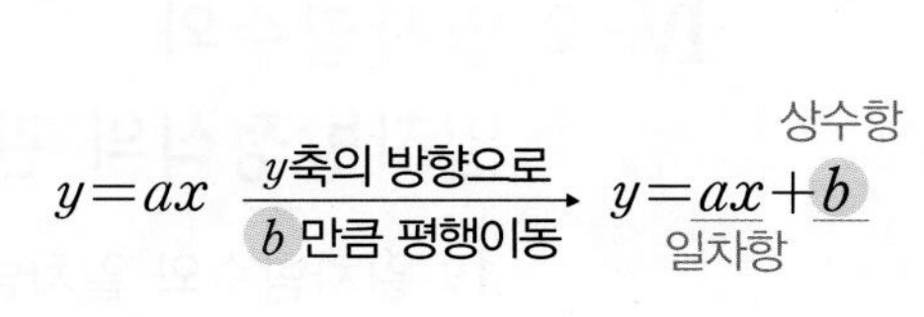

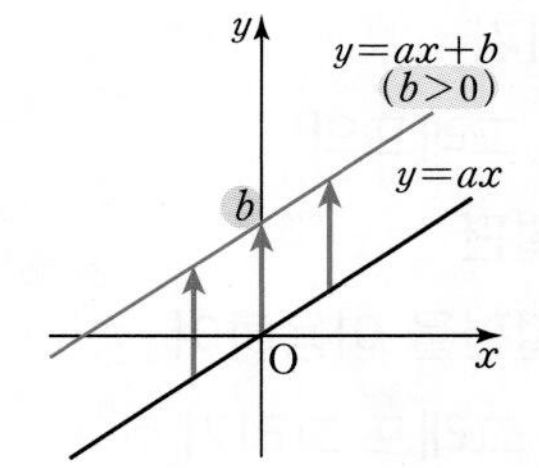

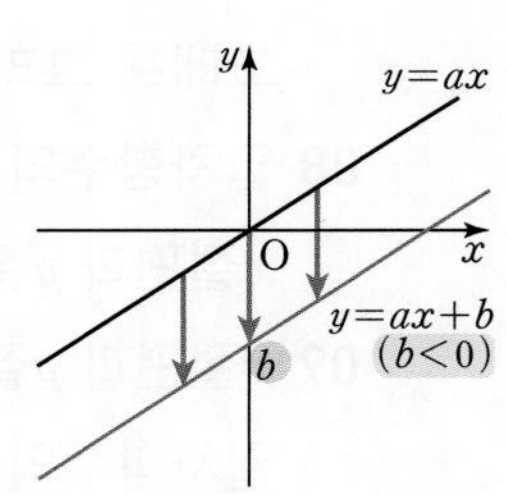

(2) x절편, y절편과 기울기

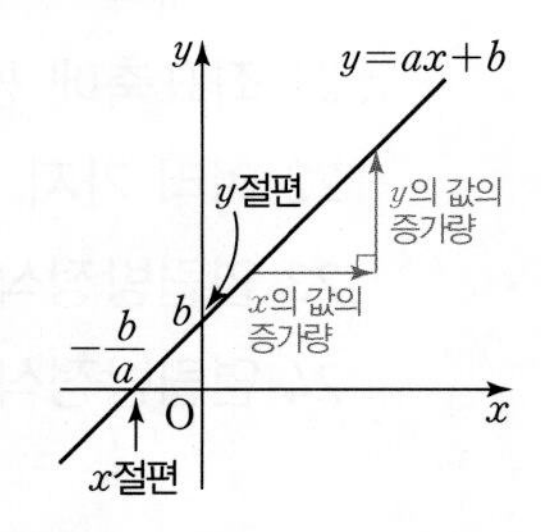

$$(\text{기울기})=\frac{(y\text{의 값의 증가량})}{(x\text{의 값의 증가량})}=a$$

(3) a, b의 부호에 따른 그래프의 모양

① $a>0$, $b>0$ ② $a>0$, $b<0$ ③ $a<0$, $b>0$ ④ $a<0$, $b<0$

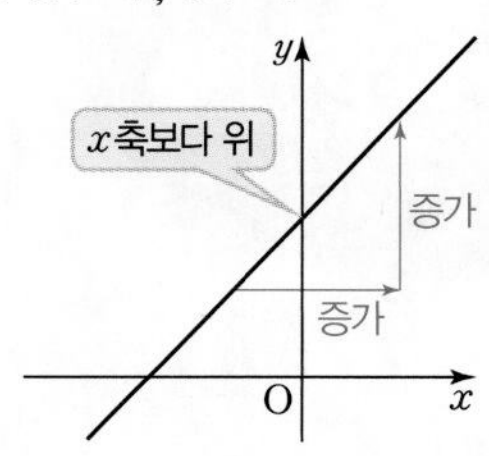

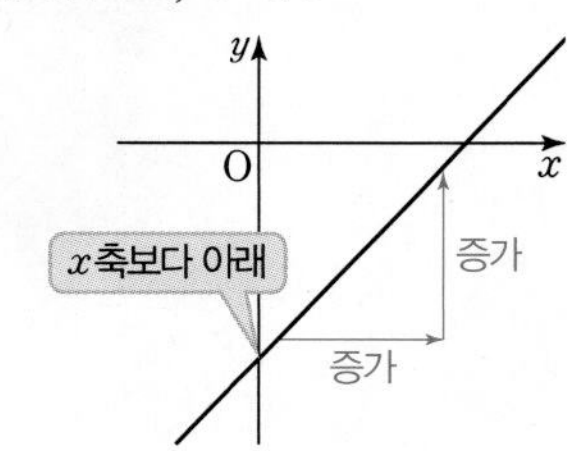

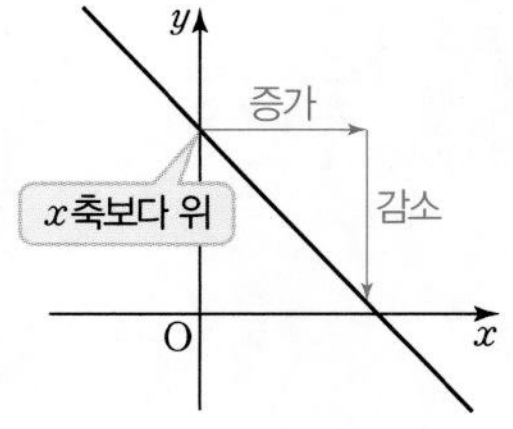

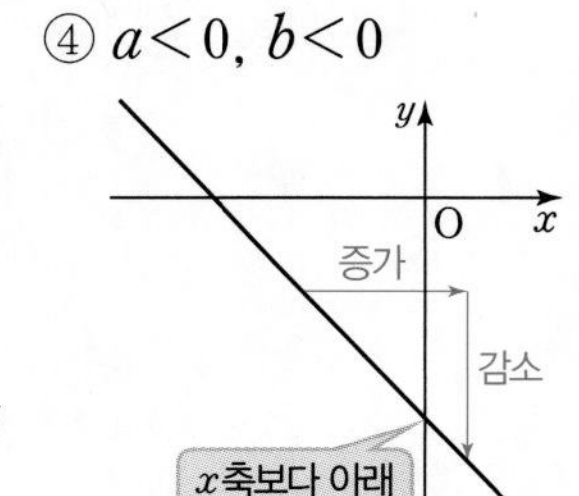

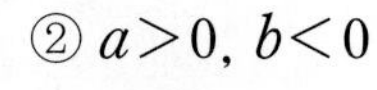

3 일차함수의 그래프의 평행, 일치

$y=ax+b$, $y=cx+d$ ➡
- $a=c$, $b\neq d$ ➡ 기울기가 같고 y절편이 다르다. ➡ 평행
- $a=c$, $b=d$ ➡ 기울기가 같고 y절편도 같다. ➡ 일치

4 일차함수와 일차방정식

$ax+by+c=0\,(a\neq0,\ b\neq0)$ ⇄ (일차함수 → / ← 일차방정식) $y=-\dfrac{a}{b}x-\dfrac{c}{b}$

참고 일차방정식 $\boldsymbol{x=p}$, $\boldsymbol{y=q}$의 그래프

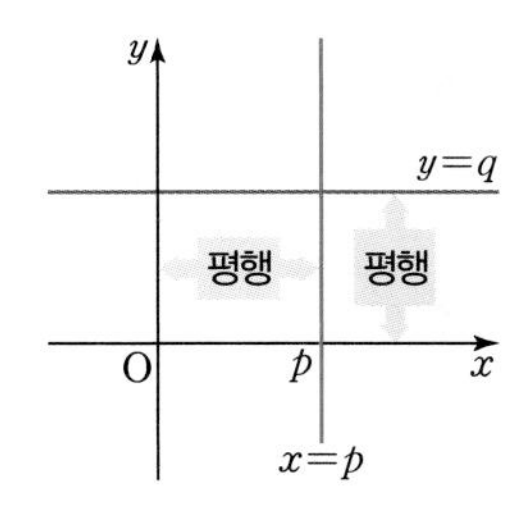

5 연립방정식의 해와 그래프

(1) 연립방정식의 해와 그래프

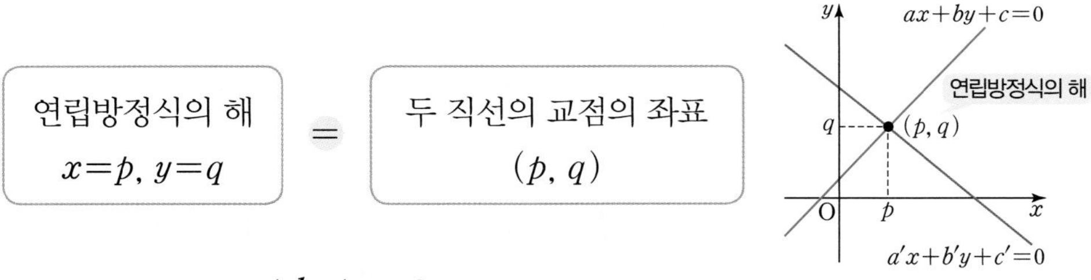

(2) 연립방정식 $\begin{cases} ax+by+c=0 \\ a'x+b'y+c'=0 \end{cases}$ 의 해의 개수와 그래프의 위치 관계

연립방정식의 해	해가 한 쌍이다.	해가 없다.	해가 무수히 많다.
두 그래프의 교점	한 개이다.	없다.	무수히 많다.
두 직선의 그래프	한 점	평행	일치
기울기와 y절편	기울기가 다르다. ➡ $\dfrac{a}{a'}\neq\dfrac{b}{b'}$	기울기는 같고, y절편은 다르다. ➡ $\dfrac{a}{a'}=\dfrac{b}{b'}\neq\dfrac{c}{c'}$	기울기와 y절편이 각각 같다. ➡ $\dfrac{a}{a'}=\dfrac{b}{b'}=\dfrac{c}{c'}$

* 정답 및 해설 p. 44

Ⅳ-1 일차함수와 그래프

01 함수의 뜻

(1) **변수** : x, y와 같이 여러 가지로 변하는 값을 나타내는 문자를 변수라고 한다.

(2) **함수** : 두 변수 x, y에 대하여 x의 값이 하나 정해짐에 따라 y의 값이 오직 하나씩만 정해질 때, y는 x의 함수라 하고 $y=f(x)$로 나타낸다.

참고 x의 값에 대하여 y의 값이 ① 오직 하나씩 대응하면 함수이다.
② 대응하지 않거나 2개 이상 대응하면 함수가 아니다.

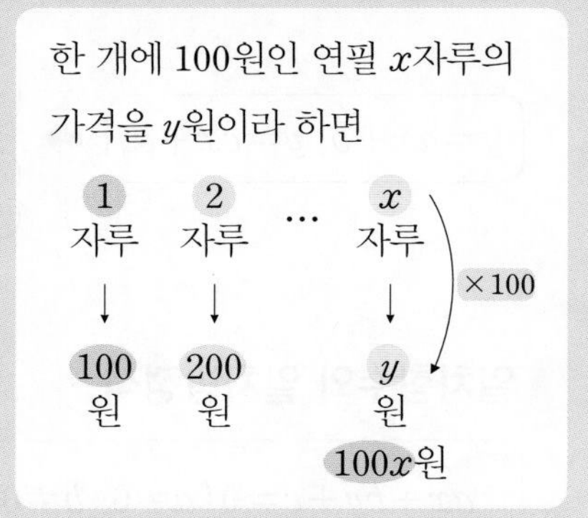

유형01 함수의 구별

[01~06] 다음 표의 빈칸을 채우고, 함수인 것은 ○표, 함수가 아닌 것은 ×표를 하여라.

01 정수 x의 절댓값 y ( )

x	…	-2	-1	0	1	2	…
y	…	2				2	…

02 자연수 x의 약수 y ( )

x	1	2	3	4	…
y		1, 2			…

03 자연수 x의 약수의 개수 y ( )

x	1	2	3	4	…
y					…

04 자연수 x보다 작은 소수 y ( )

x	1	2	3	4	…
y	없다	없다			…

05 한 개에 12 g인 물건 x개의 무게 y g ( )

x(개)	1	2	3	4	…
y(g)					…

06 넓이가 12 cm^{2}인 직사각형의 가로의 길이 x cm와 세로의 길이 y cm ( )

x(cm)	1	2	3	4	…
y(cm)					…

개념 체크

07 다음 빈칸에 알맞은 것을 써넣어라.

1) x, y와 같이 여러 가지로 [ ]을 나타내는 문자를 [ ]라고 한다.

2) 두 [ ] x, y에 대하여 x의 값이 하나 정해짐에 따라 y의 값이 오직 하나씩만 정해질 때, y는 [ ]의 [ ]라 한다.

* 정답 및 해설 p. 44

02 함수의 관계식

(1) $\boldsymbol{y=ax\ (a\neq0)}$: y가 x에 정비례할 때, 즉 $y=ax\ (a\neq0)$이면 y는 x의 함수이다.

참고 변하는 두 양 x, y 사이에 x의 값이 2배, 3배, 4배, …로 변함에 따라 y의 값도 2배, 3배, 4배, …로 변하는 관계

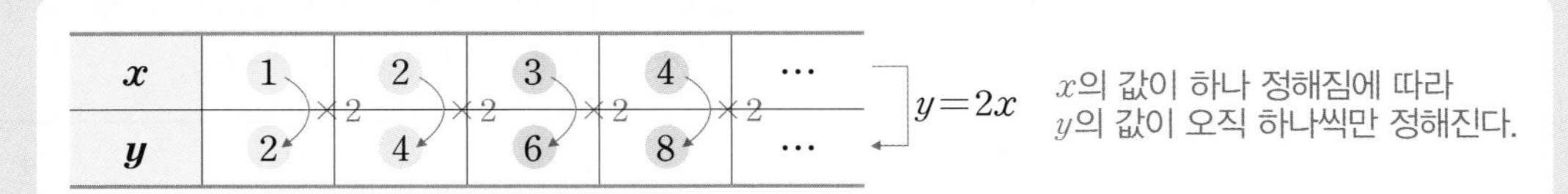

x	1	2	3	4	…
y	2	4	6	8	…

(2) $\boldsymbol{y=\frac{a}{x}\ (a\neq0)}$: y가 x에 반비례할 때, 즉 $y=\frac{a}{x}\ (a\neq0)$이면 y는 x의 함수이다.

참고 변하는 두 양 x, y 사이에 x의 값이 2배, 3배, 4배, …로 변함에 따라 y의 값은 $\frac{1}{2}$배, $\frac{1}{3}$배, $\frac{1}{4}$배, …로 변하는 관계

x	1	2	3	4	…
y	12	6	4	3	…
	=12	=12	=12	=12	12로 일정

$y=\frac{12}{x}$ x의 값이 하나 정해짐에 따라 y의 값이 오직 하나씩만 정해진다.

유형02 함수식 찾기

[08~13] 다음 표의 빈칸을 채우고, x와 y 사이의 관계를 식으로 나타내어라.

08 자연수 x를 2배 한 값은 y이다.

x	1	2	3	…	x
y		4		…	

답 $y=$ ☐

09 한 자루에 300원 하는 볼펜 x자루의 가격은 y원이다.

x(자루)	1	2	3	…	x
y(원)				…	

답 $y=$ ☐

10 한 권에 500원 하는 공책 x권의 가격은 y원이다.

x(권)	1	2	3	…	x
y(원)				…	

답

11 염소 x마리의 다리의 개수는 y개이다.

x(마리)	1	2	3	…	x
y(개)				…	

답

12 6 L의 주스를 x명이 똑같이 나누어 마시면 한 사람이 마신 주스의 양은 y L이다.

x(명)	1	2	3	6	x
y(L)					

답

13 사탕 12개를 x명의 학생들에게 똑같이 나누어 줄 때, 한 학생이 가지게 되는 사탕의 개수는 y개이다.

x(명)	1	2	3	…	x
y(개)				…	

답

[14~19] 다음에서 y가 x의 함수인 것은 ○표, 함수가 아닌 것은 ×표를 하여라.

14 $y=4x$ ( )

해 x의 값이 정해짐에 따라 y의 값은 오직 하나씩 정해지며 y는 x에 [ ] 비례하는 [ ] 이다.

15 $y=-3x$ ( )

16 $y=\frac{x}{7}$ ( )

17 $y=\frac{1}{10}x$ ( )

18 $y=\frac{14}{x}$ ( )

해 x의 값이 정해짐에 따라 y의 값이 오직 하나씩 정해지며 y는 x에 [ ] 비례하는 [ ] 이다.

19 $y=-\frac{8}{x}$ ( )

[20~22] 다음을 보고, 물음에 답하여라.

20 하루에 x개씩 20일 동안 푼 문제의 개수 y에 대하여 아래 표의 빈칸을 채워라.

x(개)	1	2	3	4	…
y(개)	20		60		…

21 y는 x의 함수인가?

답 ____________

22 x와 y 사이의 관계식을 구하여라.

답 $y=$ [ ]

[23~25] 다음을 보고, 물음에 답하여라.

23 넓이가 18 cm^2인 평행사변형의 가로의 길이 x cm, 높이 y cm에 대하여 아래 표의 빈칸을 채워라.

x(cm)	1	2	3	6	9	18
y(cm)						

24 y는 x의 함수인가?

답 ____________

25 x와 y 사이의 관계식을 구하여라.

답 ____________

개념 체크

26 다음 빈칸에 알맞은 것을 써넣어라.

1) y가 x에 [ ]할 때, 즉 $y=ax(a\neq0)$이면 [ ]는 x의 [ ]이다.

2) y가 x에 [ ]할 때, 즉 $y=\frac{a}{x}(a\neq0)$이면 [ ]는 x의 [ ]이다.

* 정답 및 해설 p. 45

03 함숫값

(1) y가 x의 함수인 것을 기호로 $y=f(x)$와 같이 나타낸다.

참고 $y=x$는 $f(x)=x$와 같이 나타낼 수 있다.

(2) 함숫값

함수 $y=f(x)$에서 x의 값에 따라 하나로 결정되는 y의 값

➡ $f(x)$

예 함수 $y=f(x)$에서 $x=2$일 때의 함숫값은 $f(2)$이다.

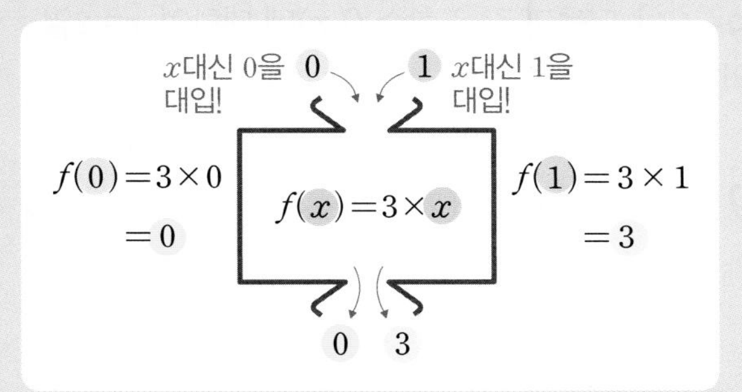

유형03 함숫값

[27~32] 함수 $f(x)=2x$일 때, 다음 함숫값을 구하여라.

27 $f(1)=2\times\square=\square$

답 ....

28 $f(0)=2\times\square=\square$

답 ....

29 $f(3)$

답 ....

30 $f(-1)$

답 ....

31 $f(-2)$

답 ....

32 $f\left(-\frac{1}{2}\right)$

답 ....

[33~38] 함수 $f(x)=\frac{16}{x}$일 때, 다음 함숫값을 구하여라.

33 $f(1)=\frac{16}{\square}=\square$

답 ....

34 $f(2)=\frac{16}{\square}=\square$

답 ....

35 $f(4)$

답 ....

36 $f(-1)$

답 ....

37 $f(-8)$

답 ....

38 $f(-16)$

답 ....

[39~44] 다음과 같은 함수 $f(x)$에 대하여 $x=2$일 때의 함숫값을 구하여라.

39 $f(x)=2x$ ➡ $f(2)=2\times\square=\square$

답

40 $f(x)=5x$ ➡ $f(\square)=5\times\square=\square$

답

41 $f(x)=-\frac{1}{2}x$

답

42 $f(x)=\frac{12}{x}$

답

43 $f(x)=-\frac{6}{x}$

답

44 $f(x)=3x+4$

답

[45~50] 다음과 같은 함수 $f(x)$에 대하여 $x=-3$일 때의 함숫값을 구하여라.

45 $f(x)=4x$ ➡ $f(-3)=4\times\square=\square$

답

46 $f(x)=-3x$ ➡ $f(\square)=-3\times\square$
$=\square$

답

47 $f(x)=\frac{x}{15}$

답

48 $f(x)=-\frac{9}{x}$

답

49 $f(x)=\frac{60}{x}$

답

50 $f(x)=2x-7$

답

유형04 함숫값이 주어진 경우 미지수 구하기

[51~56] 함수 $f(x)=ax$에 대하여 다음을 만족하는 상수 a의 값을 구하여라.

51 $f(2)=6$

답 ______

해 $f(x)=ax$에서 $f(2)=2a$이므로

$f(2)=6$이면 $\square=6$

$\therefore a=\square$

52 $f(3)=3$

답 ______

해 $f(x)=ax$에서 $f(3)=3a$이므로

$f(3)=3$이면 $3a=\square$

$\therefore a=\square$

53 $f(-1)=3$

답 ______

54 $f(-2)=-4$

답 ______

55 $f\left(\frac{1}{2}\right)=-1$

답 ______

56 $f\left(-\frac{1}{3}\right)=2$

답 ______

[57~61] 함수 $f(x)=ax$에 대하여 다음을 구하여라. (단, $a\neq0$)

57 $f(3)=6$일 때, $f(-3)$의 값

답 ______

해 $f(3)=6$이면 $3a=6$에서 $a=\square$이므로

$f(x)=\square x$

$\therefore f(-3)=\square\times(-3)=\square$

58 $f(2)=8$일 때, $f(-2)$의 값

답 ______

해 $f(2)=8$이면 $\square=8$에서 $a=\square$이므로

$f(x)=\square x$

$\therefore f(-2)=\square\times(-2)=\square$

59 $f(-2)=2$일 때, $f(4)$의 값

답 ______

60 $f(6)=-4$일 때, $f(-3)$의 값

답 ______

61 $f(2)=6$, $f(b)=3$일 때, b의 값

답 ______

20 DAY

[62~67] 함수 $f(x)=\frac{a}{x}$에 대하여 다음을 만족하는 상수 a의 값을 구하여라.

62 $f(2)=1$

답 ______

해 $f(x)=\frac{a}{x}$에서 $f(2)=\frac{a}{2}$이면 $f(2)=1$이므로

$\square=1$ $\therefore a=\square$

63 $f(3)=3$

답 ______

64 $f(6)=-1$

답 ______

65 $f(-2)=-1$

답 ______

66 $f(-4)=-2$

답 ______

67 $f\left(\frac{1}{2}\right)=4$

답 ______

해 $f(x)=\frac{a}{x}=a\div x$이므로

$f\left(\frac{1}{2}\right)=a\div\frac{1}{2}=a\times\square$이다.

$f\left(\frac{1}{2}\right)=4$에서 $a\times\square=4$이므로 $a=\square$

[68~71] 함수 $f(x)=\frac{a}{x}$에 대하여 다음을 구하여라. (단, a는 상수)

68 $f(1)=12$일 때, $f(2)$의 값

답 ______

해 $f(1)=12$이면 $\frac{a}{1}=12$에서 $a=\square$이므로

$f(x)=\frac{\square}{x}$

$\therefore f(2)=\frac{\square}{2}=\square$

69 $f(3)=-6$일 때, $f(6)$의 값

답 ______

70 $f(2)=-3$일 때, $f(-2)$의 값

답 ______

71 $f(-6)=-2$일 때, $f(-3)$의 값

답 ______

유형05 두 함수가 주어질 때의 함숫값

[72~76] 함수 $f(x)=\frac{1}{2}x$, $g(x)=-x$에 대하여 다음을 구하여라.

72 $f(1)+g(0)$

답 ____________

해 $f(1)=\frac{1}{2}\times 1=\square$, $g(0)=\square$

$\therefore f(1)+g(0)=\square+\square=\square$

73 $f(2)+g(1)$

답 ____________

74 $f(4)+g(2)$

답 ____________

75 $f(6)g(3)$

답 ____________

76 $f(-2)g(-3)$

답 ____________

[77~80] 함수 $f(x)=2x$, $g(x)=\frac{4}{x}$에 대하여 다음을 구하여라.

77 $f(1)+g(1)$

답 ____________

78 $f(-1)+g(4)$

답 ____________

79 $f(2)g(2)$

답 ____________

80 $f(-2)+g(-1)$

답 ____________

개념 체크

81 다음 빈칸에 알맞은 것을 써넣어라.

1) y가 x의 함수인 것을 기호로 [   ]와 같이 나타낸다.

2) [   ]은 함수 [   ]에서 x의 값에 따라 하나로 결정되는 y의 값이다.
예를 들어, 함수 $y=f(x)$에서 $x=1$일 때의 함숫값은 [   ]이다.

* 정답 및 해설 p. 47

04 일차함수의 뜻

함수 $y=f(x)$에서 y가 x에 대한 일차식 $y=ax+b$ (a, b는 상수, $a\neq0$)와 같이 나타내어질 때, 이 함수 $f(x)$를 x에 대한 일차함수라고 한다.

$y=ax+b$
일차항 ㄴ→상수항

유형06 일차함수의 뜻

[82~87] 다음 중 일차함수인 것은 ○표, 아닌 것은 ×표를 하여라.

82 $y=x$

( )

해 함수 $y=x$에서 x는 x에 대한 [ ]

83 $y=4$

( )

해 함수 $y=4$에서 4는 x에 대한 [ ]

84 $y=\dfrac{2}{x}$

( )

85 $y=5x+2$

( )

86 $y=x(x-1)$

( )

87 $y=-2+x$

( )

유형07 x와 y 사이의 관계식

[88~90] 다음을 읽고, x와 y 사이의 관계식을 구하여라.

88 한 자루에 300원 하는 연필 x자루를 사고 2000원을 내었을 때 거스름돈 y원을 받았다.

답

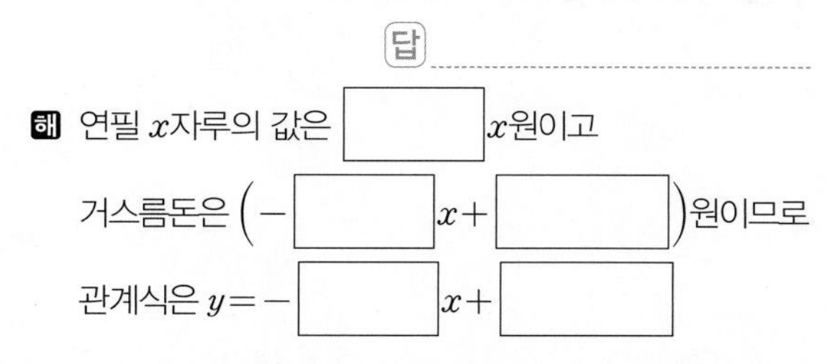
해 연필 x자루의 값은 [ ] x원이고
거스름돈은 $(-$[ ]$x+$[ ]$)$원이므로
관계식은 $y=-$[ ]$x+$[ ]

89 무게가 100 g인 바구니에 50 g인 달걀 x개를 담아 저울에 올려놓았더니 저울의 눈금이 y g을 가리켰다.

답

90 200 L들이 욕조의 배수구를 열었더니 1분에 2 L의 물이 흘러나갔다. x분 동안 배수구를 열었을 때 욕조에 남은 물의 양은 y L이다.

답

개념 체크

91 다음 빈칸에 알맞은 것을 써넣어라.

함수 $y=f(x)$에서 y가 x에 관한 일차식 $y=$[ ] (a, b는 상수, a[ ]0)와 같이 나타내어질 때, 이 함수 $f(x)$를 x에 대한 [ ]라고 한다.

* 정답 및 해설 p. 48

05 일차함수 $y=ax$의 그래프

(1) 원점 $(0,\ 0)$을 지나는 직선이다.

(2) $a>0$일 때

① 오른쪽 위로 향하는 직선이다.

② 제1사분면과 제3사분면을 지난다.

③ x의 값이 증가하면 y의 값도 증가한다.

(3) $a<0$일 때

① 오른쪽 아래로 향하는 직선이다.

② 제2사분면과 제4사분면을 지난다.

③ x의 값이 증가하면 y의 값은 감소한다.

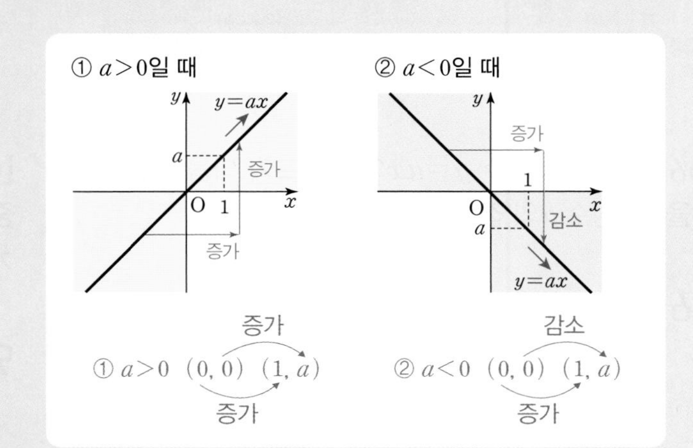

참고 일차함수 $y=ax(a\neq0)$의 그래프는 a의 값에 관계없이 항상 원점과 점 $(1,\ a)$를 지난다.

유형08 표를 이용한 $y=ax(a>0)$의 그래프

[92~93] 함수 $y=2x$에 대하여 다음 표를 완성하고, x의 값이 다음과 같이 주어졌을 때, 좌표평면 위에 각각의 그래프를 그려라.

92

x	…	-2	-1	0	1	2	…
y	…			0			…

93 1) x의 값 : $-2,\ -1,\ 0,\ 1,\ 2$

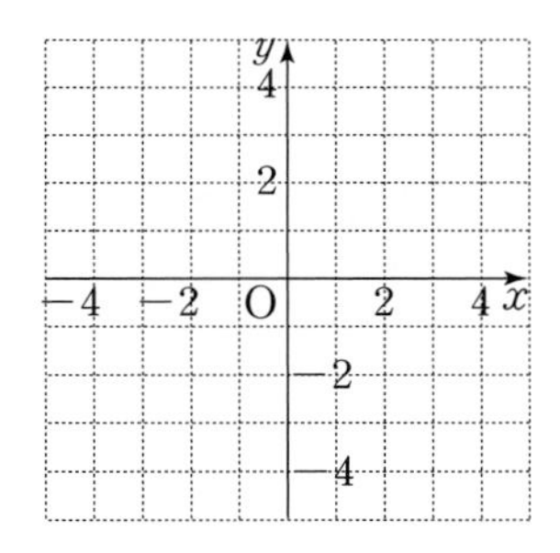

2) x의 값 : 수 전체

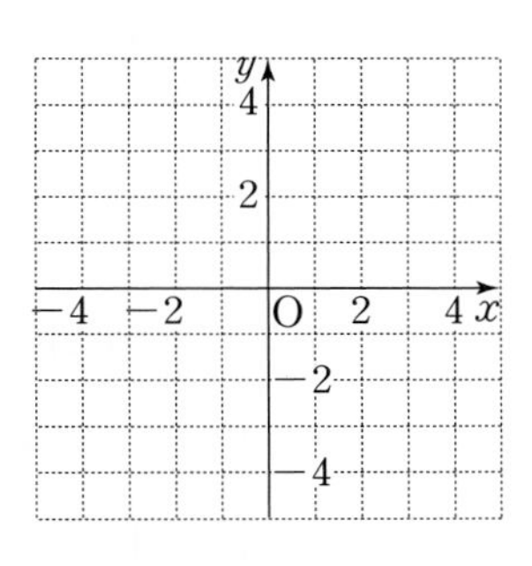

유형09 표를 이용한 $y=ax(a<0)$의 그래프

[94~95] 함수 $y=-2x$에 대하여 다음 표를 완성하고, x의 값이 다음과 같이 주어졌을 때, 좌표평면 위에 각각의 그래프를 그려라.

94

x	…	-2	-1	0	1	2	…
y	…			0			…

95 1) x의 값 : $-2,\ -1,\ 0,\ 1,\ 2$

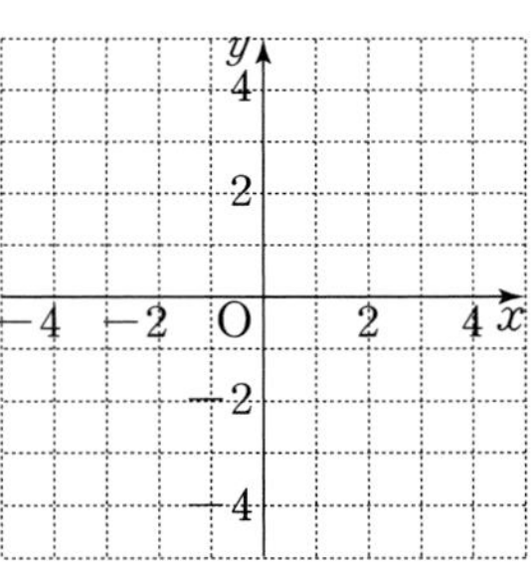

2) x의 값 : 수 전체

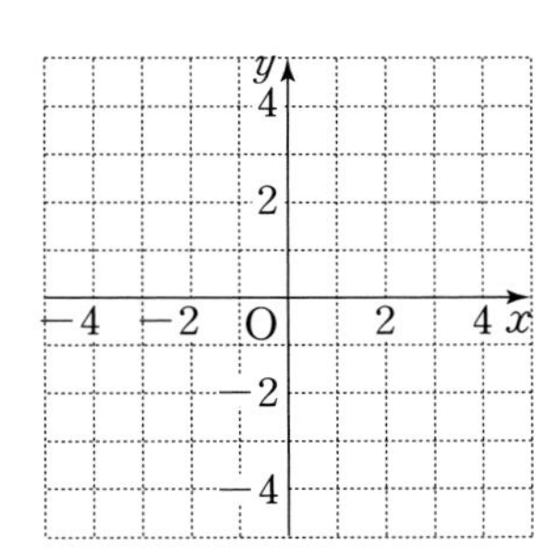

* 정답 및 해설 p. 48

유형10 **그래프를 이용하여 미지수의 값 구하기**

[96~98] 일차함수 $y=ax$의 그래프가 다음 그림과 같을 때, 상수 a의 값을 구하여라.

96

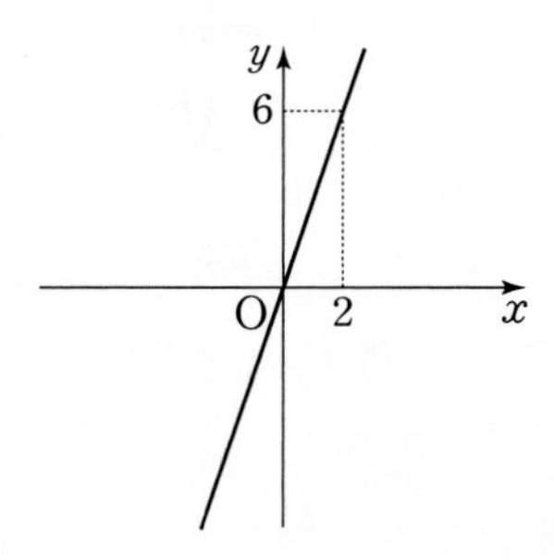

답

해 일차함수 $y=ax$의 그래프가 점 $(2, 6)$을 지나므로

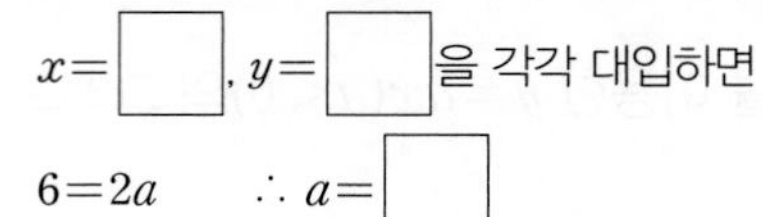

97

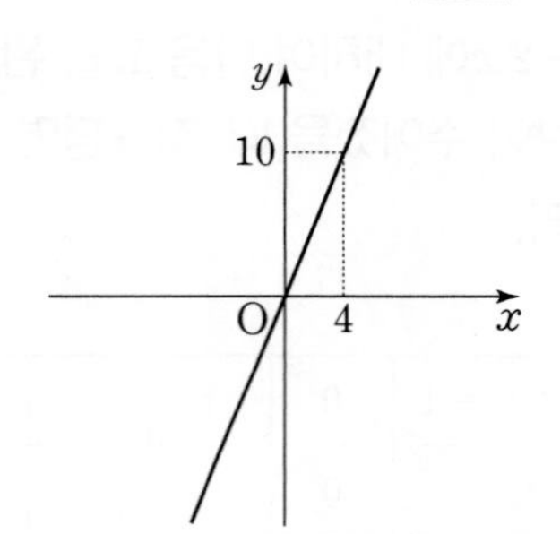

답

98

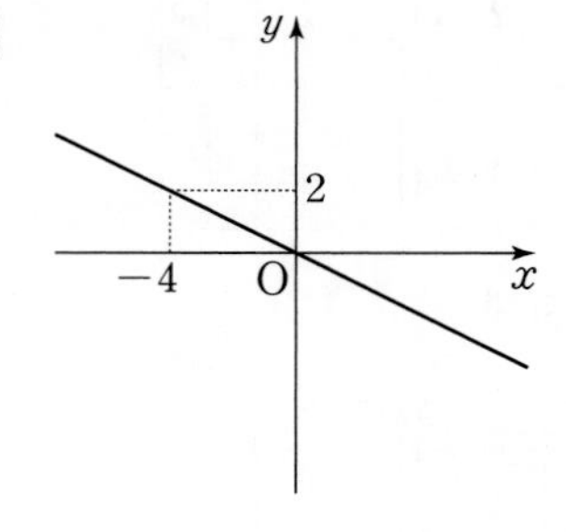

답

유형11 **절댓값을 이용하여 그래프에서 함수 찾기**

[99~101] 다음 그림의 일차함수 $y=ax$의 그래프 중에서 a의 절댓값이 가장 큰 함수의 그래프를 찾아 기호로 써라.

99

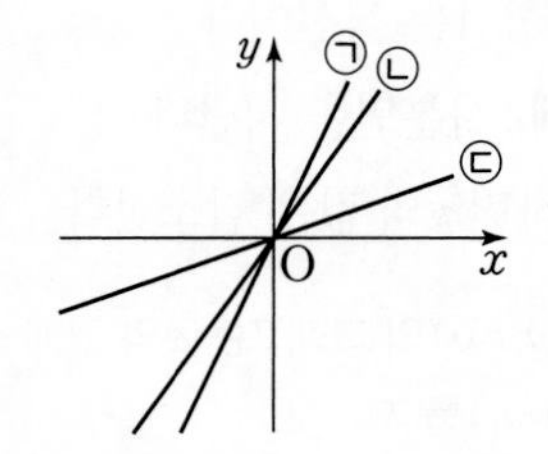

답

해 a의 절댓값이 클수록 함수 $y=ax$의 그래프는 □ 축에 가까워진다. 따라서 a의 절댓값이 가장 큰 함수의 그래프는 □이다.

100

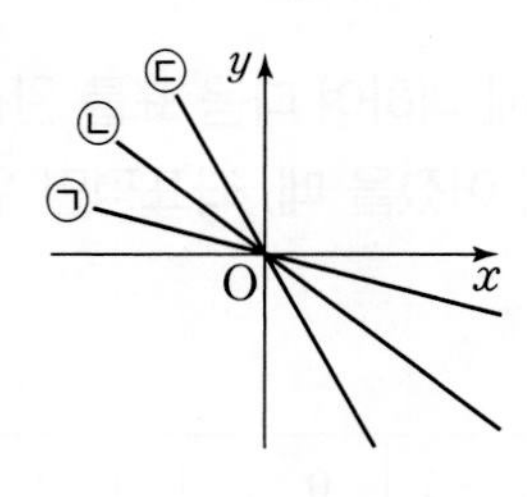

답

101

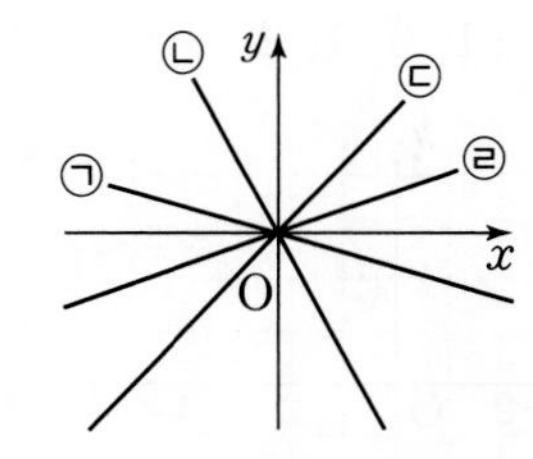

답

개념 체크

102 다음 빈칸에 알맞은 것을 써넣어라.

일차함수 $y=ax$의 그래프는 [ ]을 지나는 직선이고 $a>0$일 때,

① [ ]로 향하는 직선이다.

② 제[ ]사분면과 제[ ]사분면을 지난다.

③ x의 값이 [ ]하면 y의 값도 [ ]한다.

* 정답 및 해설 pp. 48~49

Ⅳ-1 일차함수와 그래프

06 일차함수 $y=ax+b$의 그래프

(1) 일차함수 $y=ax+b$의 그래프는 일차함수 $y=ax$의 그래프를 y축의 방향으로 b만큼 평행이동한 직선이다.

참고 한 도형을 일정한 방향으로 일정한 거리만큼 옮기는 것을 평행이동이라고 한다.

(2) $b>0$이면 y축의 양의 방향으로 b만큼 평행이동한다.
$b<0$이면 y축의 음의 방향으로 $|b|$만큼 평행이동한다.

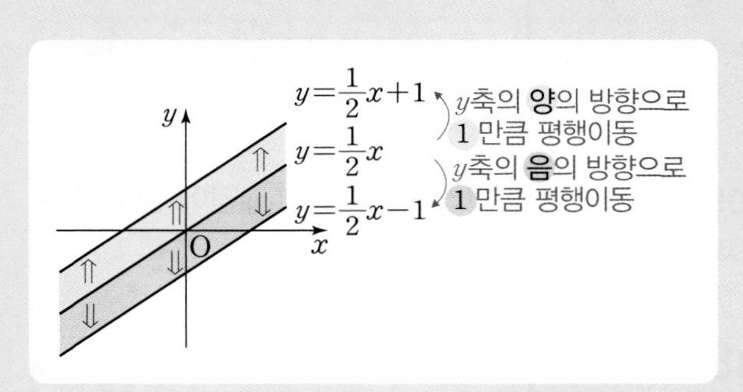

유형12 표를 이용한 $y=ax+b$의 그래프

[103~107] 두 일차함수 $y=ax$와 $y=ax+b$에 대하여 다음 표를 완성하고, 좌표평면 위에 각각의 그래프를 그려라.

103

x	…	-2	-1	0	1	2	…
$y=x$	…			0	1		…
$y=x+2$	…					4	…

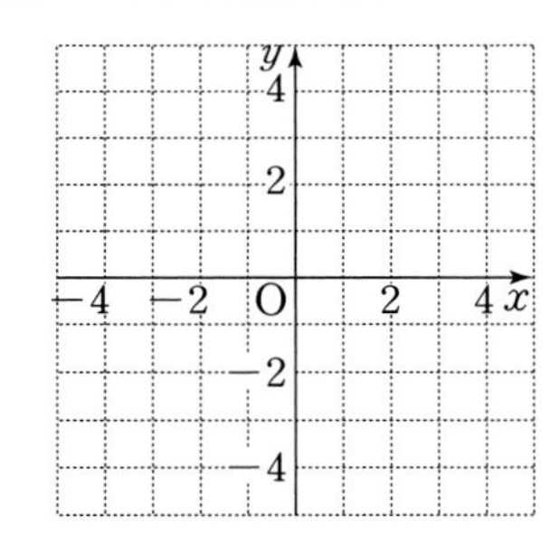

104

x	…	-2	-1	0	1	2	…
$y=2x$	…			0	2		…
$y=2x-3$	…						…

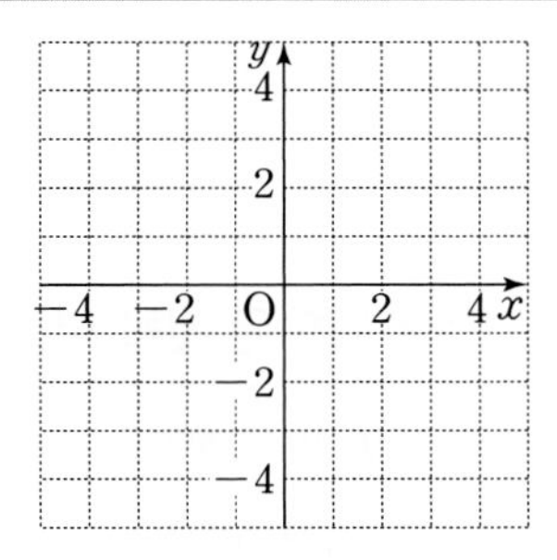

105

x	…	-2	-1	0	1	2	…
$y=-x$	…			0	-1		…
$y=-x+3$	…						…

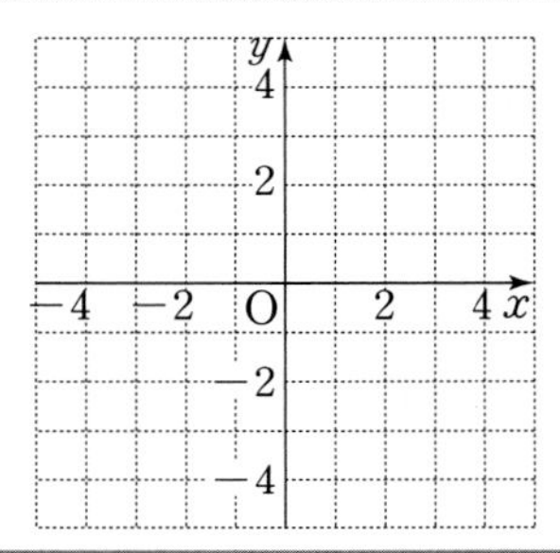

106

x	…	-2	-1	0	1	2	…
$y=-3x$	…			0	-3		…
$y=-3x-3$	…						…

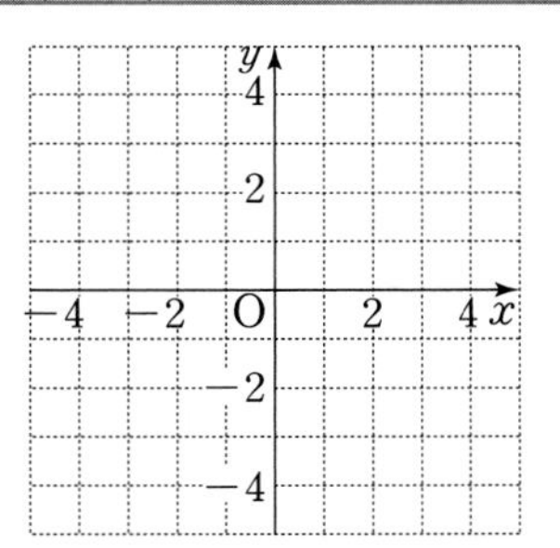

107

x	…	-2	-1	0	1	2	…
$y=-2x$	…			0			…
$y=-2x+2$	…						…

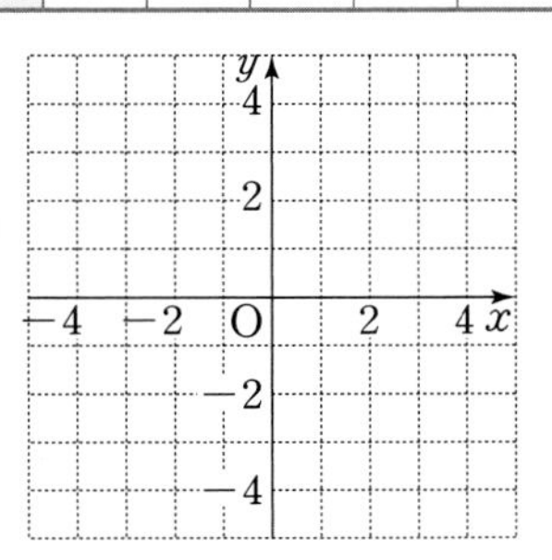

21 DAY

유형13 y축의 방향으로 평행이동한 일차함수의 그래프

[108~111] 함수의 그래프를 보고, □ 안에 알맞은 수를 써넣어라.

108 일차함수 $y=x-4$의 그래프는 일차함수 $y=x$의 그래프를 y축의 방향으로 □만큼 평행이동한 것이다.

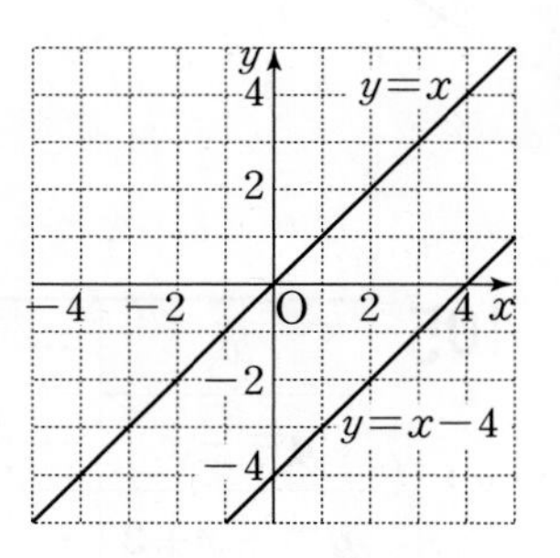

109 일차함수 $y=3x+3$의 그래프는 일차함수 $y=3x$의 그래프를 y축의 방향으로 □만큼 평행이동한 것이다.

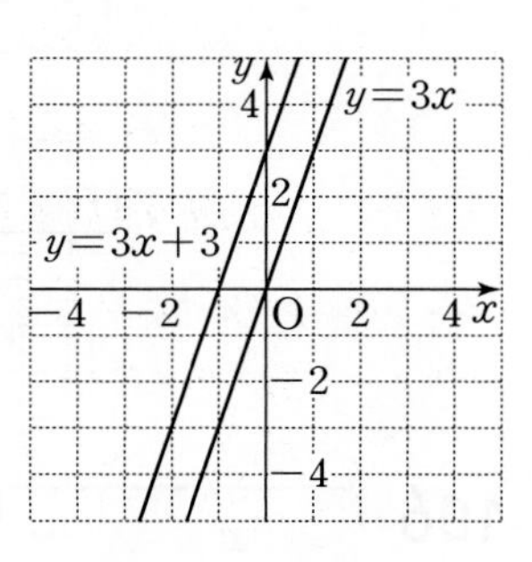

110 일차함수 $y=-\frac{1}{2}x+2$의 그래프는 일차함수 $y=-\frac{1}{2}x$의 그래프를 y축의 방향으로 □만큼 평행이동한 것이다.

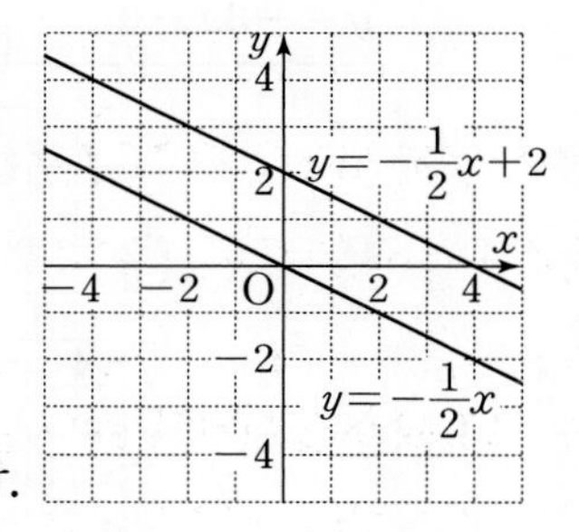

111 일차함수 $y=-4x-5$의 그래프는 일차함수 $y=-4x$의 그래프를 y축의 방향으로 □만큼 평행이동한 것이다.

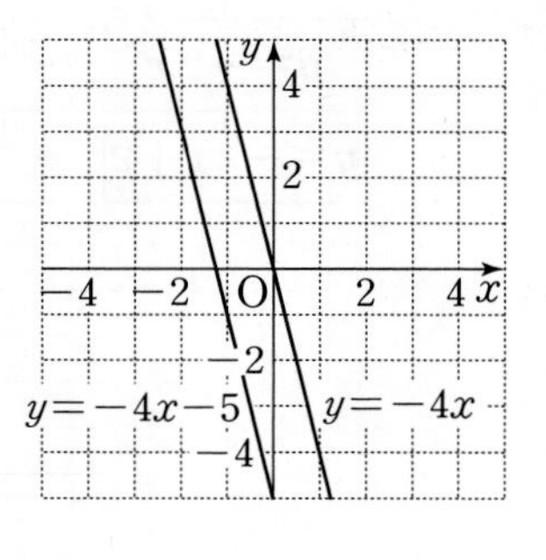

유형14 y축의 방향으로 평행이동한 일차함수의 식

[112~116] 다음 일차함수의 그래프를 y축의 방향으로 [ ] 안의 수만큼 평행이동한 그래프가 나타내는 일차함수의 식을 구하여라.

112 $y=x$ [5]

답 ________

해 일차함수 $y=ax$의 그래프를 y축의 방향으로 b만큼 평행이동한 그래프가 나타내는 일차함수의 식은 $y=ax+b$이다.
따라서 일차함수 $y=x$의 그래프를 y축의 방향으로 5만큼 평행이동한 그래프가 나타내는 일차함수의 식은 $y=x+$□이다.

113 $y=5x$ $[-3]$

답 ________

114 $y=8x$ $\left[-\frac{3}{4}\right]$

답 ________

115 $y=-\frac{3}{2}x$ [4]

답 ________

116 $y=-7x$ $\left[-\frac{1}{3}\right]$

답 ________

개념 체크

117 다음 빈칸에 알맞은 것을 써넣어라.

일차함수 $y=ax+b$의 그래프는 일차함수 [   ]의 그래프를 [   ]축의 방향으로 [   ]만큼 평행이동한 직선이다.

07 두 점을 이용하여 일차함수의 그래프 그리기

일차함수 $y=ax+b$의 그래프는 그래프 위의 두 점을 좌표평면 위에 나타낸 후 두 점을 직선으로 연결하여 그릴 수 있다.

예 일차함수 $y=x+1$에서 $x=0$일 때 $y=1$, $x=-1$일 때 $y=0$이므로
일차함수 $y=x+1$의 그래프는 두 점 $(0,\ 1)$, $(-1,\ 0)$을 지나는 직선이다.
따라서 일차함수 $y=x+1$의 그래프는 좌표평면 위에 두 점 $(0,\ 1)$, $(-1,\ 0)$을 직선으로 연결하여 그린다.

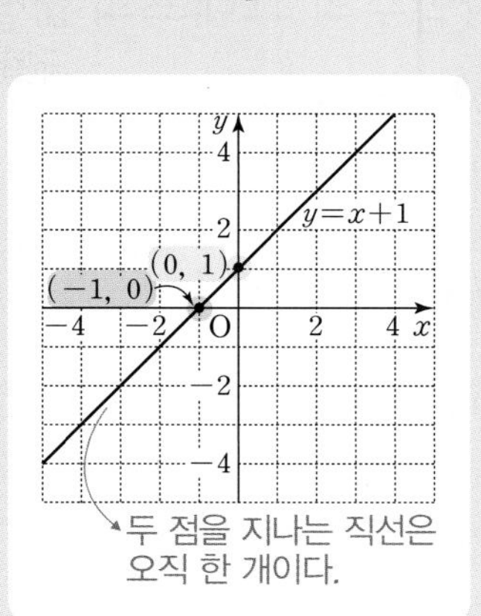

유형15 두 점을 이용하여 일차함수의 그래프

[118~121] 다음 일차함수에 대하여 $x=1$, $x=-1$일 때의 y의 값을 각각 구한 후, 좌표평면 위에 그 두 점을 나타내고 직선으로 이어 그래프를 그려라.

118 일차함수
$y=2x-1$에서
$x=1$일 때 $y=$□,
$x=-1$일 때 $y=$□

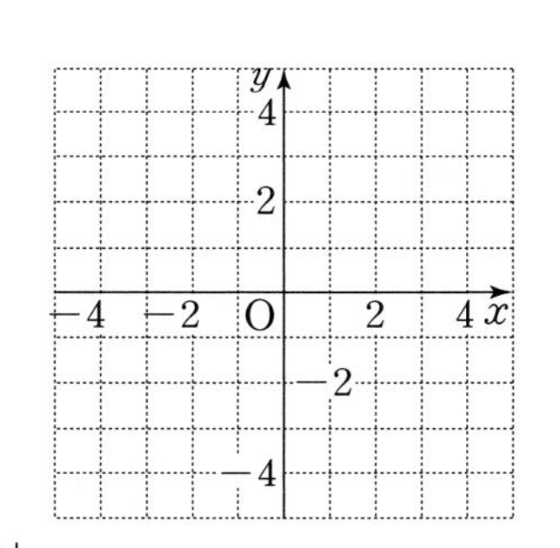

해 일차함수 $y=2x-1$에서
$x=1$일 때, $y=2\times1-1=$□
$x=-1$일 때, $y=2\times(-1)-1=$□
따라서 일차함수 $y=2x-1$의 그래프가 두 점
$(1,$ □$)$, $(-1,$ □$)$을 지나므로 좌표평면 위에 두 점을 나타낸 후 직선으로 연결하여 그래프를 그린다.

119 일차함수
$y=4x+1$에서

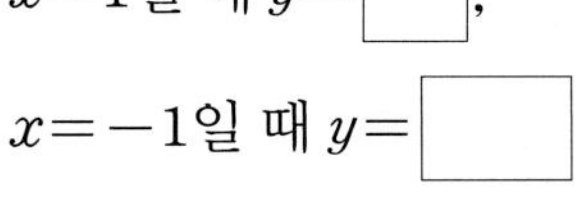

$x=1$일 때 $y=$□,
$x=-1$일 때 $y=$□

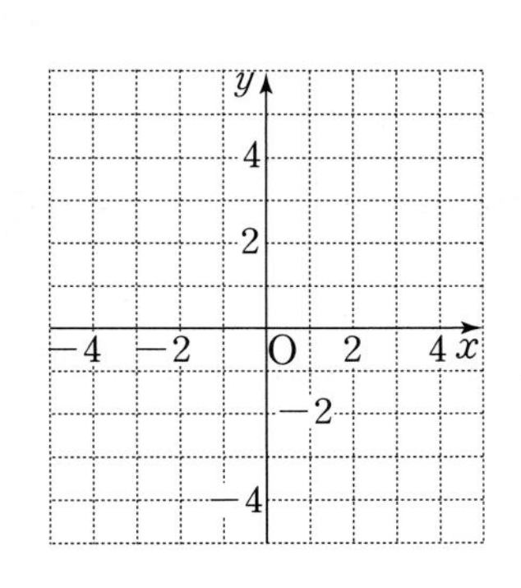

120 일차함수
$y=-2x+3$에서
$x=1$일 때 $y=$□,
$x=-1$일 때 $y=$□

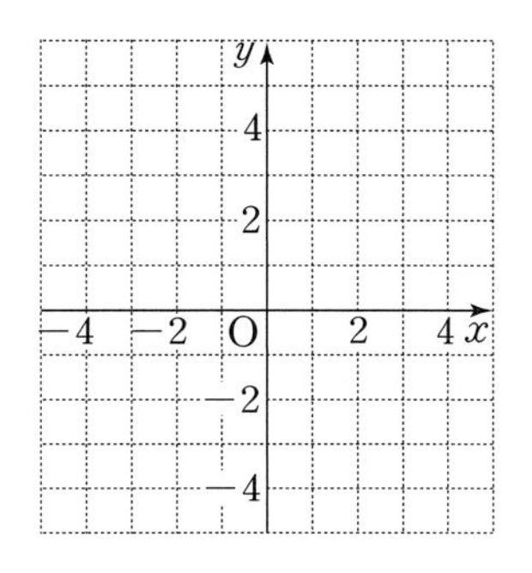

121 일차함수
$y=-3x-1$에서
$x=1$일 때 $y=$□,
$x=-1$일 때 $y=$□

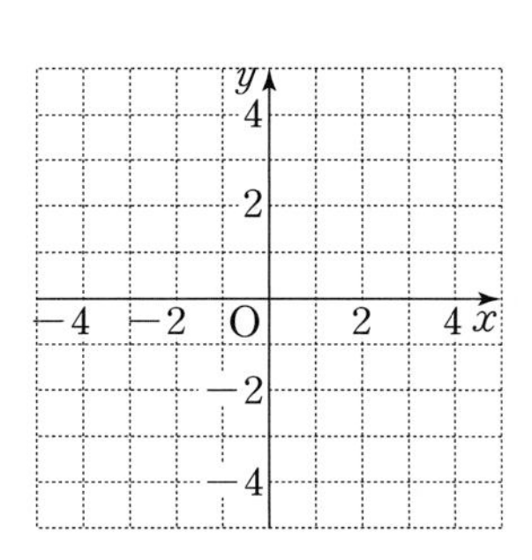

개념 체크

122 다음 빈칸에 알맞은 것을 써넣어라.

일차함수 $y=ax+b$의 그래프는 그래프 위의 [ ] 점을 좌표평면 위에 나타낸 후 [ ] 점을 [ ]으로 연결하여 그릴 수 있다.

08 일차함수의 그래프의 x절편과 y절편

(1) x**절편** : 일차함수의 그래프가 x축과 만나는 점의 x좌표

➡ $y=0$일 때 x의 값

(2) y**절편** : 일차함수의 그래프가 y축과 만나는 점의 y좌표

➡ $x=0$일 때 y의 값

(3) 일차함수 $y=ax+b$의 그래프의 x절편은 $-\frac{b}{a}$, y절편은 b이다.
└ 일차함수 $y=ax+b$에서 우변의 상수항이다.

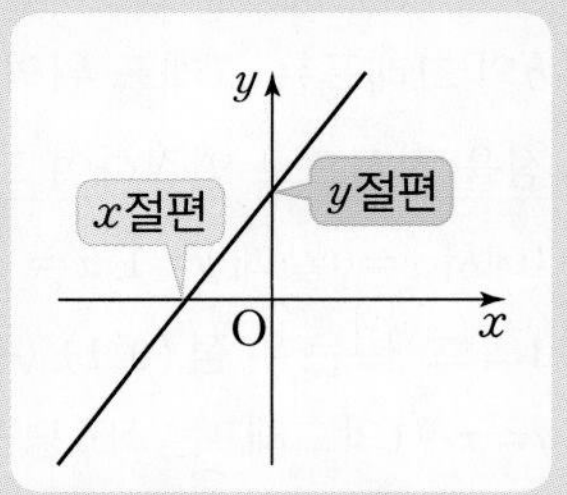

유형16 그래프를 보고 x절편, y절편 구하기

[123~127] 다음 일차함수의 그래프를 보고, x절편과 y절편을 각각 구하여라.

123

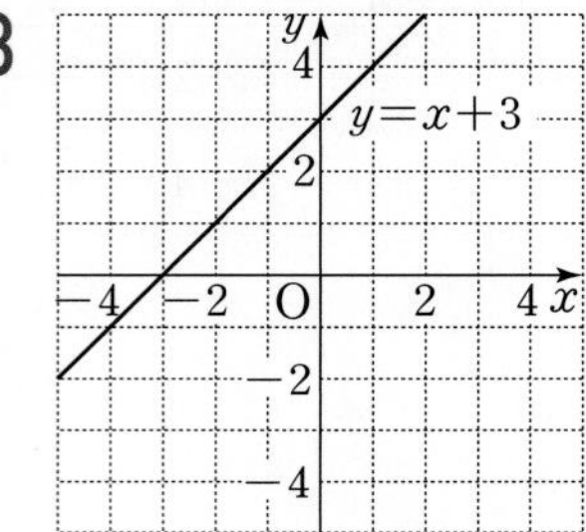

답 x**절편** : ☐, y**절편** : ☐

해 일차함수 $y=x+3$의 그래프가 x축과 만나는 점의 x좌표는 -3, y축과 만나는 점의 y좌표는 3이므로 x절편은 ☐, y절편은 ☐이다.

124

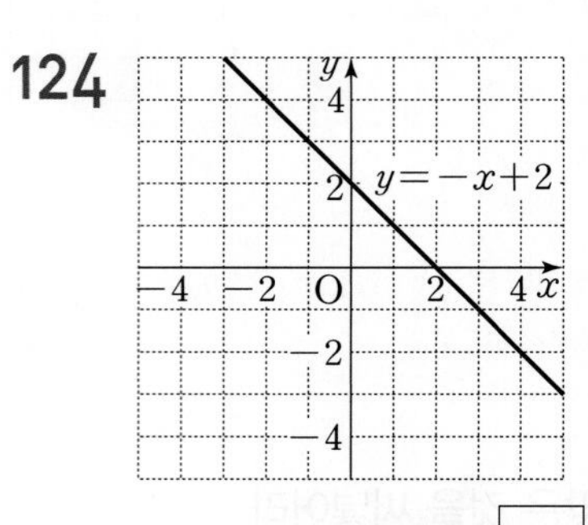

답 x**절편** : ☐, y**절편** : ☐

125

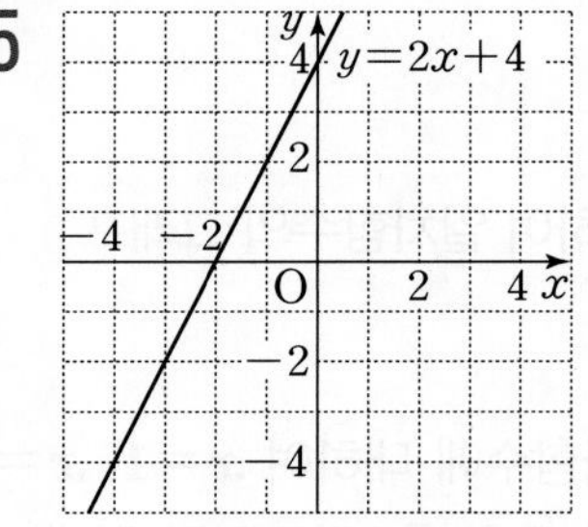

답 x**절편** : ☐, y**절편** : ☐

126

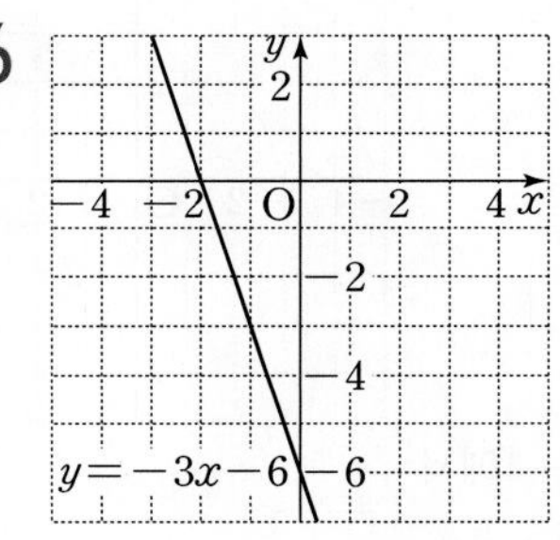

답 x**절편** : ☐, y**절편** : ☐

127

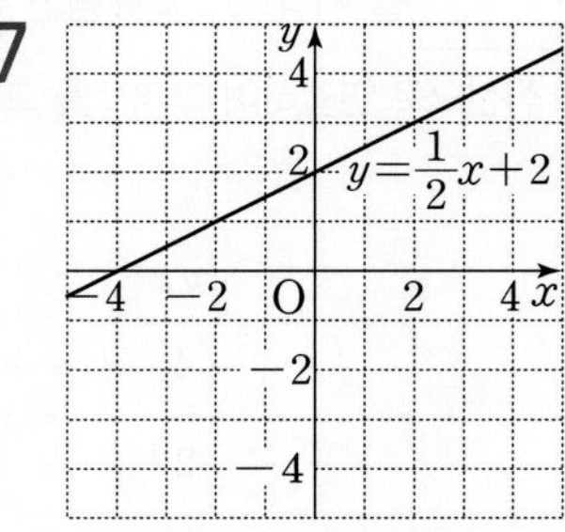

답 x**절편** : ☐, y**절편** : ☐

* 정답 및 해설 p. 50

유형17 식을 보고 x절편과 y절편 구하기

[128~136] 다음 일차함수의 식을 보고, x절편과 y절편을 각각 구하여라.

128 $y=x+1$

답 x절편 : ☐, y절편 : ☐

해 $y=0$일 때, $0=x+1$ $\therefore x=$ ☐

$x=0$일 때, $y=0+1$ $\therefore y=$ ☐

따라서 x절편은 ☐이고, y절편은 ☐이다.

129 $y=-x-3$

답 x절편 : ☐, y절편 : ☐

130 $y=3x+6$

답 x절편 : ☐, y절편 : ☐

131 $y=-4x-4$

답 x절편 : ☐, y절편 : ☐

132 $y=5x-10$

답 x절편 : ☐, y절편 : ☐

133 $y=4x+12$

답 x절편 : ☐, y절편 : ☐

134 $y=-5x-3$

답 x절편 : ☐, y절편 : ☐

135 $y=4x+8$

답 x절편 : ☐, y절편 : ☐

136 $y=\frac{1}{2}x+4$

답 x절편 : ☐, y절편 : ☐

개념 체크

137 다음 빈칸에 알맞은 것을 써넣어라.

1) x절편 : 일차함수의 그래프가 [ ]축과 만나는 점의 [ ] 좌표

2) y절편 : 일차함수의 그래프가 [ ]축과 만나는 점의 [ ] 좌표

3) 일차함수 $y=ax+b$의 그래프의 x절편은 [ ], y절편은 [ ]이다.

21 DAY

09 x절편과 y절편을 이용하여 일차함수의 그래프 그리기

(i) x절편과 y절편을 구한다.

참고 $\frac{x}{a}+\frac{y}{b}=1$ 꼴의 함수식을 그래프로 나타내면 x절편은 a, y절편은 b이다.

(ii) x절편과 y절편을 좌표평면에 나타낸 뒤 직선으로 연결한다.

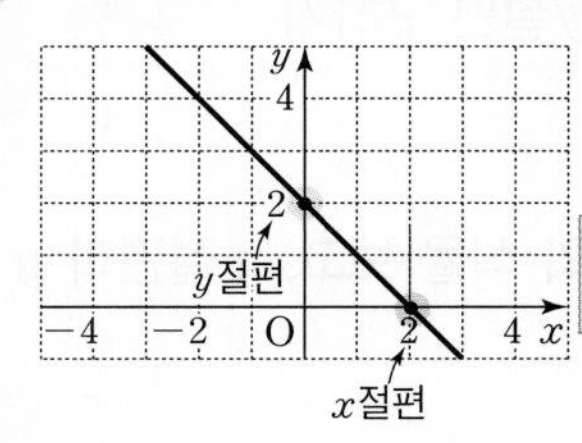

함수 $y=-x+2$에서
- y절편은 2
- x절편은 2

→ 좌표평면에 나타낸 뒤, 직선으로 이어준다.

유형18 주어진 x절편, y절편을 이용하여 그래프 그리기

[138~143] 일차함수의 x절편과 y절편이 각각 다음과 같을 때, 일차함수의 그래프를 그려라.

138 x절편 : 2, y절편 : 2

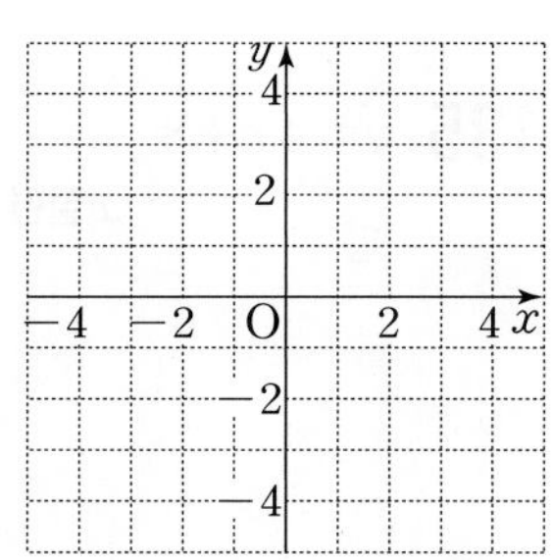

해 x절편이 2, y절편이 2이므로 이 일차함수의 그래프는 두 점 (☐ , 0), (0, ☐)를 지난다.
따라서 좌표평면 위에 이 두 점을 나타낸 후 직선으로 연결한다.

139 x절편 : 1, y절편 : -3

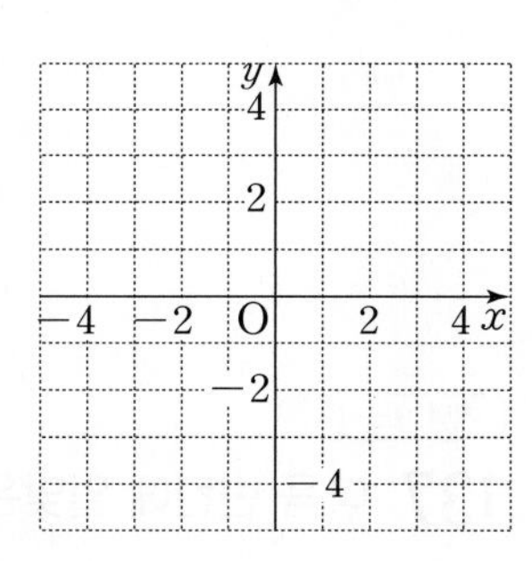

140 x절편 : 2, y절편 : 4

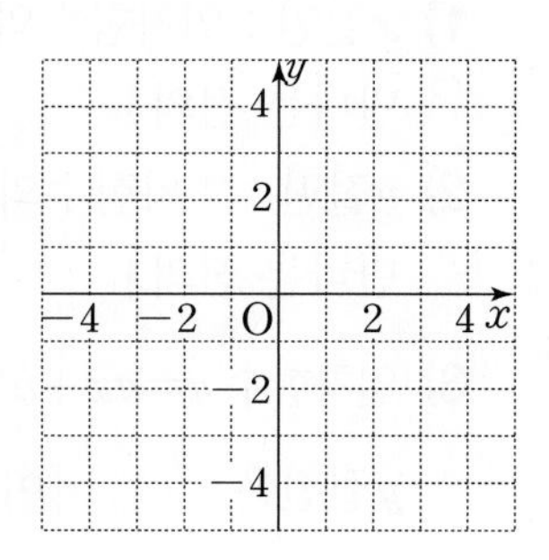

141 x절편 : -3, y절편 : 2

142 x절편 : -5, y절편 : -5

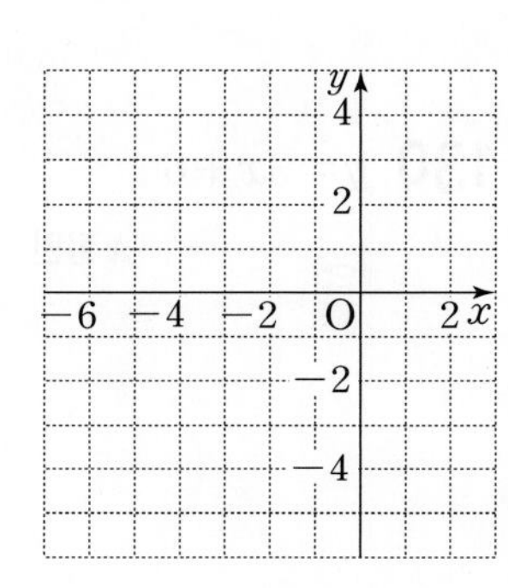

143 x절편 : $-\frac{1}{2}$, y절편 : -4

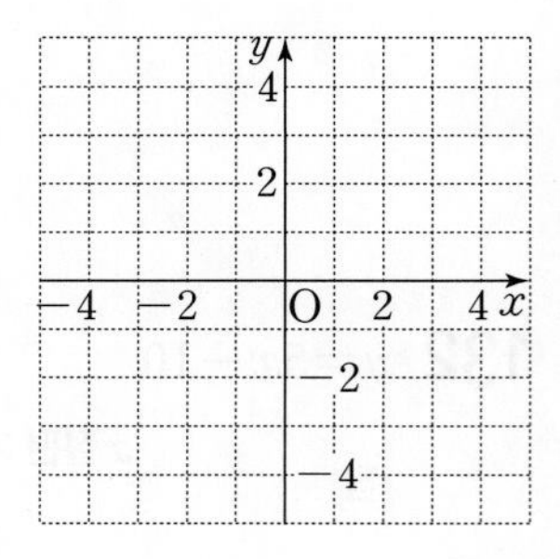

유형19 x절편과 y절편을 구한 후 그래프 그리기

[144~149] 다음 일차함수의 식에서 $\boldsymbol{x}$절편과 $\boldsymbol{y}$절편을 각각 구하고, 이를 이용하여 그래프를 그려라.

144 $y=x+2$ ➡ x절편 : ☐, y절편 : ☐

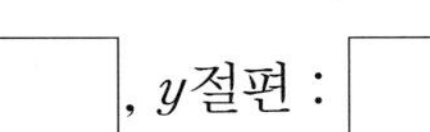

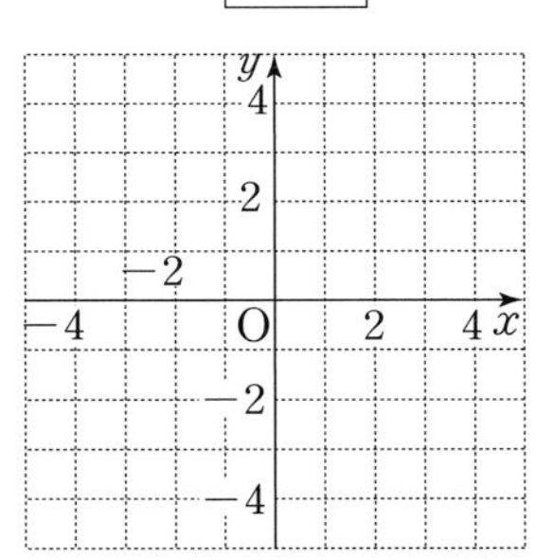

해 $y=0$일 때 $x=$☐, $x=0$일 때 $y=$☐

따라서 일차함수 $y=x+2$의 그래프는 두 점

(☐, 0), (0, ☐)를 지나는 직선이다.

145 $y=2x-4$ ➡ x절편 : ☐, y절편 : ☐

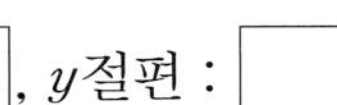

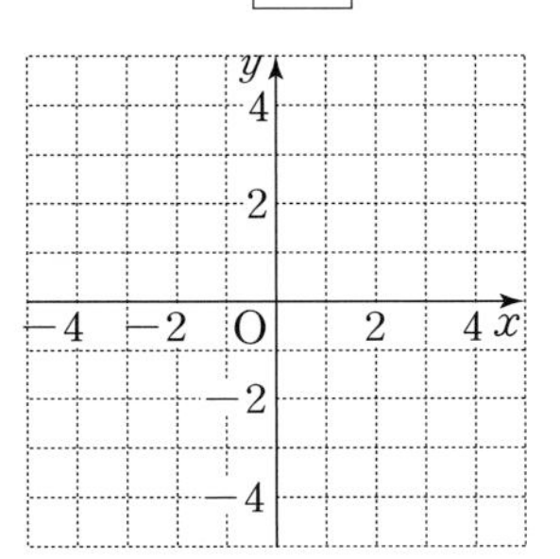

146 $y=-3x+3$ ➡ x절편 : ☐, y절편 : ☐

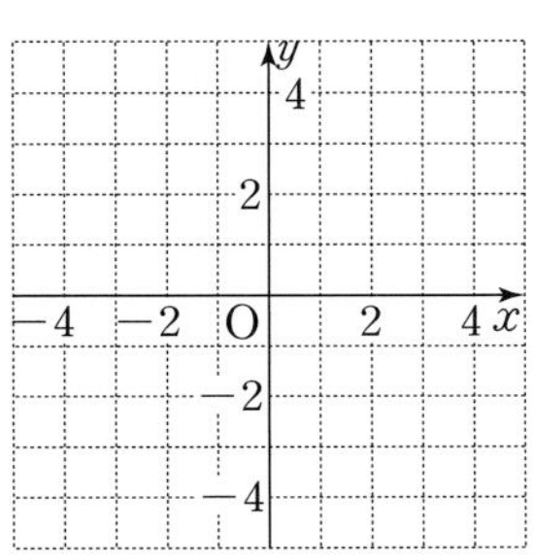

147 $y=\frac{1}{2}x+2$ ➡ x절편 : ☐, y절편 : ☐

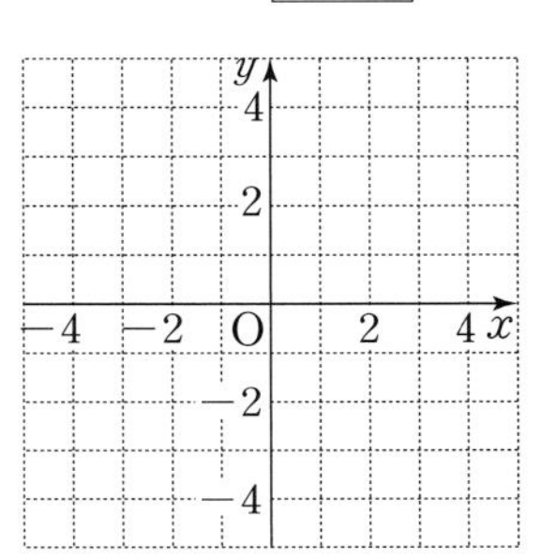

148 $y=-4x+2$ ➡ x절편 : ☐, y절편 : ☐

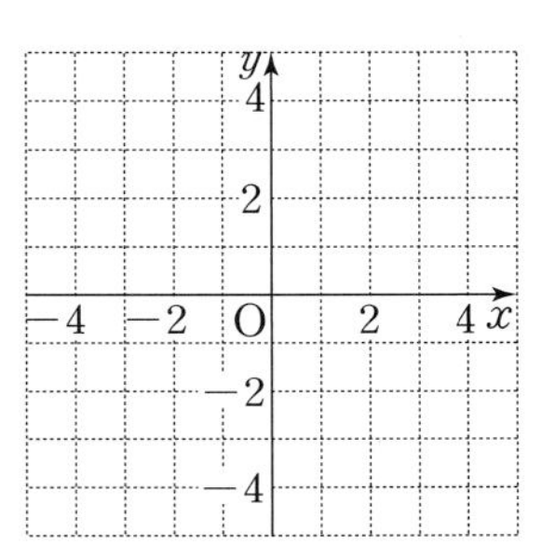

149 $y=-\frac{1}{4}x-1$

➡ x절편 : ☐, y절편 : ☐

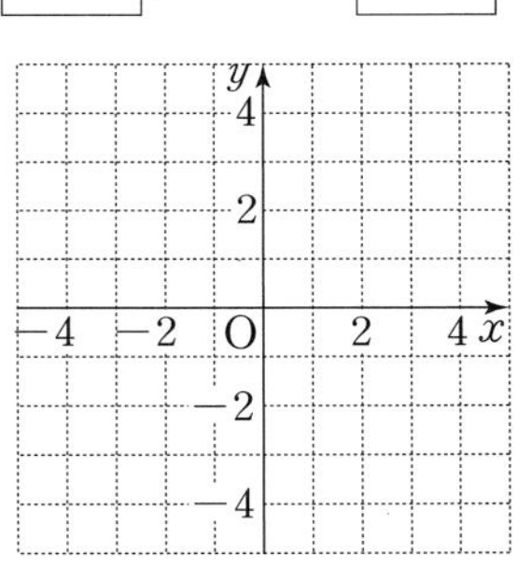

개념 체크

150 다음 빈칸에 알맞은 것을 써넣어라.

(i) [ ]절편과 y절편을 구한다.

(ii) [ ]절편과 y절편을 [ ]에 나타낸 뒤 [ ]으로 연결한다.

10 일차함수의 그래프와 기울기

일차함수 $y=ax+b$의 그래프에서

$$(\text{기울기})=\frac{(y\text{의 값의 증가량})}{(x\text{의 값의 증가량})}=a$$

(1) $a>0$이면 그래프는 오른쪽 위로 향한다.

(2) $a<0$이면 그래프는 오른쪽 아래로 향한다.

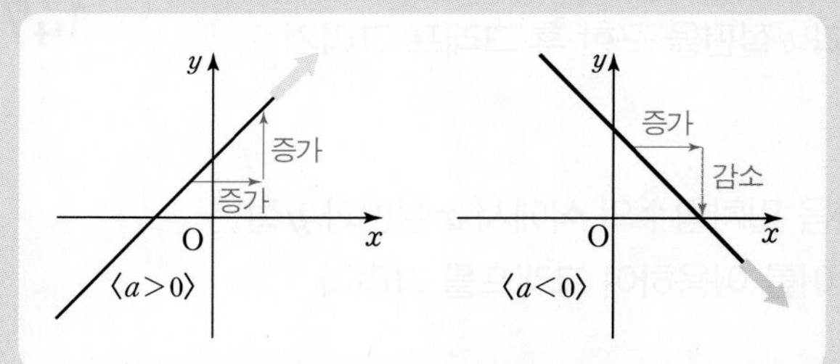

유형20 표를 완성하고, 기울기 구하기

[151~155] 주어진 일차함수에 대하여 다음 표를 완성하고, 기울기를 구하여라.

151 $y=2x$

x	…	1	2	3	4	…
y	…	2				…

답 ....

해 $y=2x$에서 x의 값이 1에서 3으로 2만큼 증가할 때, y의 값은 2에서 □으로 □만큼 증가하므로

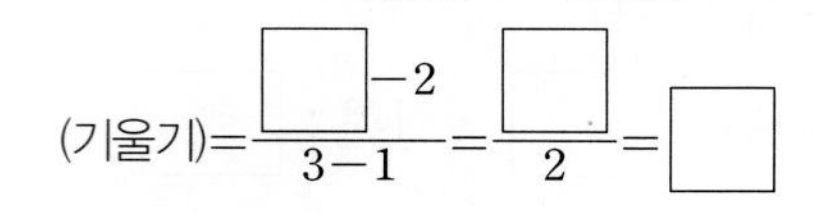

$(\text{기울기})=\frac{\square-2}{3-1}=\frac{\square}{2}=\square$

152 $y=-3x$

x	…	1	2	3	4	…
y	…	-3				…

답 ....

153 $y=4x-1$

x	…	1	2	3	4	…
y	…	3				…

답 ....

154 $y=-5x+3$

x	…	1	2	3	4	…
y	…	-2				…

답 ....

155 $y=-\frac{1}{5}x+\frac{4}{5}$

x	…	1	2	3	4	…
y	…	$\frac{3}{5}$				…

답 ....

* 정답 및 해설 pp. 51~52

유형21 그래프를 보고, 기울기 구하기

[156~163] 다음 그래프를 보고, 기울기를 구하여라.

156

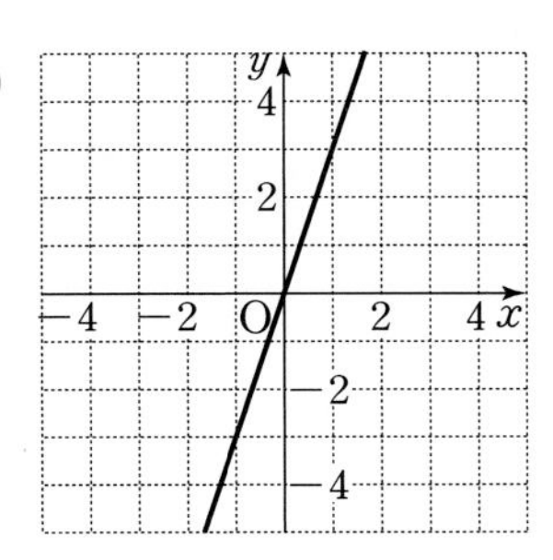

답

157

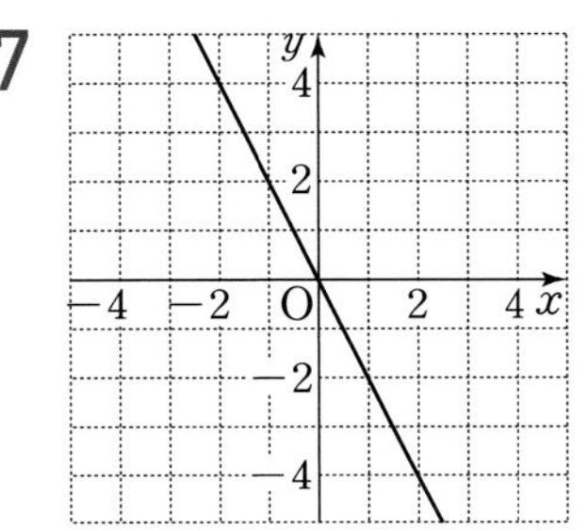

답

158

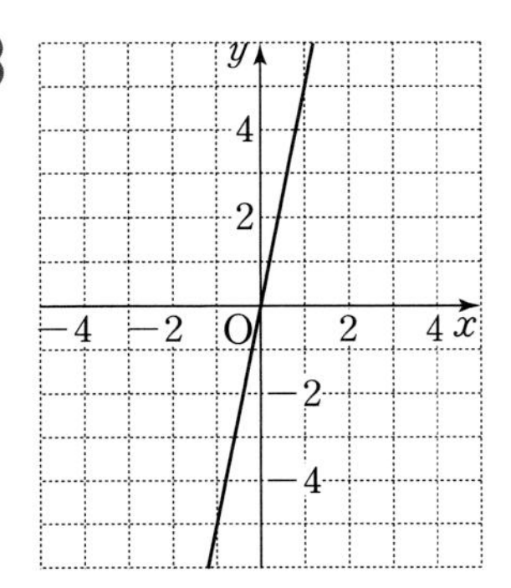

답

159

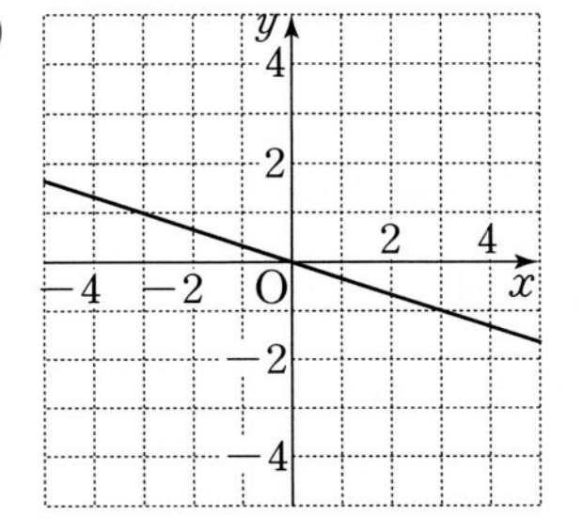

답

160

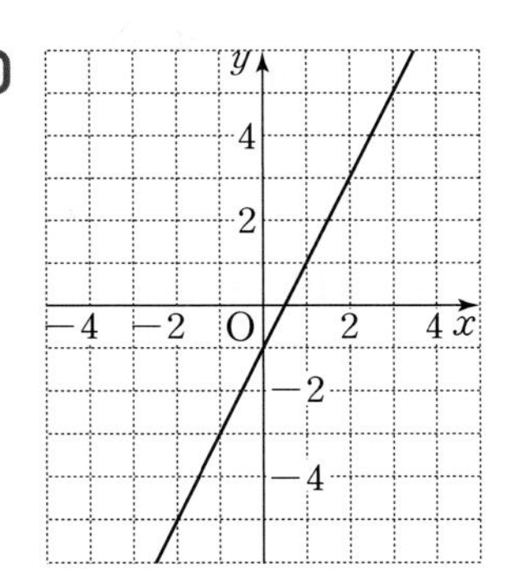

답

161

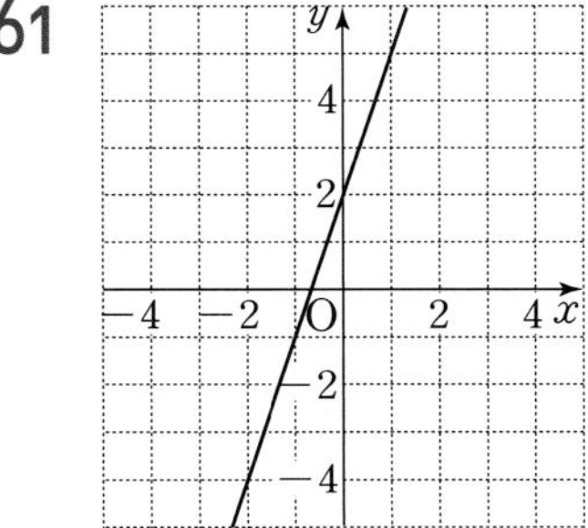

답

162

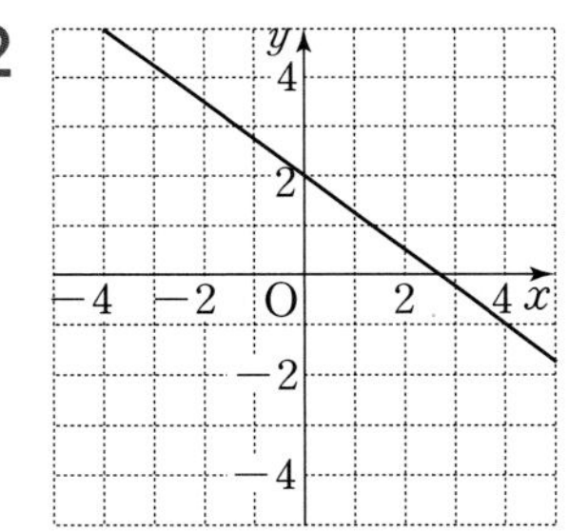

답

163

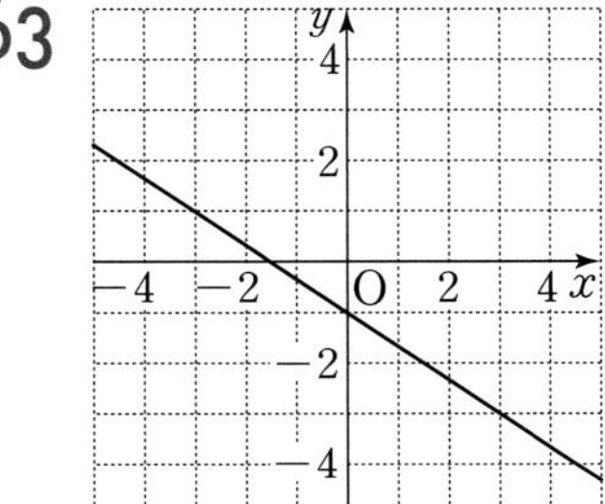

답

22 DAY

유형22 기울기를 이용하여 증가량 구하기

[164~168] 다음 [보기] 중 알맞은 함수의 식을 찾아 그 기호를 써라.

[보기]

ㄱ. $y=-x+4$ ㄴ. $y=3x+5$

ㄷ. $y=-2x+3$ ㄹ. $y=\frac{4}{5}x+2$

ㅁ. $y=-\frac{3}{4}x+1$ ㅂ. $y=5x+2$

ㅅ. $y=-4x+1$ ㅇ. $y=-\frac{1}{2}x+3$

164 x의 값이 1만큼 증가할 때, y의 값은 5만큼 증가하는 일차함수

답

165 x의 값이 2만큼 증가할 때, y의 값은 2만큼 감소하는 일차함수

답

166 x의 값이 4만큼 증가할 때, y의 값은 3만큼 감소하는 일차함수

답

167 x의 값이 4만큼 증가할 때, y의 값은 2만큼 감소하는 일차함수

답

168 x의 값이 10만큼 증가할 때, y의 값은 8만큼 증가하는 일차함수

답

[169~172] 다음 일차함수에 대하여 x의 값의 증가량이 2일 때, y의 값의 증가량을 구하여라.

169 $y=2x+4$

답

해 $y=2x+4$의 기울기가 ☐ 이므로

$\frac{(y\text{의 값의 증가량})}{2}=2$

$\therefore$ (y의 값의 증가량)= ☐

170 $y=-x+4$

답

171 $y=-5x+1$

답

172 $y=-\frac{2}{5}x-1$

답

개념 체크

173 다음 빈칸에 알맞은 것을 써넣어라.

일차함수 $y=ax+b$의 그래프에서

(기울기)$=\frac{([\quad]\text{의 값의 증가량})}{([\quad]\text{의 값의 증가량})}=a$

* 정답 및 해설 p. 53

11 y절편을 이용하여 일차함수의 그래프 그리기

기울기가 a이고, y절편이 b인 일차함수의 그래프 그리는 순서

(i) y절편이 b이므로 점 $(0, b)$를 지난다.
따라서 점 $(0, b)$를 좌표평면 위에 나타낸다.

(ii) 기울기와 y절편을 이용하여 다른 한 점을 찾는다.

(iii) (ii)에서 구한 점과 y절편을 직선으로 연결하여 그래프를 그린다.

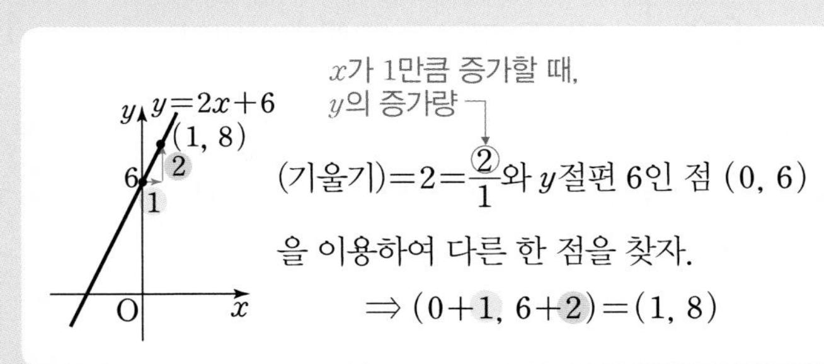

유형23 기울기와 y절편을 이용하여 그래프 그리기

[174~178] 기울기와 y절편이 다음과 같은 일차함수의 그래프를 그려라.

174 기울기 : 2, y절편 : -1

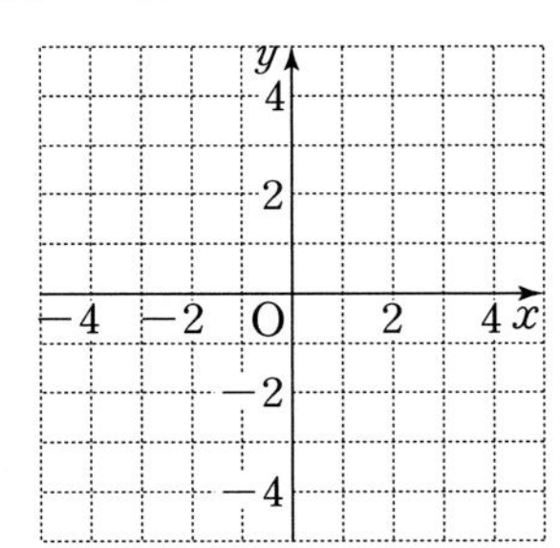

해 y절편이 -1이므로 점 (0, ☐)을 지난다.
또 기울기가 ☐이므로 점 (0, ☐)에서 x의 값이 1만큼 증가할 때 y의 값은 ☐만큼 증가하므로 점 (☐, ☐)을 지난다.
따라서 구하는 그래프는 이 두 점을 지나는 직선이다.

175 기울기 : -3, y절편 : 3

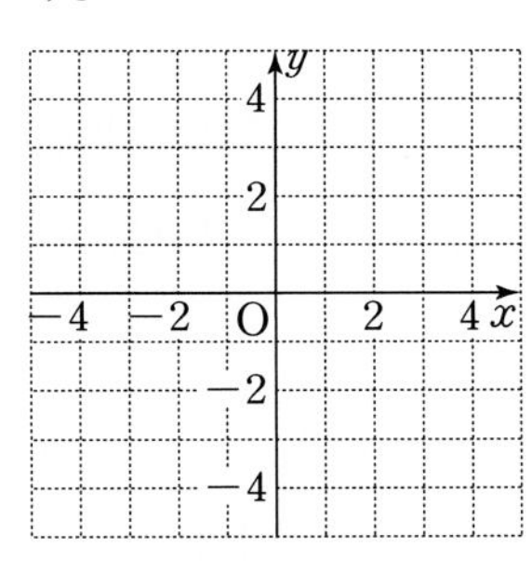

176 기울기 : -4, y절편 : 2

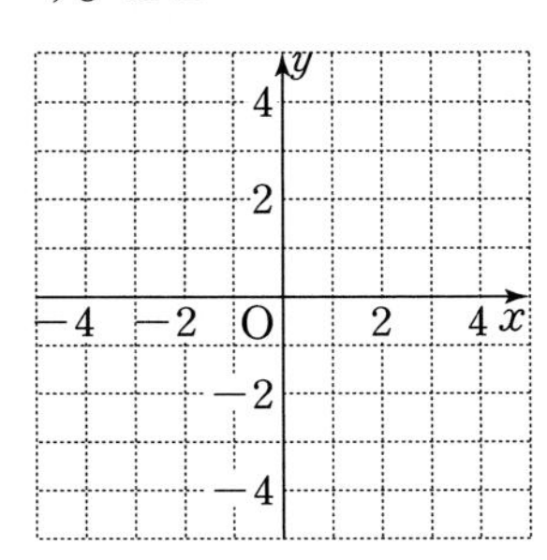

177 기울기 : $\frac{1}{2}$, y절편 : 1

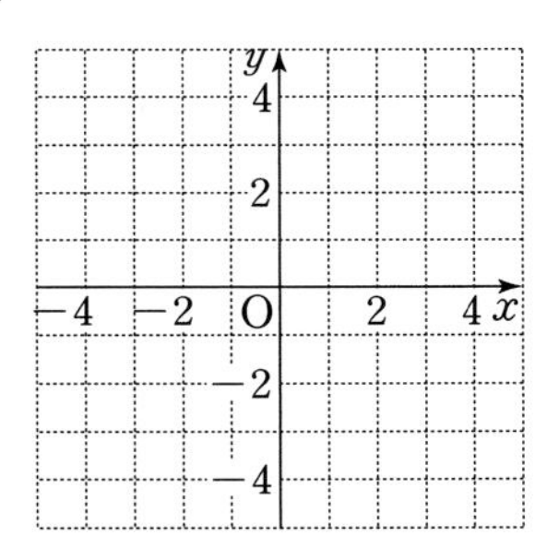

178 기울기 : $-\frac{2}{3}$, y절편 : -3

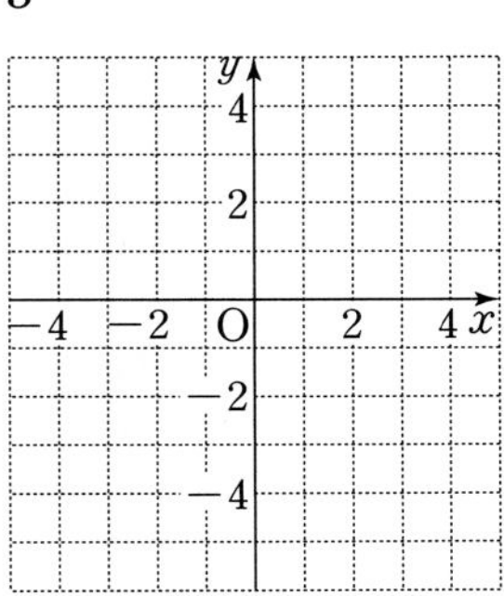

유형24 기울기와 y절편을 구한 후 그래프 그리기

[179~183] 다음 일차함수의 그래프의 기울기와 y절편을 구한 후 그것을 이용하여 그래프를 그려라.

179 $y=x+3$ ➡ 기울기 : ☐, y절편 : ☐

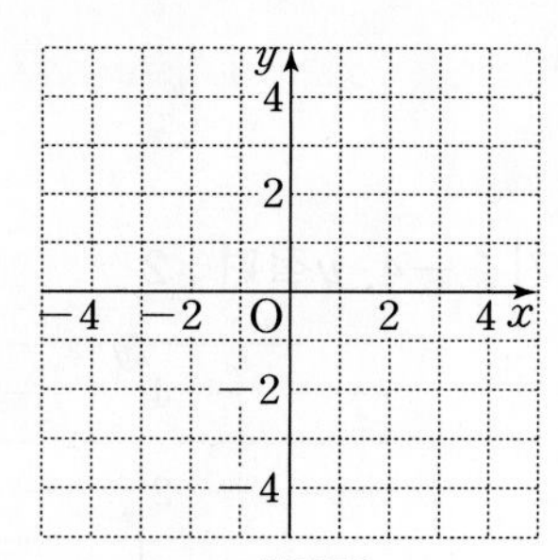

해 y절편이 3이므로 점 (0, ☐)을 지난다.

또 기울기가 ☐이므로 점 (0, ☐)에서 x의 값이 1만큼 증가할 때 y의 값은 ☐만큼 증가하므로

점 (☐, ☐)를 지난다.

180 $y=-3x-1$ ➡ 기울기 : ☐, y절편 : ☐

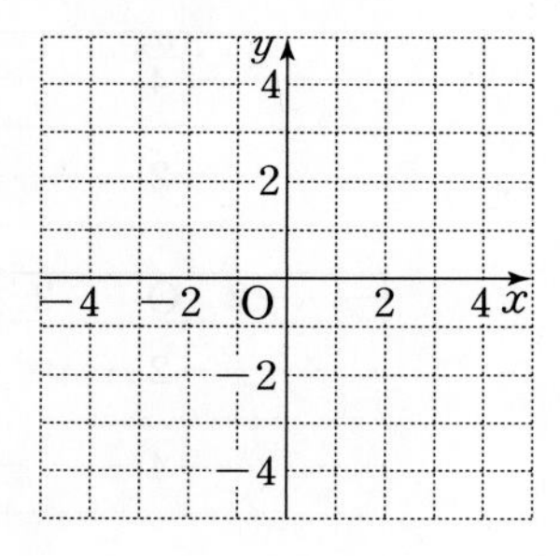

181 $y=-\frac{1}{2}x+3$ ➡ 기울기 : ☐, y절편 : ☐

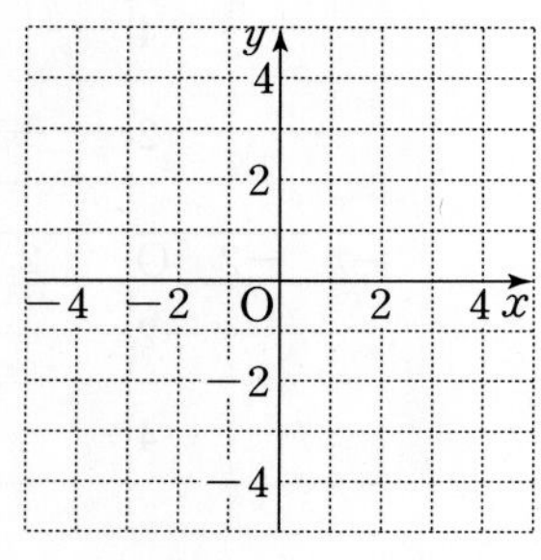

182 $y=\frac{2}{3}x-2$ ➡ 기울기 : ☐, y절편 : ☐

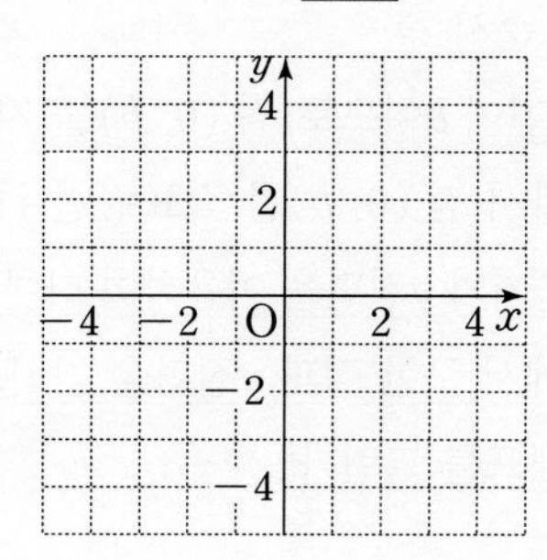

183 $y=-\frac{3}{4}x+3$

➡ 기울기 : ☐, y절편 : ☐

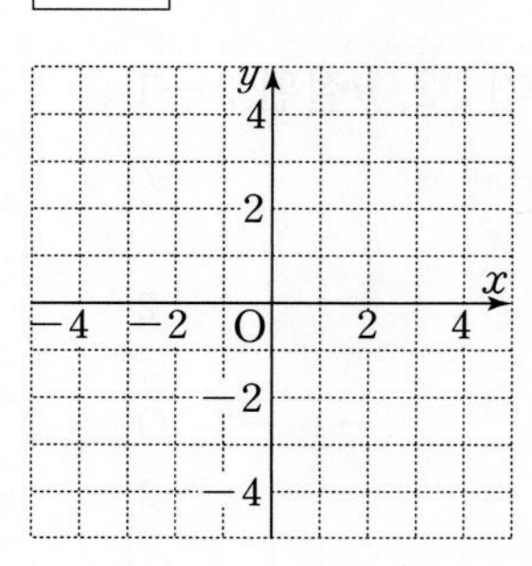

개념 체크

184 다음 빈칸에 알맞은 것을 써넣어라.

기울기가 a이고 y절편이 b인 일차함수의 그래프 그리는 순서는

(i) y절편이 b이므로 점 [　　　]를 지난다. 따라서 점 [　　　]를 좌표평면 위에 나타낸다.

(ii) [　　　]와 [　　　]절편을 이용하여 다른 한 점을 찾는다.

(iii) (ii)에서 구한 점과 [　　　]절편을 [　　　]으로 연결하여 그래프를 그린다.

* 정답 및 해설 p. 54

Ⅳ-1 일차함수와 그래프

12 일차함수의 그래프의 성질

일차함수 $y=ax+b$의 그래프에서

① $a>0$: 오른쪽 위로 향한다.

② $a<0$: 오른쪽 아래로 향한다.

(1) $a>0$, $b>0$: 제1, 2, 3사분면을 지난다.

(2) $a>0$, $b<0$: 제1, 3, 4사분면을 지난다.

(3) $a<0$, $b>0$: 제1, 2, 4사분면을 지난다.

(4) $a<0$, $b<0$: 제2, 3, 4사분면을 지난다.

(1)
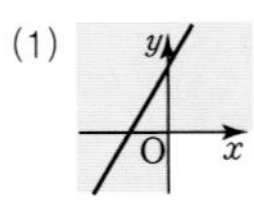

(2)
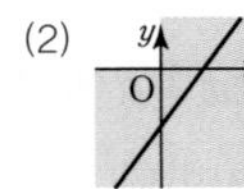

(3)
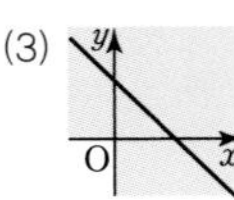

(4)
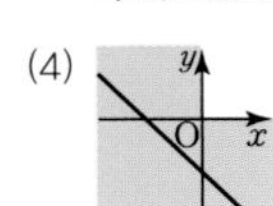

유형25 a, b의 부호에 따른 그래프의 모양

[185~187] 일차함수 $y=ax+b$에서 상수 a, b의 조건에 알맞은 그래프를 찾아 [보기] 중 그 기호를 써라.

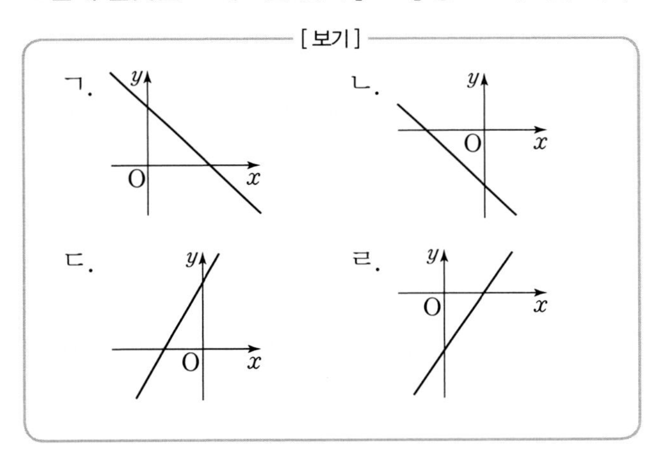

185 $a<0$, $b>0$

답 ....

해 $a<0$, 즉 기울기가 음수이므로 그래프는 오른쪽 [   ]로 향한다. 또 $b>0$이므로 y절편이 양수이다.
따라서 그래프는 제[ ], [ ], [ ]사분면을 지난다.

186 $a>0$, $b>0$

답 ....

187 $a<0$, $b<0$

답 ....

유형26 그래프의 모양으로 a, b의 부호 말하기

[188~189] 일차함수 $y=ax+b$의 그래프가 다음과 같을 때, 상수 a, b의 부호를 각각 말하여라.

188

답 ....

189

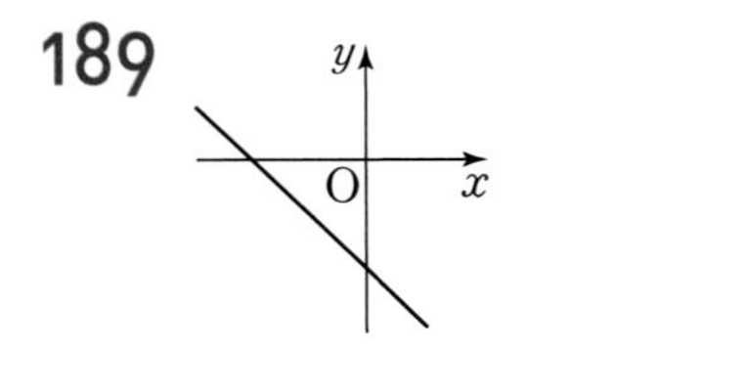

답 ....

개념 체크

190 다음 빈칸에 알맞은 것을 써넣어라.

일차함수 $y=ax+b$의 그래프는

① $a>0$이면 오른쪽 [   ]로 향한다.

② a[   ]0이면 오른쪽 [   ]로 향한다.

22 DAY

* 정답 및 해설 p. 54

13 일차함수의 그래프의 평행 · 일치

(1) **평행** : 두 직선의 기울기가 같고 y절편이 다르다.
즉, 두 일차함수 $y=ax+b$, $y=cx+d$에서
$a=c$, $b\neq d$이면 두 그래프는 평행하다.

(2) **일치** : 두 직선의 기울기가 같고 y절편도 같다.
즉, 두 일차함수 $y=ax+b$, $y=cx+d$에서
$a=c$, $b=d$이면 두 그래프는 일치한다.

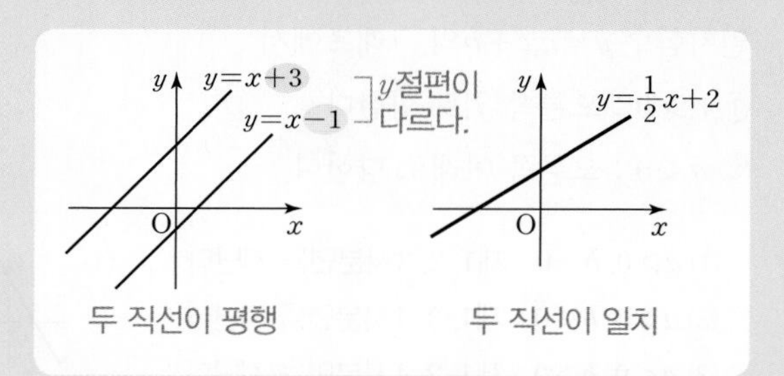

유형27 기울기와 y절편으로 평행, 일치 알아보기

[191~195] 다음 두 일차함수의 식을 보고, 두 일차함수의 그래프가 평행하는지, 일치하는지 말하여라.

191 $y=-4x+1$, $y=-4x+4$

답 ....

해 기울기가 같고, y절편이 (같으므로, 다르므로) 두 일차함수의 그래프는 평행하다.

192 $y=7x-1$, $y=7x-4$

답 ....

193 $y=\frac{2}{5}x-5$, $y=\frac{2}{5}x-5$

답 ....

194 $y=-\frac{5}{6}x+8$, $y=-\frac{5}{6}x-8$

답 ....

195 $y=-5x+\frac{5}{4}$, $y=-5x+\frac{5}{4}$

답 ....

유형28 두 일차함수의 그래프가 평행, 일치할 조건

[196~199] 다음을 구하여라.

196 두 일차함수 $y=-5x+2$와 $y=ax-8$의 그래프가 평행할 때, 상수 a의 값

$a=$ □

답 ....

197 두 일차함수 $y=\frac{1}{6}x+\frac{1}{2}$과 $y=ax+\frac{1}{6}$의 그래프가 평행할 때, 상수 a의 값

$a=$ □

답 ....

198 두 일차함수 $y=3x+\frac{1}{2}$과 $y=ax+b$의 그래프가 일치할 때, 상수 a, b의 값

$a=$ □, $b=$ □

답 ....

199 두 일차함수 $y=-10x-5$와 $y=ax+b$의 그래프가 일치할 때, 상수 a, b의 값

$a=$ □, $b=$ □

답 ....

개념 체크

200 다음 빈칸에 알맞은 것을 써넣어라.

1) **평행** : 두 직선의 기울기가 [ ] y절편이 [ ]

2) **일치** : 두 직선의 기울기가 [ ] y절편도 같다.

14 기울기가 주어진 일차함수의 식 구하기

(1) 기울기와 y절편이 주어진 경우

기울기가 a, y절편이 b인 직선을 그래프로 하는 일차함수의 식은 $y=ax+b$

(2) 기울기와 한 점이 주어진 경우

기울기가 a이고, 한 점 (p, q)를 지나는 직선을 그래프로 하는 일차함수의 식은 다음과 같다.

[방법 1] $y=ax+b$로 놓고 $x=p$, $y=q$를 각각 대입하여 b의 값을 구한다.

예) 기울기가 -2, 점 $(1, 2)$를 지나는 직선을 구하면 $y=-2x+b$라 놓고 $x=1$, $y=2$를 각각 대입하면 $b=4$

$\therefore y=-2x+4$

[방법 2] $y-q=a(x-p)$를 이용하여 일차함수의 식을 구한다.

기울기가 2, 점 (3, 4)를 지나는 직선은

$y-4=2(x-3)$

y좌표 기울기 x좌표

$\therefore y=2x-2$

유형29 기울기와 y절편이 주어진 일차함수의 식 구하기

[201~209] 다음과 같은 직선을 그래프로 하는 일차함수의 식을 구하여라.

201 기울기가 2이고, y절편이 2인 직선

답 ____________

202 기울기가 -1이고, y절편이 6인 직선

답 ____________

203 기울기가 $\frac{2}{3}$이고, y절편이 -5인 직선

답 ____________

204 기울기가 -4이고, y축과 점 $(0, 2)$에서 만나는 직선

답 ____________

205 기울기가 5이고, y축과 점 $(0, -1)$에서 만나는 직선

답 ____________

206 기울기가 $\frac{3}{2}$이고, y축과 점 $(0, 4)$에서 만나는 직선

답 ____________

207 x의 값이 2만큼 증가할 때 y의 값은 6만큼 증가하고, y절편이 -1인 직선

답 ____________

208 x의 값이 4만큼 증가할 때 y의 값은 6만큼 감소하고, y절편이 8인 직선

답 ____________

209 x의 값이 5만큼 증가할 때 y의 값은 4만큼 증가하고, y절편이 $\frac{1}{2}$인 직선

답 ____________

유형30 기울기와 한 점이 주어진 일차함수의 식 구하기

[210~217] 다음과 같은 직선을 그래프로 하는 일차함수의 식을 구하여라.

210 기울기가 -2이고, 점 $(2,\ 2)$를 지나는 직선

답 ________

해 기울기가 -2이므로 $y=-2x+b$로 놓으면 이 직선이 점 $(2,\ 2)$를 지나므로

$\square=\square+b \quad \therefore b=\square$

따라서 이 일차함수의 식은 $y=-2x+\square$이다.

211 기울기가 2이고, 점 $(1,\ -2)$를 지나는 직선

답 ________

212 기울기가 -6이고, 점 $(-4,\ 12)$를 지나는 직선

답 ________

213 기울기가 3이고, $x=4$일 때 $y=-1$인 직선

답 ________

214 기울기가 -4이고, $x=-1$일 때 $y=0$인 직선

답 ________

215 x의 값이 2만큼 증가할 때 y의 값이 6만큼 감소하고, 점 $(1,\ -2)$를 지나는 직선

답 ________

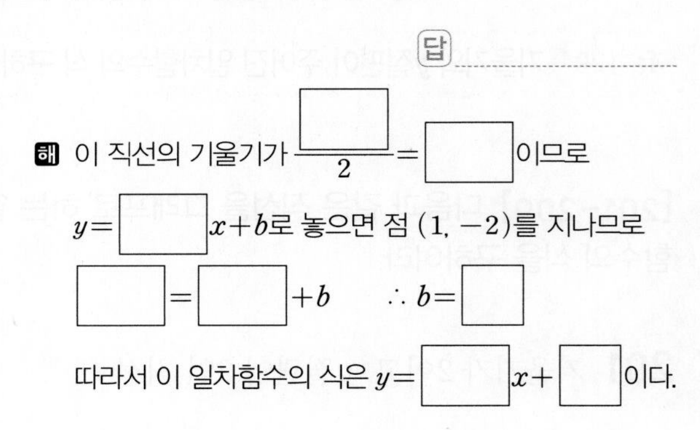

해 이 직선의 기울기가 $\dfrac{\square}{2}=\square$이므로

$y=\square x+b$로 놓으면 점 $(1,\ -2)$를 지나므로

$\square=\square+b \quad \therefore b=\square$

따라서 이 일차함수의 식은 $y=\square x+\square$이다.

216 x의 값이 4만큼 증가할 때 y의 값은 2만큼 증가하고, 점 $(-8,\ -5)$를 지나는 직선

답 ________

개념 체크

217 다음 빈칸에 알맞은 것을 써넣어라.

기울기가 [　　], [　　]절편이 [　　]인 직선을 [　　]로 하는 일차함수의 식은 $y=ax+b$이다.

* 정답 및 해설 pp. 55~56

15 서로 다른 두 점을 지나는 일차함수의 식 구하기

두 점 (x_1, y_1), (x_2, y_2)를 지나는 직선을 그래프로 하는 일차함수의 식은 다음과 같이 구한다.

[방법 1] $y=ax+b$로 놓고 (기울기)$=a=\dfrac{y_2-y_1}{x_2-x_1}$을 구한 후 $y=ax+b$에 두 점 중 한 점을 대입하여 b의 값을 구한다.

[방법 2] $y=ax+b$로 놓고 두 점을 각각 대입하여 a, b에 대한 연립방정식을 푼다.

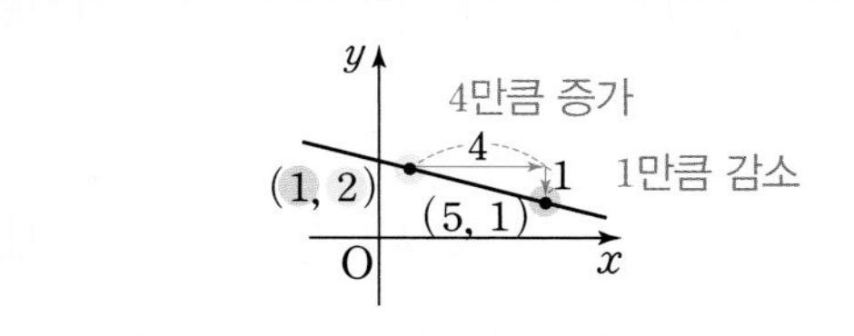

$y=-\dfrac{1}{4}x+b$로 놓고 $x=1$, $y=2$를 대입하면

점 (1, 2)를 지나므로 직선을 나타내는 함수식에 대입할 수 있다.

$b=\dfrac{9}{4}$ $\quad\therefore y=-\dfrac{1}{4}x+\dfrac{9}{4}$

유형31 두 점을 지나는 직선의 기울기를 구하여 일차함수의 식 구하기

[218~223] 다음 두 점을 지나는 직선을 그래프로 하는 일차함수의 식을 구하여라.

218 (1, 1), (2, 5)

답

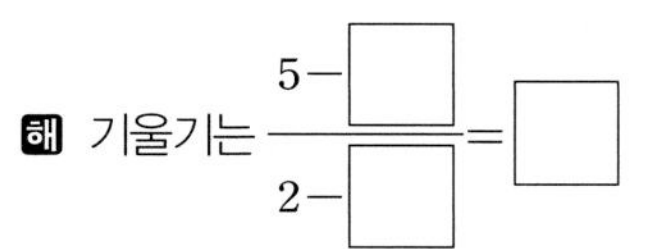

해 기울기는 $\dfrac{5-\square}{2-\square}=\square$

일차함수의 식을 $y=\square x+b$로 놓으면

점 (1, 1)을 지나고 $1=\square+b$이므로 $b=\square$

따라서 이 일차함수의 식은 $y=\square x-\square$이다.

219 (1, 2), (2, 0)

답

220 (−1, 2), (1, −4)

답

221 (5, −1), (11, 5)

답

222 (0, 2), (2, 0)

답

223 (2, −2), (−4, 2)

답

23 DAY

유형32 $y=ax+b$에 두 점을 대입하여 일차함수의 식 구하기

[224~230] 다음 두 점을 지나는 직선을 그래프로 하는 일차함수의 식을 구하여라.

224 $(2, 4), (-1, 7)$

답

해 일차함수의 식을 $y=ax+b$로 놓고
이 식에 두 점 $(2, 4), (-1, 7)$의 좌표를 각각 대입하면
$\square=\square a+b, 7=-a+b$
이 두 식을 연립하여 풀면
$a=-1, b=\square$
따라서 이 일차함수의 식은 $y=-x+\square$이다.

225 $(-4, 8), (-3, -1)$

답

226 $(7, 2), (5, 1)$

답

227 $(3, 4), (6, 2)$

답

228 $(3, 2), (1, -1)$

답

229 $(-2, 3), (1, -3)$

답

230 $(-3, 0), (1, 4)$

답

개념 체크

231 다음 빈칸에 알맞은 것을 써넣어라.

두 점 $(x_1, y_1), (x_2, y_2)$를 지나는 직선을 그래프로 하는 [ ]함수의 식은 다음과 같이 구한다.

[방법 1] $y=ax+b$로 놓고
(기울기)$=a=$[ ]을 구한 후 [ ]에 두 점 중 한 점을 대입하여 [ ]의 값을 구한다.

[방법 2] $y=ax+b$로 놓고 두 점을 각각 대입하여 [ ], [ ]에 대한 [ ]방정식을 푼다.

16 x절편과 y절편이 주어진 일차함수의 식 구하기

x절편이 a, y절편이 b인 직선을 그래프로 하는 일차함수의 식은

[방법 1] 두 점 $(a, 0)$, $(0, b)$를 지나는 직선의 기울기를 구하고 y절편 b를 대입한다.

[방법 2] $y=-\frac{b}{a}x+b$를 이용한다.

a만큼 증가

b만큼 감소

기울기 : $-\frac{b}{a}$ y절편 : b

$\therefore y=-\frac{b}{a}x+b$

유형33 x절편과 y절편이 주어진 일차함수의 식 구하기

[232~237] x절편과 y절편이 다음과 같은 직선을 그래프로 하는 일차함수의 식을 구하여라.

232 x절편이 1, y절편이 2인 직선

답 ______

해 일차함수의 식을 $y=ax+b$로 놓으면
두 점 $(1, 0)$, $(0, 2)$를 지나므로

$a=\frac{2-0}{0-1}=$ ☐, $b=$ ☐

$\therefore y=$ ☐ $x+$ ☐

233 x절편이 -3, y절편이 1인 직선

답 ______

234 x절편이 4, y절편이 2인 직선

답 ______

235 x절편이 3, y절편이 4인 직선

답 ______

해 x절편이 a, y절편이 b인 직선을 그래프로 하는 일차함수의 식은 $y=-\frac{b}{a}x+b$이므로

이 식에 $a=3$, $b=$ ☐를 대입하면

$y=-\frac{☐}{3}x+$ ☐이다.

236 x절편이 -4, y절편이 3인 직선

답 ______

237 x절편이 8, y절편이 2인 직선

답 ______

유형34 그래프에서 x절편, y절편을 찾아 일차함수의 식 구하기

[238~242] 일차함수의 그래프가 다음 그림과 같을 때, 그래프의 x절편과 y절편을 찾고, 그 일차함수의 식을 구하여라.

238

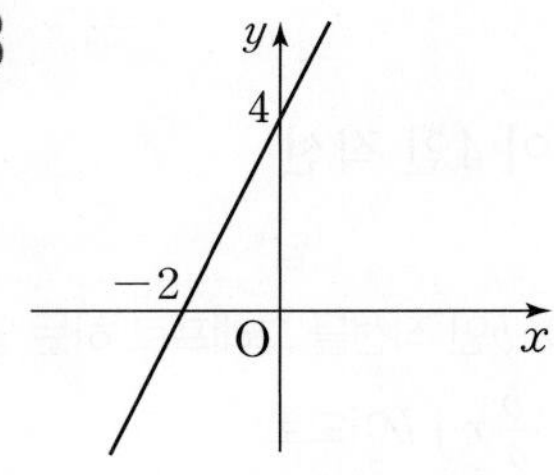

① x절편 :

② y절편 :

③ 일차함수의 식 :

239

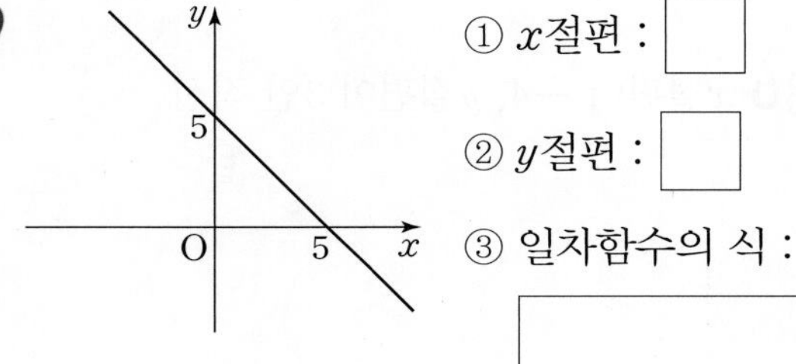

① x절편 :

② y절편 :

③ 일차함수의 식 :

240

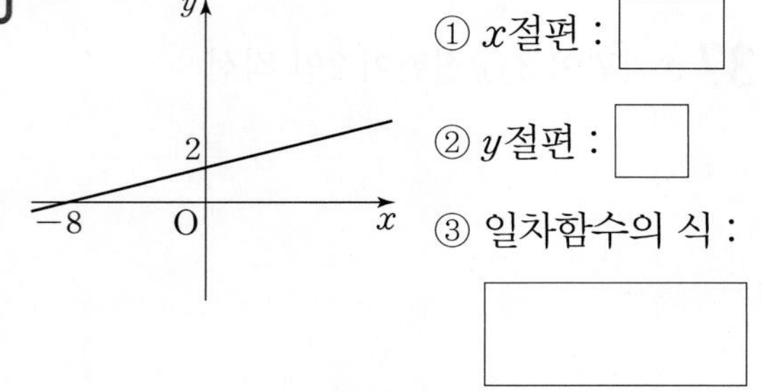

① x절편 :

② y절편 :

③ 일차함수의 식 :

241

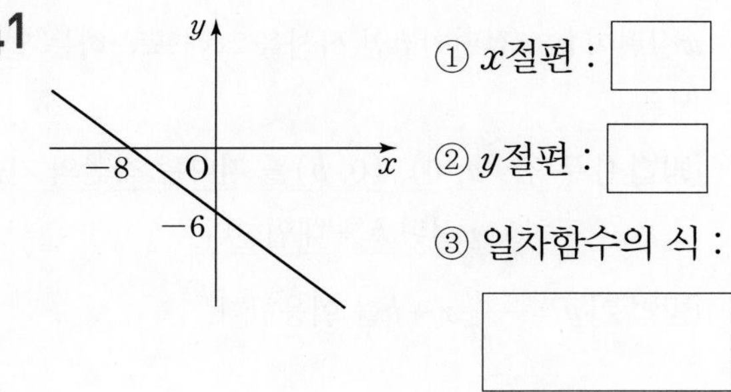

① x절편 :

② y절편 :

③ 일차함수의 식 :

242

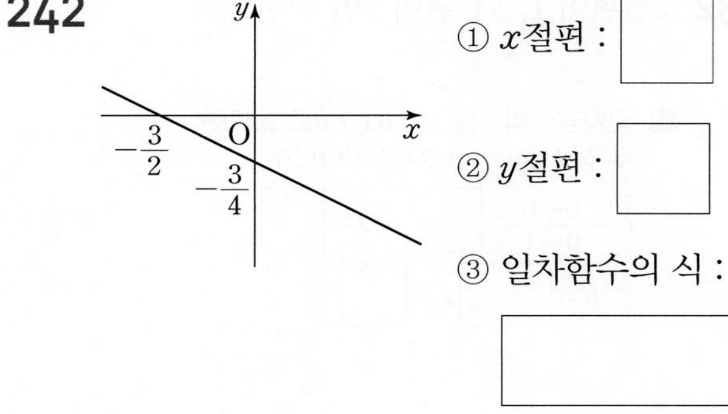

① x절편 :

② y절편 :

③ 일차함수의 식 :

개념 체크

243 다음 빈칸에 알맞은 것을 써넣어라.

x절편이 a, y절편이 b인 직선을 그래프로 하는 일차함수의 식은

1) [방법 1] 두 점 ([ ], 0), (0, [ ])를 지나는 직선의 기울기를 구하고 y절편 b를 대입한다.

2) [방법 2] $y=$[ ]$x+b$를 이용한다.

* 정답 및 해설 p. 57

17 일차함수의 활용 문제 푸는 순서

(i) 문제를 잘 읽고 변수 x, y를 정한다.
이때, 변화하는 양을 x, x에 따라 변화하는 양을 y로 놓는다.
(ii) 문제에 알맞게 함수의 식을 세운다.
(iii) 해를 구한다.
(iv) (iii)에서 구한 해가 문제의 조건에 맞는지 확인한다.

1 km마다 -6 ℃
100 m씩 높아질 때마다 기온은 0.6 ℃ 씩 내려간다.
높이가 변함에 따라 / 높이 : x km — 기온이 변한다. / 기온 : y ℃

1 분마다 $+4$ ℃
물을 끓일 때 4분마다 물의 온도가 16 ℃씩 올라간다.
시간에 따라 / 시간 : x 분 — 온도가 변한다. / 온도 : y ℃

유형35 일차함수의 활용 — 온도

[244~246] 다음을 읽고, 물음에 답하여라.

> 현재 기온이 21 ℃인 지면에서 100 m씩 높아질 때마다 기온은 0.6 ℃씩 내려간다고 한다.

244 지면에서 x km 높이에서의 기온을 y라고 할 때, y를 x에 관한 식으로 나타내어라.

답 ____________

해 100 m씩 높아질 때마다 기온은 0.6 ℃씩 내려가므로
21 ℃에서 1 km 높아질 때마다 ☐ ℃씩 내려간다.
따라서 x와 y 사이의 관계식은
$y=21-$☐x

245 지면에서 3 km인 곳에서의 기온을 구하여라.

답 ____________ ℃

해 $y=21-6x$에 $x=3$을 대입하면
$y=21-$☐$=$☐(℃)

246 기온이 15 ℃인 곳의 지면에서의 높이를 구하여라.

답 ____________ km

해 $y=21-6x$에 $y=15$를 대입하면
$15=21-$☐x
$\therefore x=$☐(km)

[247~249] 다음을 읽고, 물음에 답하여라.

> 냄비에 20 ℃인 물을 담아 끓일 때 4분마다 물의 온도가 16 ℃씩 올라간다고 한다.

247 물을 끓인 지 x분 후의 물의 온도를 y ℃라고 할 때, x와 y 사이의 관계식을 구하여라.
(단, $0\le x\le 20$)

답 ____________

248 끓인 지 8분 후의 물의 온도를 구하여라.

답 ____________ ℃

249 물의 온도가 68 ℃가 되는 것은 물을 끓인 지 몇 분 후인지 구하여라.

답 ____________ 분 후

유형36 일차함수의 활용 — 길이

[250~252] 다음을 읽고, 물음에 답하여라.

길이가 20 cm인 초에 불을 붙인 지 120분 후에 초가 다 탄다고 한다.

250 불을 붙인 지 x분 후에 남은 초의 길이를 y cm라고 할 때, x와 y 사이의 관계식을 구하여라.

답

해 처음 초의 길이가 20 cm이었고, 120분 후에 초가 다 타므로 1분에 $\square$ cm의 초가 탄다.

따라서 x와 y 사이의 관계식은

$y=20-\square x$

251 불을 붙인 지 24분 후에 남은 초의 길이를 구하여라.

답 cm

해 $y=20-\frac{1}{6}x$에 $x=24$를 대입하면

$y=20-\square\times\square=\square$(cm)

252 남은 초의 길이가 12 cm가 되는 것은 불을 붙인 지 몇 분 후인지 구하여라.

답 분 후

해 $y=20-\frac{1}{6}x$에 $y=12$를 대입하면

$\square=20-\square x \quad \therefore x=\square$(분)

[253~255] 다음을 읽고, 물음에 답하여라.

길이가 40 cm인 어떤 용수철에 무게가 4 g인 물체를 달 때마다 용수철의 길이가 2 cm씩 늘어난다.

253 x g의 물체를 달았을 때의 용수철의 길이를 y cm라고 할 때, x와 y 사이의 관계식을 구하여라.

답

254 무게가 16 g인 물체를 이 용수철에 달았을 때, 용수철의 길이를 구하여라.

답 cm

255 용수철의 길이가 52 cm가 되는 것은 몇 g짜리 물체를 달았을 때인지 구하여라.

답 g

유형37 일차함수의 활용 — 속력

[256~258] 다음을 읽고, 물음에 답하여라.

시속 80 km인 자동차로 480 km인 거리를 가려고 한다.

256 출발한 지 x시간 후 남은 거리를 y km라고 할 때, x와 y 사이의 관계식을 구하여라.

답

해 자동차의 속력이 시속 80 km이므로 자동차가 x시간 동안 간 거리는 [ ] km이다.
따라서 x와 y 사이의 관계식은
$y=480-$[ ]

257 출발한 지 4시간 후 남은 거리를 구하여라.

답 km

해 $y=480-80x$에 $x=4$를 대입하면
$y=480-$[ ]$=$[ ](km)

258 자동차가 출발한 지 몇 시간 후에 남은 거리가 120 km가 되는지 구하여라.

답 시간

해 $y=480-80x$에 $y=120$을 대입하면
[ ]$=480-$[ ]
$\therefore x=$[ ](시간)

유형38 일차함수의 활용 — 물의 양

[259~261] 다음을 읽고, 물음에 답하여라.

100 L의 물이 들어 있는 욕조에서 2분마다 5 L의 물이 흘러나간다.

259 물이 흘러나가기 시작한 지 x분 후에 남아 있는 물의 양을 y L라고 할 때, x와 y 사이의 관계식을 구하여라.

답

260 물이 흘러나간 지 10분 후에 남아 있는 물의 양을 구하여라.

답 L

261 물이 흘러나간 지 몇 분 후에 욕조에 있는 물이 완전히 흘러나가는지 구하여라.

답 분 후

개념 체크

262 다음 빈칸에 알맞은 것을 써넣어라.

일차함수의 활용 문제를 푸는 순서는
(i) 두 변수 [ ], [ ]를 정한다.
이때, 변화하는 양을 [ ], [ ]에 따라 변화하는 양을 [ ]로 놓는다.
(ii) 문제에 알맞게 함수의 식을 세워 [ ]를 구한다.
(iii) (ii)에서 구한 해가 문제의 [ ]에 맞는지 확인한다.

18 그래프를 이용한 일차함수의 활용

(1) 활용 문제에서 x와 y 사이의 관계식을 그래프를 이용하여 알 수 있다.

x절편, y절편을 이용하여 일차함수 $y=f(x)$의 식을 구한다.

(2) 한 직선과 좌표축으로 둘러싸인 삼각형의 넓이를 이등분하는 직선 $y=ax$에서 상수 a의 값을 구하는 방법

(i) 두 직선의 교점의 좌표를 구한다.

참고 삼각형을 이등분한 2개의 삼각형에 대하여 두 직선의 교점에서 x축, y축에 각각 수선의 발을 내려서 각각의 삼각형의 높이 또는 밑변의 길이를 구한다.

(ii) 직선 $y=ax$에 두 직선의 교점의 좌표를 대입하여 상수 a의 값을 구한다.

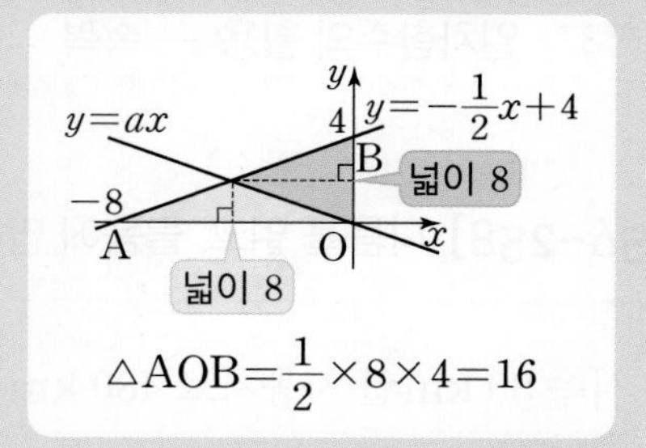

유형39 그래프를 이용한 일차함수의 활용 (1)

[263~266] 다음 물음에 답하여라.

263 오른쪽 그림은 길이가 20 cm인 초에 불을 붙인 지 x분 후에 남은 초의 길이를 y cm라고 할 때, x, y 사이의 관계를 나타낸 그래프이다. 불을 붙인 지 30분이 지난 후 남은 초의 길이를 구하여라.

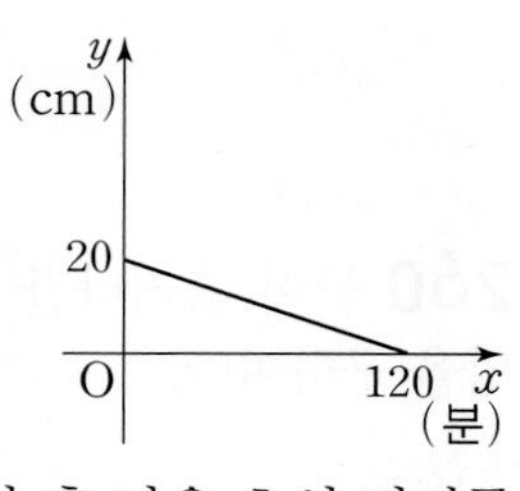

답 ______ cm

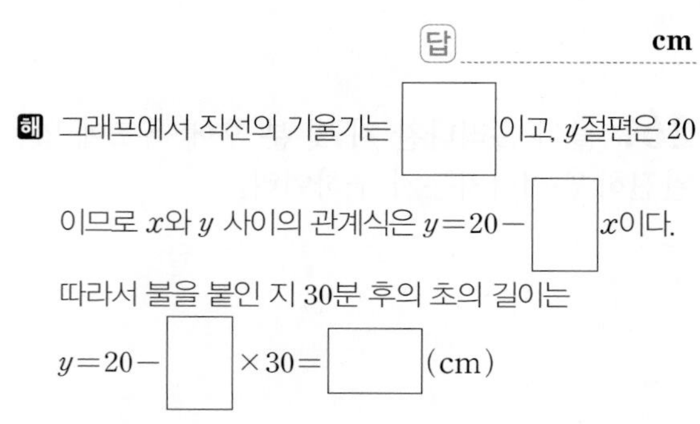

해 그래프에서 직선의 기울기는 ☐ 이고, y절편은 20 이므로 x와 y 사이의 관계식은 $y=20-$☐x이다.

따라서 불을 붙인 지 30분 후의 초의 길이는

$y=20-$☐$\times 30=$☐(cm)

264 80 L의 물이 들어 있는 욕조의 배수구를 열어 물을 빼려고 한다. 오른쪽 그림은 배수구를 연 지 x분 후에 남아 있는 물의 양을 y L라고 할 때, x, y 사이의 관계를 나타낸 그래프이다. 배수구를 연 지 몇 분 후에 남아 있는 물의 양이 20 L가 되는지 구하여라.

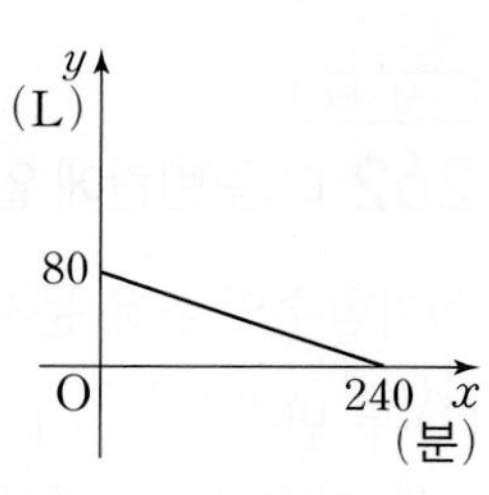

답 ______ 분 후

265 어떤 자동차에 휘발유 35 L를 넣고 고속도로를 달리려고 한다. 오른쪽 그림은 x km를 달린 후 남아 있는 휘발유의 양을 y L라고 할 때, x, y 사이의 관계를 나타낸 그래프이다. 몇 km를 달리면 남아 있는 휘발유의 양이 14 L가 되는지 구하여라.

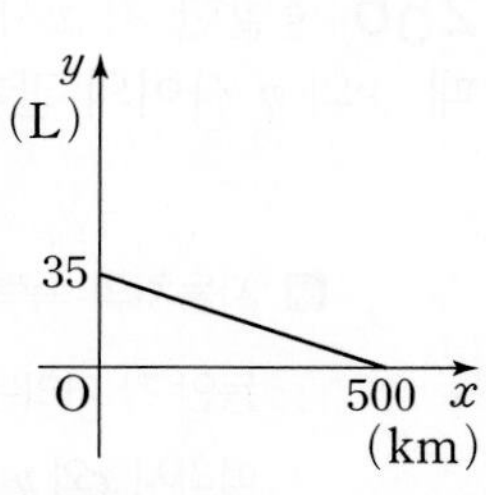

답 ______ km

266 오른쪽 그림은 길이가 30 cm인 용수철에 x g의 추를 달았을 때의 용수철의 길이를 y cm라고 할 때, x, y 사이의 관계를 나타낸 그래프이다. 몇 g의 추를 이 용수철에 달면 용수철의 길이가 42 cm가 되는지 구하여라.

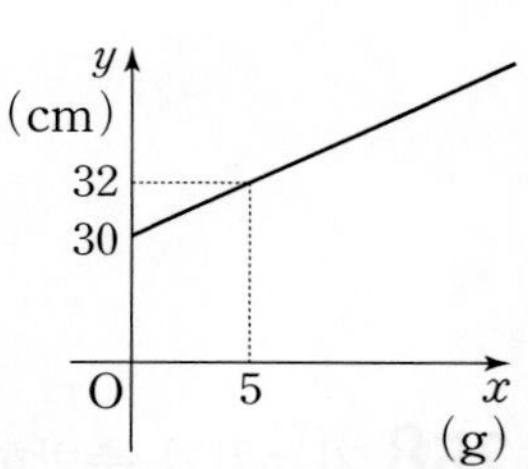

답 ______ g

유형40 그래프를 이용한 일차함수의 활용 (2)

[267~269] 다음 일차함수의 그래프가 x축, y축과 만나는 점을 각각 A, B라고 할 때, 삼각형 ABO의 넓이를 구하여라. (단, O는 원점)

267 $y=-x+2$

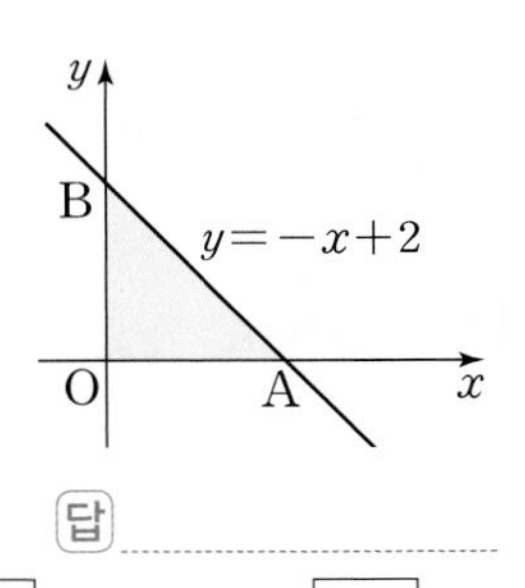

답 ....

해 $y=-x+2$의 x절편은 ☐이고, y절편은 ☐이므로 삼각형 ABO의 넓이는

$\frac{1}{2}\times$☐$\times$☐$=$☐

268 $y=\frac{1}{2}x+3$

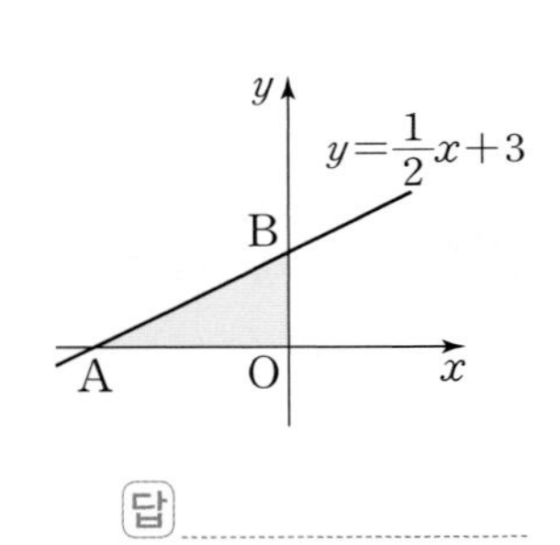

답 ....

269 $\frac{x}{2}+\frac{y}{4}=1$

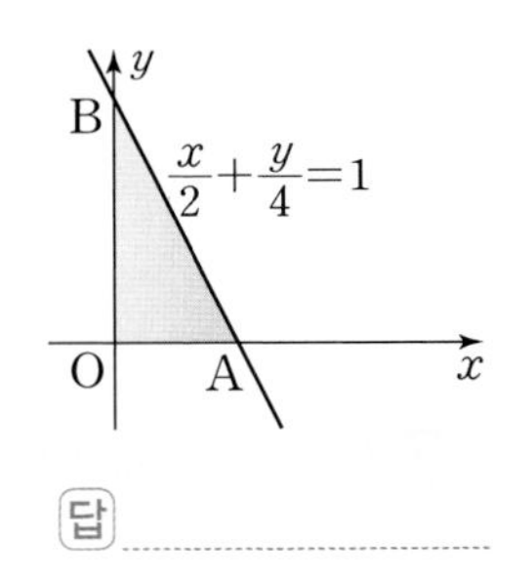

답 ....

[270~271] 다음 물음에 답하여라.

270 오른쪽 그림에서 일차함수 $y=-x+4$의 그래프가 x축, y축과 만나는 점을 각각 A, B라고 할 때, 직선 $y=mx$의 그래프가 삼각형 ABO의 넓이를 이등분한다. 이때, 상수 m의 값을 구하여라. (단, O는 원점)

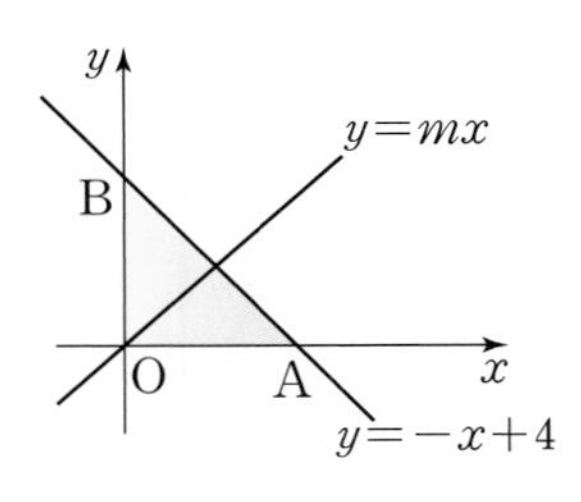

답 ....

271 두 일차함수 $y=-x+4$와 $y=\frac{2}{3}x+4$의 그래프가 오른쪽 그림과 같이 만날 때,

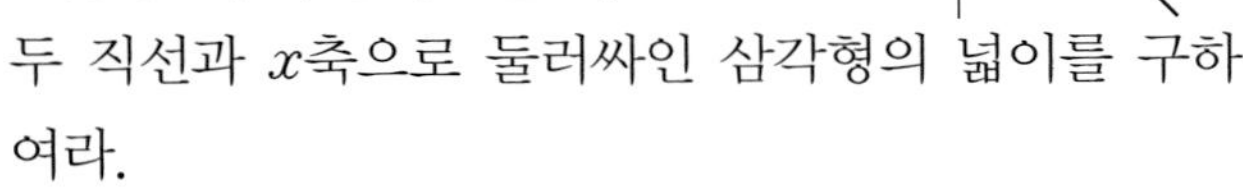

두 직선과 x축으로 둘러싸인 삼각형의 넓이를 구하여라.

답 ....

개념 체크

272 다음 빈칸에 알맞은 것을 써넣어라.

한 직선과 좌표축으로 둘러싸인 삼각형의 넓이를 이등분하는 직선 $y=ax$에서 상수 a의 값을 구하려면

(i) 두 직선의 [ ]의 좌표를 구한다.

(ii) 직선 [ ]에 두 직선의 교점의 좌표를 대입하여 상수 [ ]의 값을 구한다.

24 DAY

Ⅵ-2 일차함수와 일차방정식의 관계

19 일차함수와 일차방정식의 관계

(1) x, y의 값의 범위가 수 전체일 때, 일차방정식 $ax+by+c=0$(a, b, c는 상수, $a\neq0$ 또는 $b\neq0$)의 해 (x, y)를 좌표평면 위에 나타내면 직선이 된다.

(2) 이때, 이 직선이 일차방정식 $ax+by+c=0$(a, b, c는 상수, $a\neq0$ 또는 $b\neq0$)의 그래프이고, 이 일차방정식을 직선의 방정식이라고 한다.

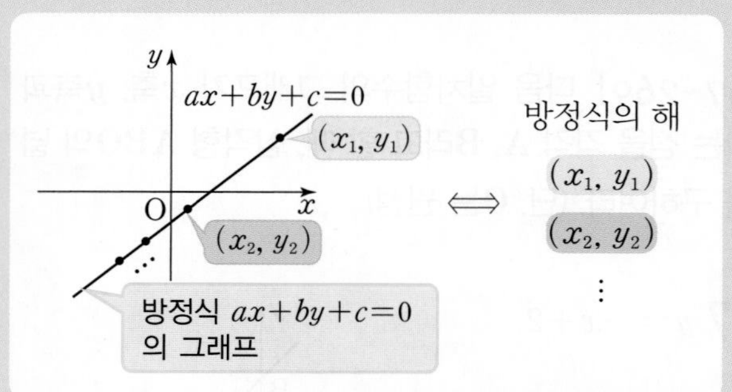

(3) 미지수가 2개인 일차방정식 $ax+by+c=0$($a\neq0$, $b\neq0$)의 그래프는 일차함수 $y=-\frac{a}{b}x-\frac{c}{b}$의 그래프와 같은 직선이다.

유형41 $ax+by+c=0$을 $y=-\frac{a}{b}x-\frac{c}{b}$ 꼴로 변형하기

[273~279] 다음 일차방정식을 $y=ax+b$꼴로 나타내어라.

273 $x+2y+4=0$

답 ....

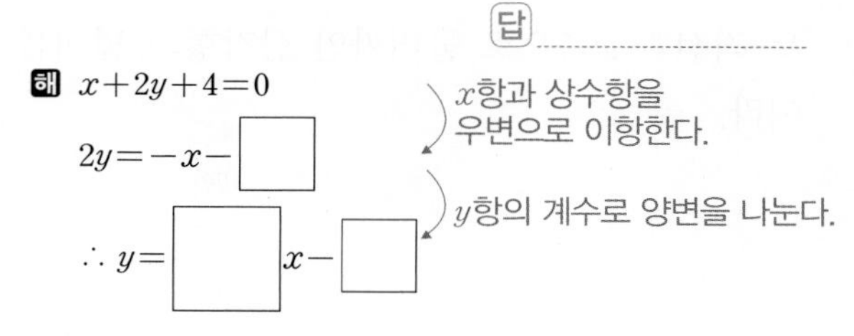

274 $3x-6y-3=0$

답 ....

275 $-6x+2y+4=0$

답 ....

276 $-10x-5y-2=0$

답 ....

277 $2x-y+1=0$

답 ....

278 $-x+6y+3=0$

답 ....

279 $-3x-3y+6=0$

답 ....

유형42 일차방정식의 그래프 그리기

[280~284] 다음 일차방정식을 $\boldsymbol{y=ax+b}$의 꼴로 나타낸 후, 그 그래프를 그려라.

280 $6x-3y-9=0$ 답

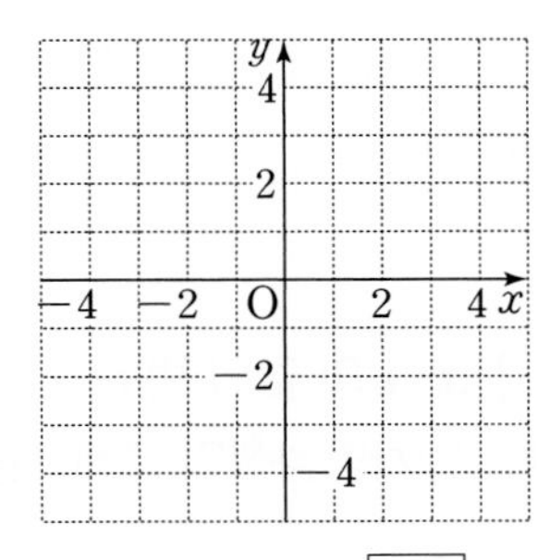

해 $6x-3y-9=0$에서 $y=2x-$ □
따라서 일차방정식 $6x-3y-9=0$의 그래프는 기울기가 2이고 y절편이 □ 인 그래프이다.

281 $x+2y-2=0$ 답

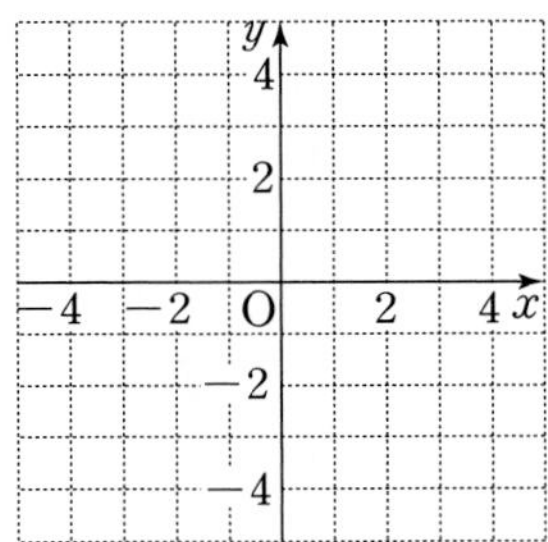

282 $-2x-2y+4=0$ 답

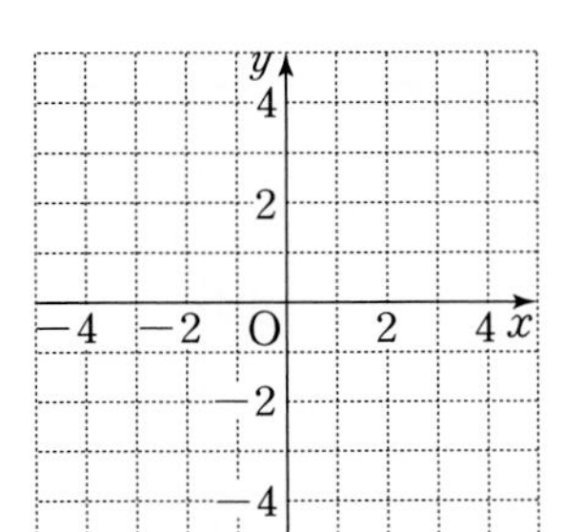

283 $3x+2y+2=0$ 답

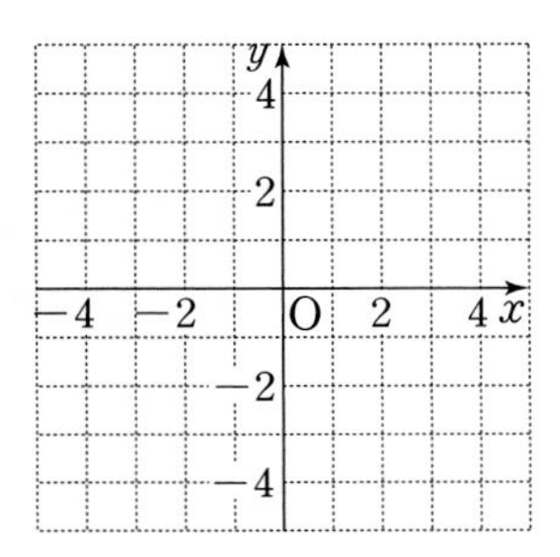

284 $-8x+5y+15=0$ 답

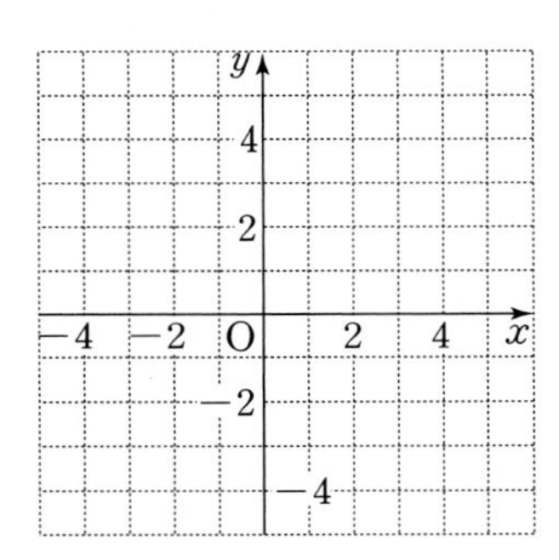

개념 체크

285 다음 빈칸에 알맞은 것을 써넣어라.

1) x, y의 값의 범위가 수 전체일 때, 일차방정식 $ax+by+c=0$(a, b, c는 상수, $a\neq0$ 또는 $b\neq0$)의 해 $(x,\ y)$를 좌표평면 위에 나타내면 [ ]이 된다.

2) 이때, 이 [ ]이 일차방정식 $ax+by+c=0$ (a, b, c는 상수, $a\neq0$ 또는 $b\neq0$)의 [ ]이고, 이 [ ]을 [ ]이라고 한다.

25 DAY

20 미지수가 2개인 일차방정식의 그래프

(1) 미지수가 2개인 일차방정식의 그래프

미지수가 2개인 일차방정식의 해를 좌표평면 위에 나타낸 것

(2) 미지수가 2개인 일차방정식의 그래프의 모양

① x, y가 자연수 또는 정수일 때 : 점으로 표현된다.

② x, y의 값의 범위가 수 전체일 때 : 해가 무수히 많기 때문에 직선으로 표현된다.

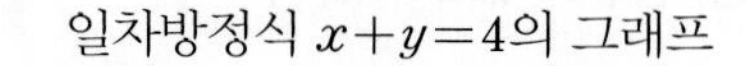

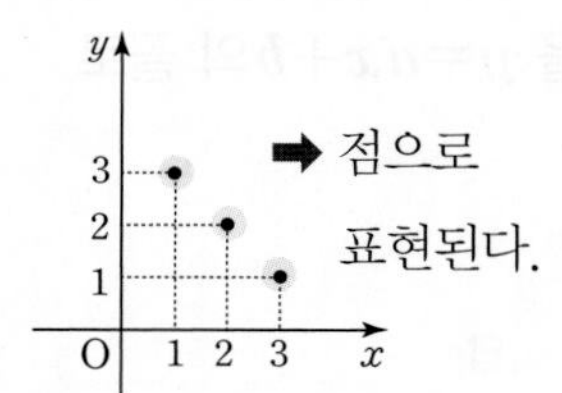

해는 $(1, 3)$, $(2, 2)$, $(3, 1)$의 3개

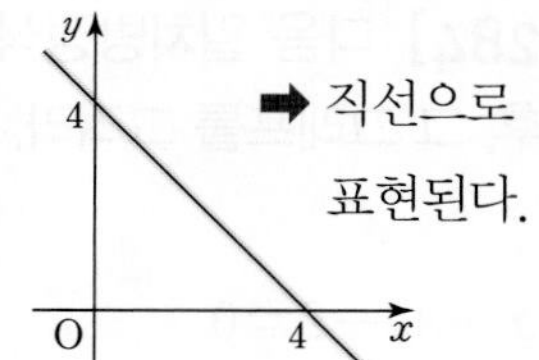

해가 무수히 많다.

유형43 미지수가 2개인 일차방정식의 그래프

[286~287] x, y가 자연수일 때, 다음 표를 완성하고 일차방정식의 그래프를 그려라.

286 $x+y=5$

x	1	2		
y			2	1

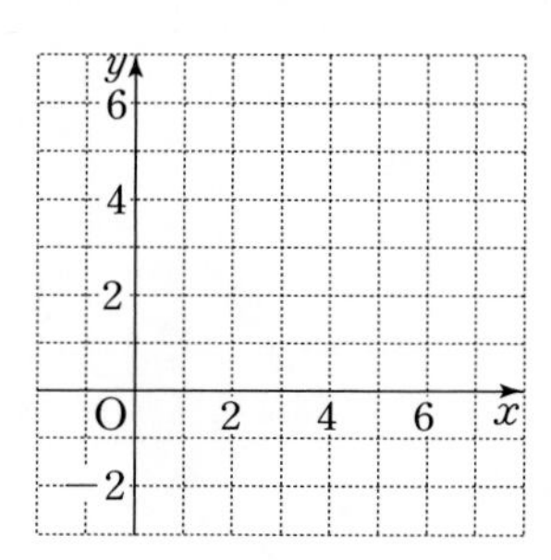

287 $2x+y=7$

x	1		
y			1

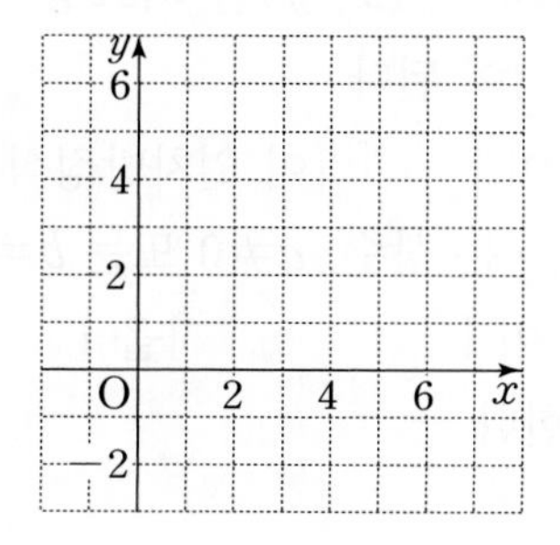

[288~289] x, y의 값의 범위가 수 전체일 때, 다음 표를 완성하고 일차방정식의 그래프를 그려라.

288 $x+y=3$

x	…	-2	-1	0	1	2	…
y	…						…

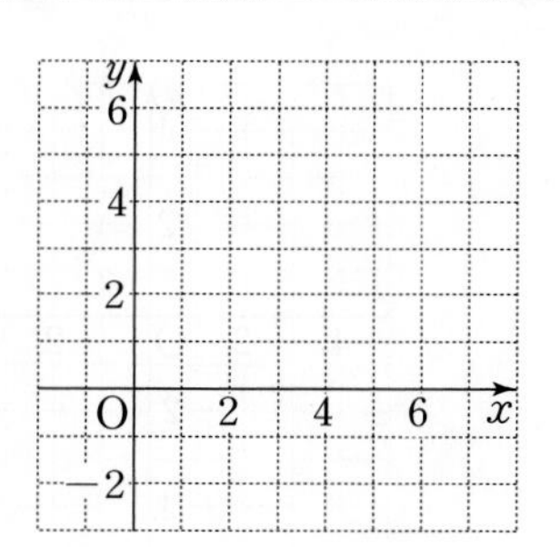

289 $2x+y=1$

x	…	-2	-1	0	1	2	…
y	…						…

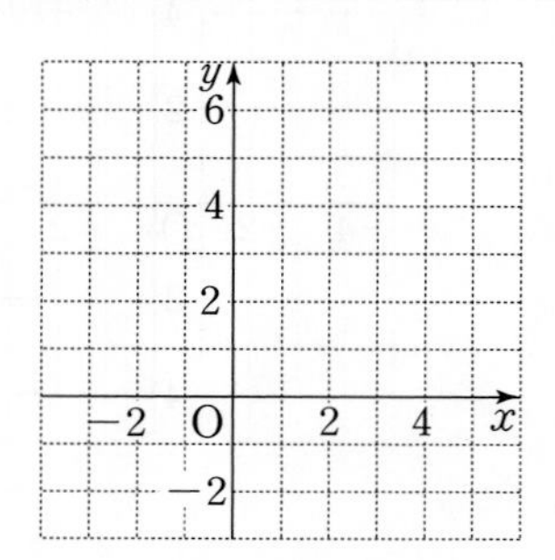

유형44 일차방정식의 그래프 위의 점

[290~295] 다음 주어진 점이 일차방정식 $x+3y=12$의 그래프 위의 점이면 ○표, 아니면 ×표를 하여라.

290 $(-5, 5)$ ( )

해 $x=-5$, $y=$☐를 $x+3y=12$에 각각 대입하면

$-5+3\times$☐$=$☐$\neq 12$

따라서 점 $(-5, 5)$는 일차방정식 $x+3y=12$의 그래프 위의 점이 아니다.

291 $(24, -4)$ ( )

292 $(4, 3)$ ( )

293 $(8, 1)$ ( )

294 $(6, 2)$ ( )

295 $(-3, 5)$ ( )

[296~301] 다음 일차방정식 중 그 그래프가 점 $(2, 1)$을 지나는 것은 ○표, 아닌 것은 ×표를 하여라.

296 $3x-y=5$ ( )

해 $x=2$, $y=$☐을 $3x-y=5$에 각각 대입하면

$3\times 2-$☐$=$☐

따라서 일차방정식 $3x-y=5$의 그래프는 점 $(2, 1)$을 ☐

297 $-2x+3y=2$ ( )

298 $5x-3y=2$ ( )

299 $-4x+2y=-6$ ( )

300 $5x+3y=13$ ( )

301 $-3x+4y=3$ ( )

유형45 일차방정식의 그래프 위의 점을 이용한 미지수의 값 구하기

[302~306] 점 $(2, 3)$이 다음 일차방정식의 그래프 위의 점일 때, 상수 a의 값을 구하여라.

302 $ax+3y=7$

답 ______

해 $x=2$, $y=3$을 $ax+3y=7$에 각각 대입하면

$2a+3\times\square=7$

$\therefore a=\square$

303 $4x+ay=23$

답 ______

해 $x=2$, $y=3$을 $4x+ay=23$에 각각 대입하면

$4\times\square+\square a=23$

$\therefore a=\square$

304 $2x-3y=a$

답 ______

305 $ax-2y=-2$

답 ______

306 $-3x+ay=6$

답 ______

[307~310] 점 $(a, -1)$이 다음 일차방정식의 그래프 위의 점일 때, a의 값을 구하여라. (단, a는 상수)

307 $3x+4y=11$

답 ______

해 $x=a$, $y=-1$을 $3x+4y=11$에 각각 대입하면

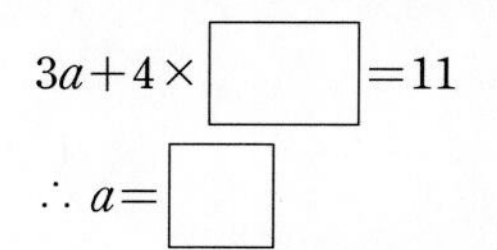

$3a+4\times\square=11$

$\therefore a=\square$

308 $-2x+3y=5$

답 ______

해 $x=a$, $y=-1$을 $-2x+3y=5$에 각각 대입하면

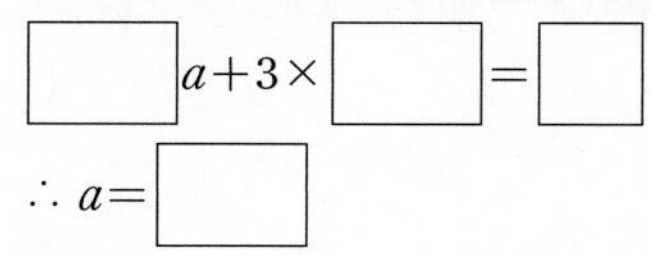

$\square a+3\times\square=\square$

$\therefore a=\square$

309 $7x+9y=26$

답 ______

310 $4x-5y=3$

답 ______

개념 체크

311 다음 빈칸에 알맞은 것을 써넣어라.

미지수가 2개인 일차방정식 $ax+by+c=0$의 그래프는 다음과 같이 표현된다.

(단, a, b, c는 상수, $a\neq0$ 또는 $b\neq0$)

1) x, y가 자연수 또는 정수일 때, [ ]으로 표현된다.

2) x, y의 값의 범위가 수 전체일 때, [ ]가 무수히 많기 때문에 [ ]으로 표현된다.

* 정답 및 해설 p. 61

21 좌표축에 평행한 직선의 방정식

(1) y축에 평행한 직선

① 그래프의 방정식은 $x=a$이다.

② 점 $(a, 0)$을 지난다.

③ 기울기는 생각할 수 없다.

④ 함수가 아니다.

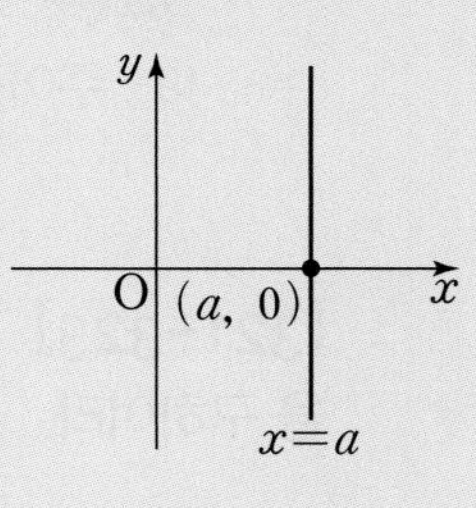

(2) x축에 평행한 직선

① 그래프의 방정식은 $y=b$이다.

② 점 $(0, b)$를 지난다.

③ 기울기는 0이다.

④ 함수이다.

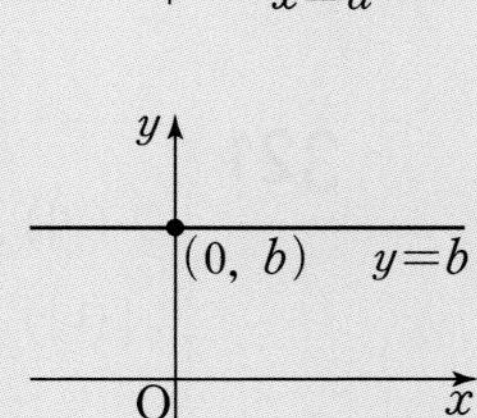

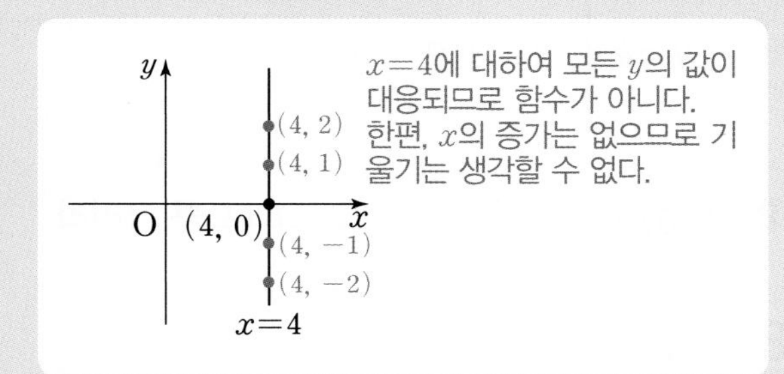

유형46 $x=k$ 꼴의 그래프

[312~313] 다음 표를 완성하고, 그래프를 그려라.

312 $x=3$

x	⋯					⋯
y	⋯	1	2	3	4	⋯

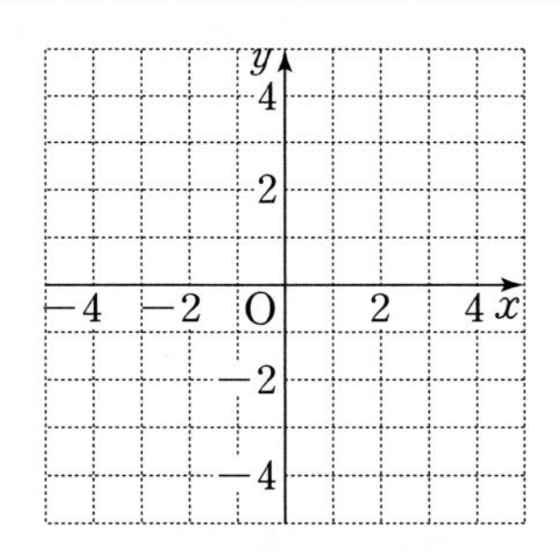

313 $x=-2$

x	⋯					⋯
y	⋯	1	2	3	4	⋯

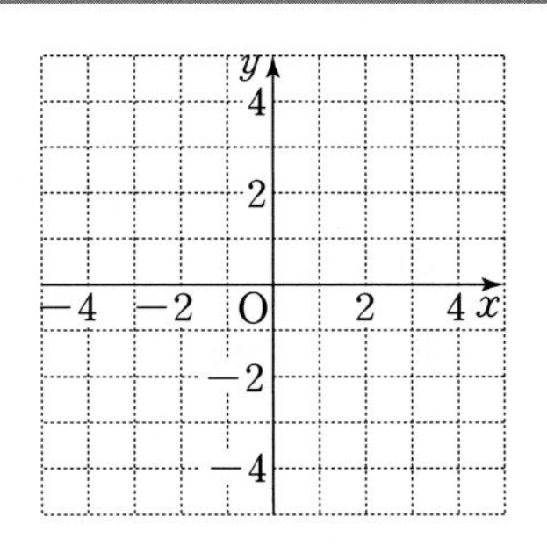

유형47 주어진 조건으로 $x=k$ 꼴의 방정식 구하기

[314~317] 다음 조건을 만족하는 그래프의 방정식을 구하여라.

314

(가) y축에 평행하다.
(나) 점 $(4, 0)$을 지난다.

답

315

(가) y축에 평행하다.
(나) 점 $(-5, 0)$을 지난다.

답

316

(가) y축에 평행하다.
(나) x축과 만나는 점의 좌표는 $\left(-\frac{5}{6}, 0\right)$이다.

답

317

모든 y의 값은 x의 값 -10에 대응한다.

답

25 DAY

유형48 $y=k$ 꼴의 그래프

[318~320] 다음 표를 완성하고, 그래프를 그려라.

318 $y=1$

x	…	1	2	3	4	…
y	…					…

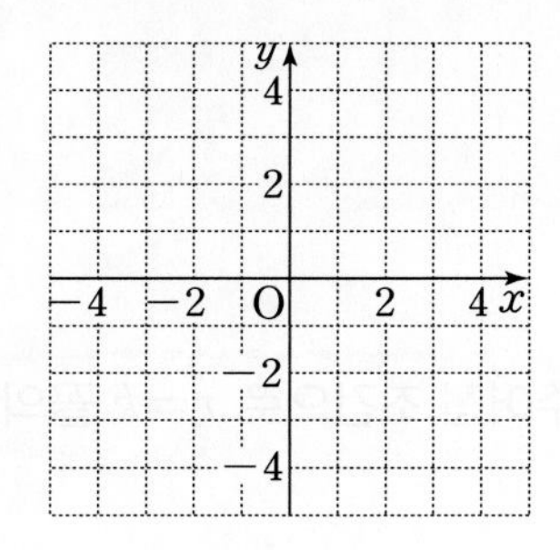

319 $y=-4$

x	…	1	2	3	4	…
y	…					…

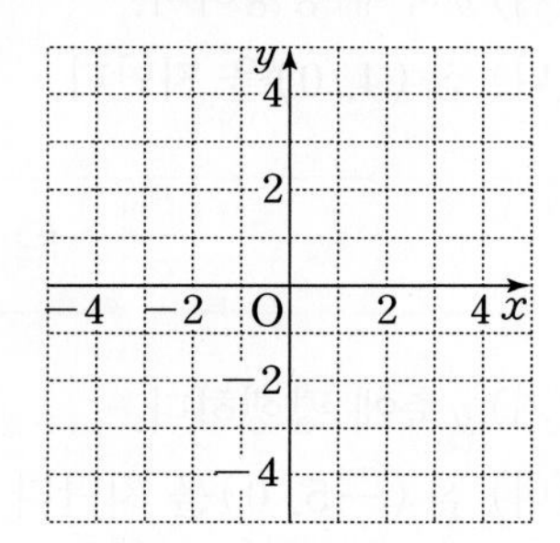

320 $y=3$

x	…	1	2	3	4	…
y	…					…

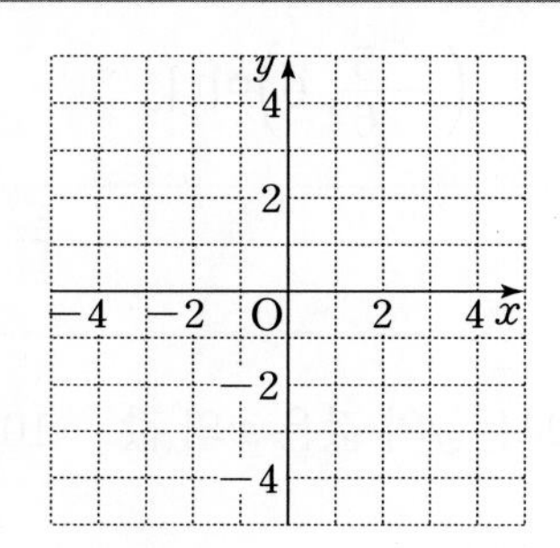

유형49 주어진 조건으로 $y=k$ 꼴의 방정식 구하기

[321~323] 다음 조건을 만족하는 그래프의 방정식을 구하여라.

321

(가) x축에 평행하다.
(나) 점 $(0, 8)$을 지난다.

답

322

(가) x축에 평행하다.
(나) 점 $\left(0, -\frac{3}{4}\right)$을 지난다.

답

323

모든 x의 값은 y의 값 -9에 대응한다.

답

개념 체크

324 다음 빈칸에 알맞은 것을 써넣어라.

1) y축에 평행한 직선의 방정식이 $x=a$일 때, 이 그래프의 특징은
① 점 ([　　], 0)을 지난다.
② 기울기는 생각할 수 [　　]
③ 함수가 [　　]

2) x축에 평행한 직선의 방정식이 $y=b$일 때, 이 그래프의 특징은
① 점 (0, [　　])를 지난다.
② 기울기는 [　　]이다.
③ [　　]이다.

* 정답 및 해설 p. 62

Ⅳ-2 일차함수와 일차방정식의 관계

22 여러 가지 직선의 방정식

(1) 일차함수 $y=ax+b$의 그래프에서 a는 기울기이고, b는 y절편이다.

① $a>0$, $b>0$ ② $a>0$, $b<0$ ③ $a<0$, $b>0$ ④ $a<0$, $b<0$

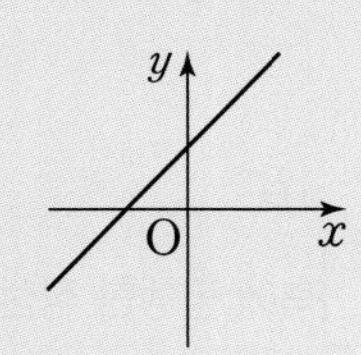
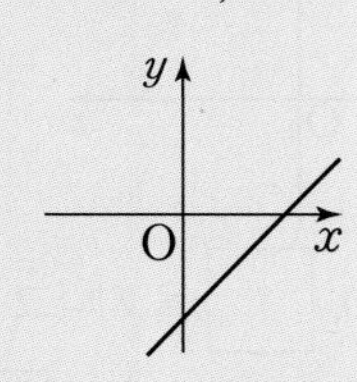
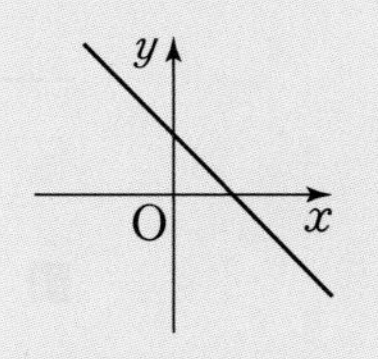
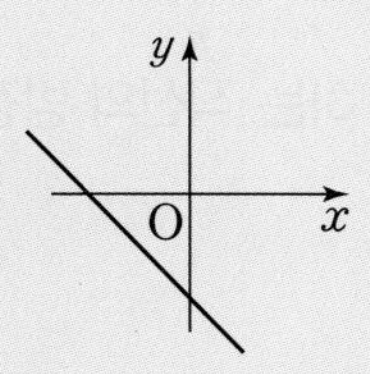

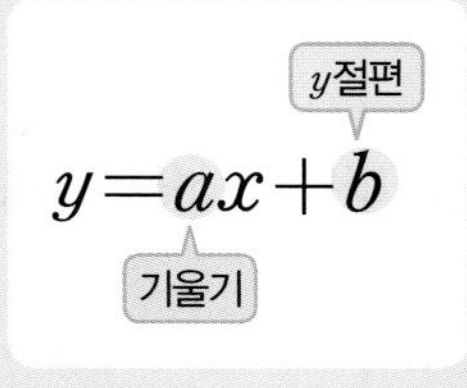

(2) $x=k$의 그래프는 점 $(k,\ 0)$을 지나고 y축에 평행한 직선이다.
$y=k$의 그래프는 점 $(0,\ k)$를 지나고 x축에 평행한 직선이다.

① $k>0$ 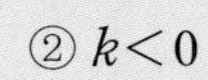 ② $k<0$ ③ $k>0$ ④ $k<0$

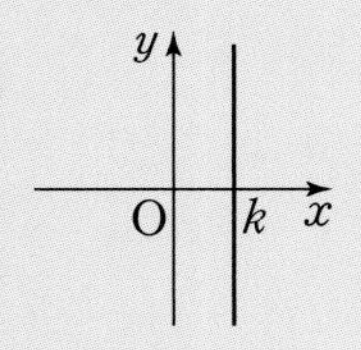
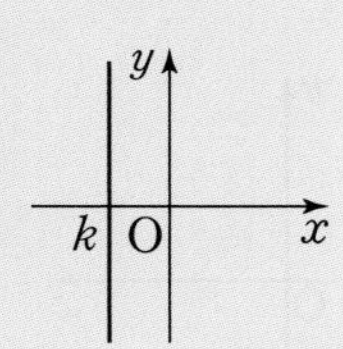
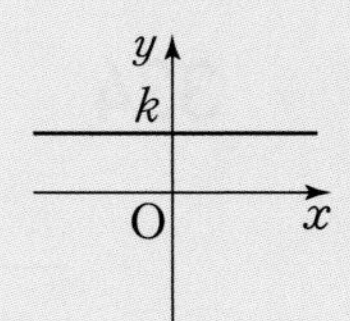
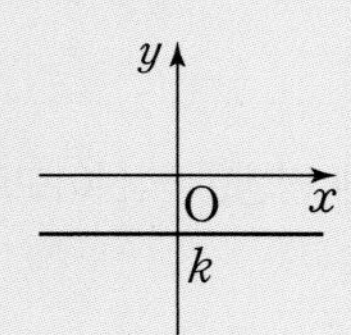

유형50 $y=ax+b$의 그래프를 보고 직선의 방정식 구하기

[325~328] 다음 직선을 그래프로 하는 일차함수의 식을 구하여라.

325

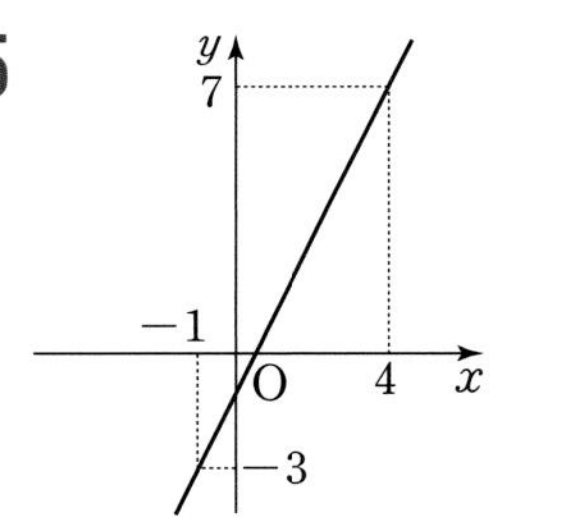

답 ________

해 기울기가 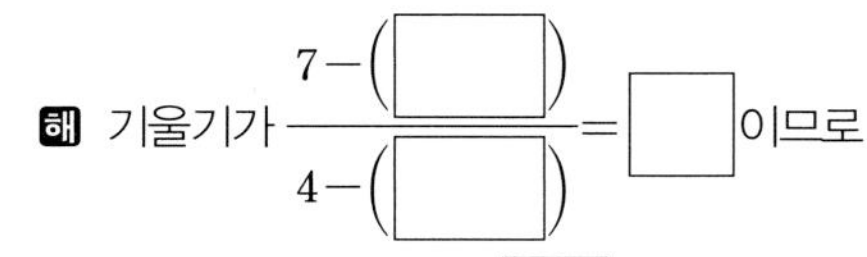 $\dfrac{7-(\square)}{4-(\square)}=\square$이므로

직선의 방정식을 $y=\square x+b$로 놓으면

점 $(4,\ 7)$을 지나므로 $b=\square$

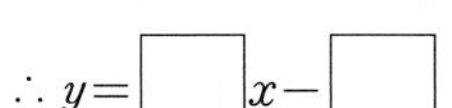
$\therefore\ y=\square x-\square$

326

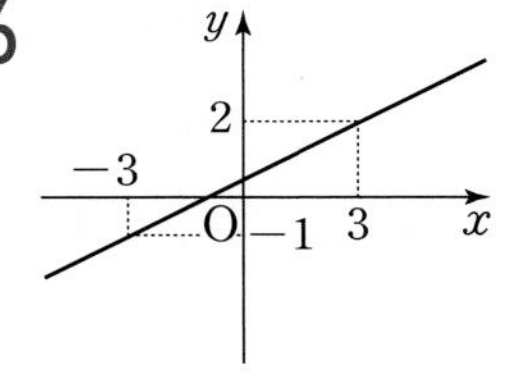

답 ________

327

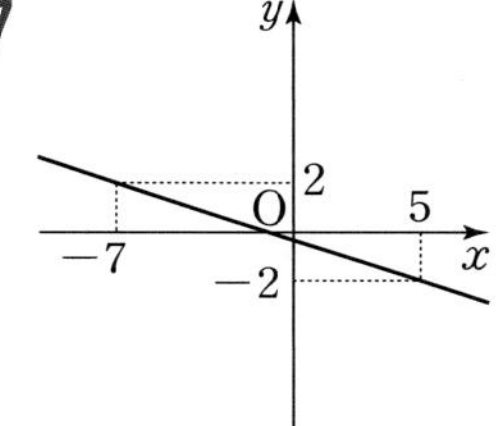

답 ________

328

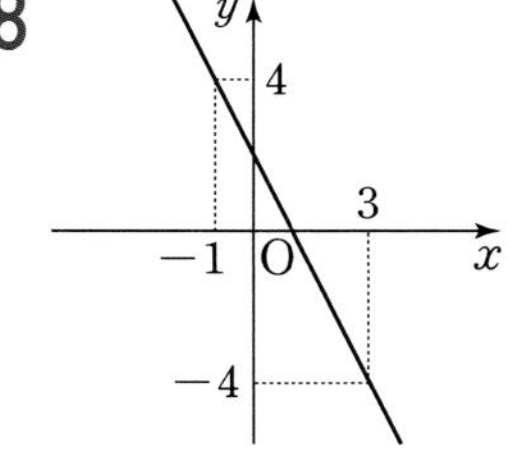

답 ________

26 DAY

유형51 $x=k$, $y=k$의 그래프를 보고 직선의 방정식 구하기

[329~335] 다음 직선을 그래프로 하는 직선의 방정식을 구하여라.

329

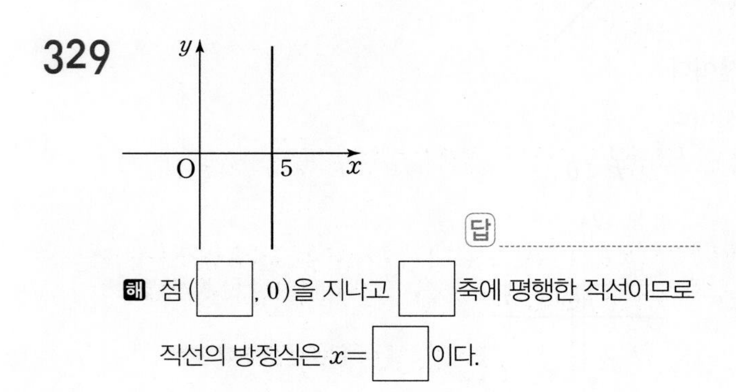

답

해 점 (□ , 0)을 지나고 □ 축에 평행한 직선이므로

직선의 방정식은 $x=$ □ 이다.

330

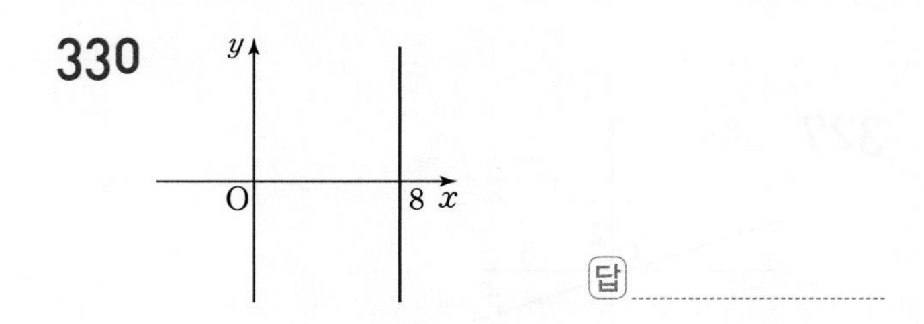

답

331

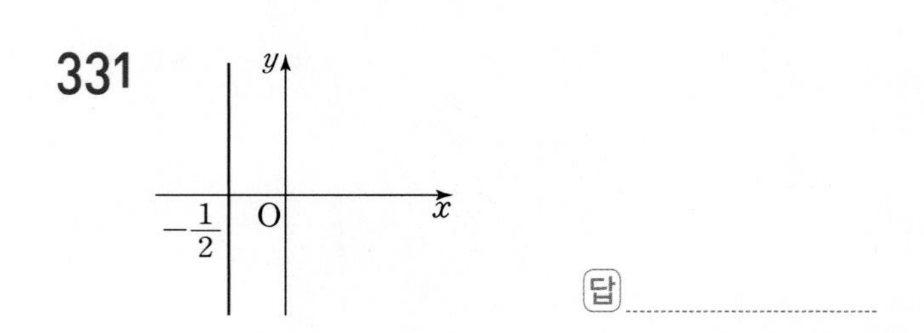

답

332

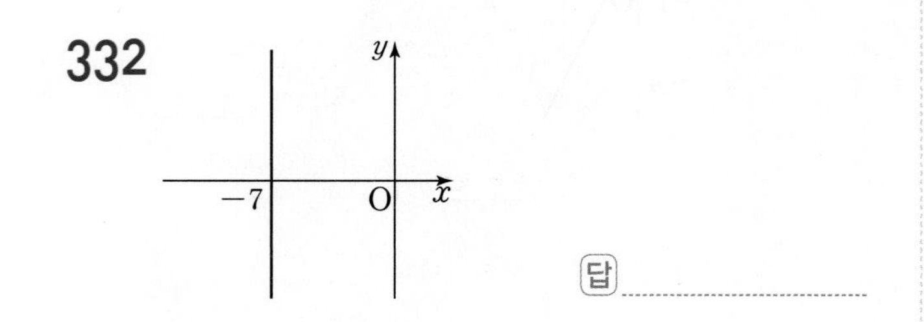

답

333

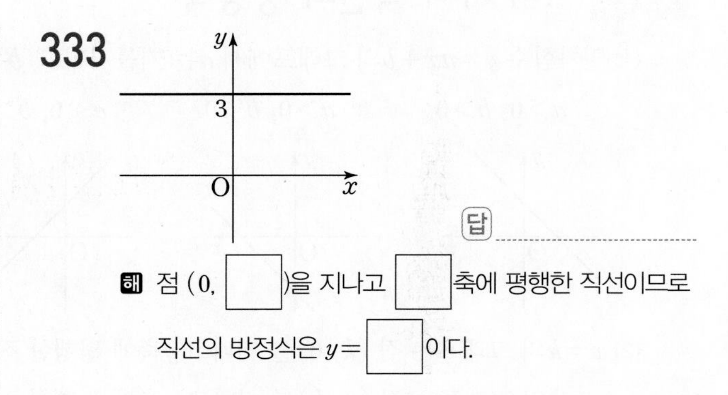

답

해 점 (0, □)을 지나고 □ 축에 평행한 직선이므로

직선의 방정식은 $y=$ □ 이다.

334

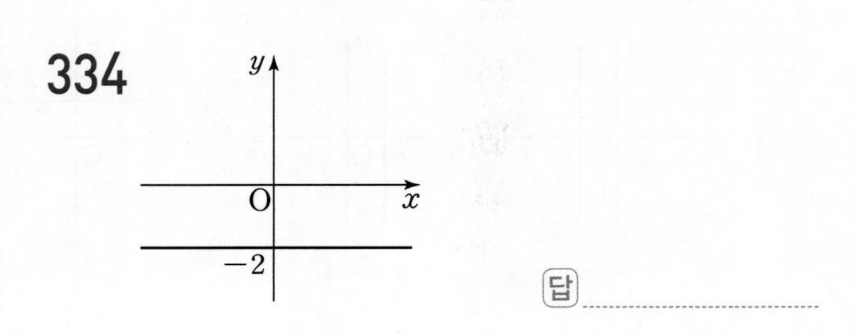

답

335

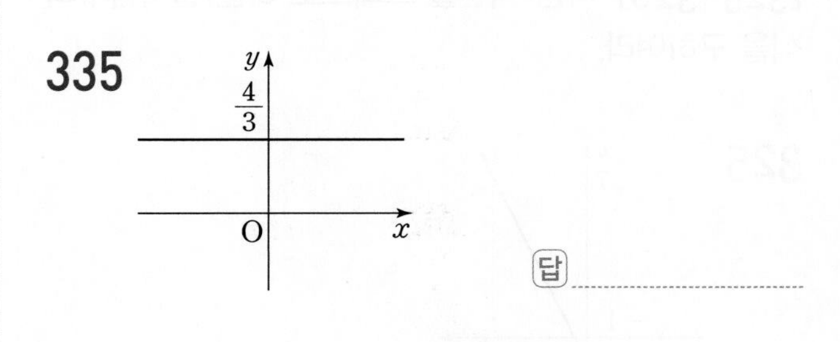

답

개념 체크

336 다음 빈칸에 알맞은 것을 써넣어라.

1) 일차함수 $y=ax+b$의 그래프에서 [ ]는 기울기이고, b는 [ ]절편이다.

2) 방정식 $x=k$의 그래프는 점 ([ ], 0)을 지나고 [ ]축에 평행한 직선이다.

3) 방정식 [ ]의 그래프는 점 (0, [ ])를 지나고 [ ]축에 평행한 직선이다.

Ⅳ-2 일차함수와 일차방정식의 관계

23 연립방정식의 해와 그래프 (1)

두 일차방정식을 각각 그래프로 나타낼 때, 두 그래프의 교점의 좌표가 연립방정식의 해가 된다.

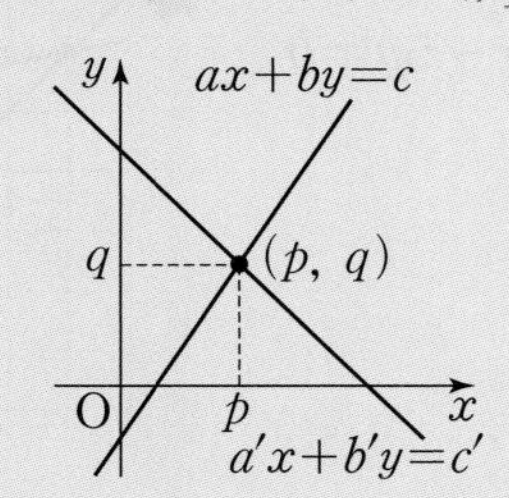

$\begin{cases} ax+by=c \\ a'x+b'y=c' \end{cases}$ 의 해는 $x=p,\ y=q$

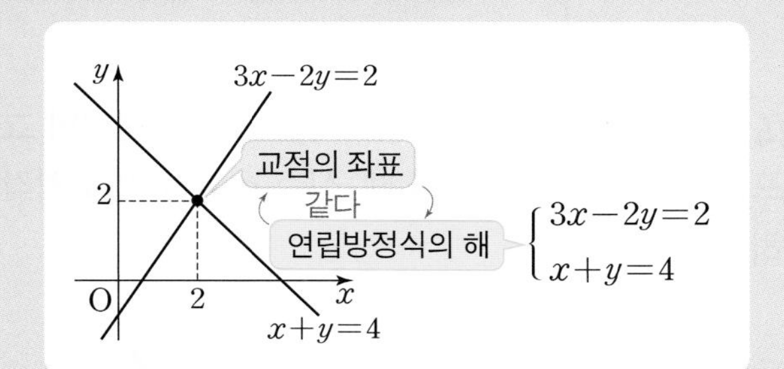

유형52 그래프를 보고 연립방정식의 해 구하기

[337~339] 주어진 그림과 같은 직선을 그래프로 갖는 두 일차방정식으로 이루어진 연립방정식의 해를 구하여라.

337

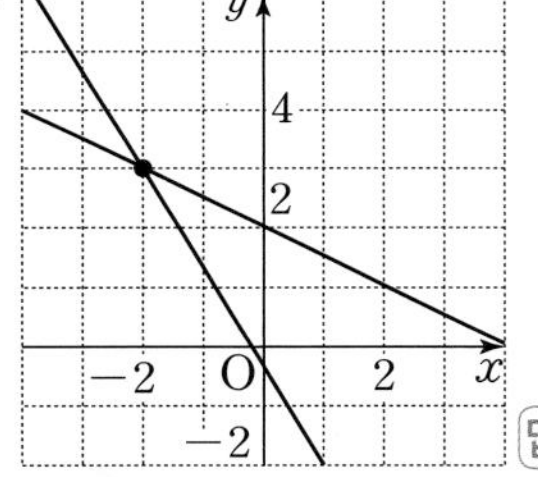

답 $x=$☐, $y=$☐

해 두 그래프의 교점의 좌표가 연립방정식의 해이므로 $x=$☐, $y=$☐이다.

338

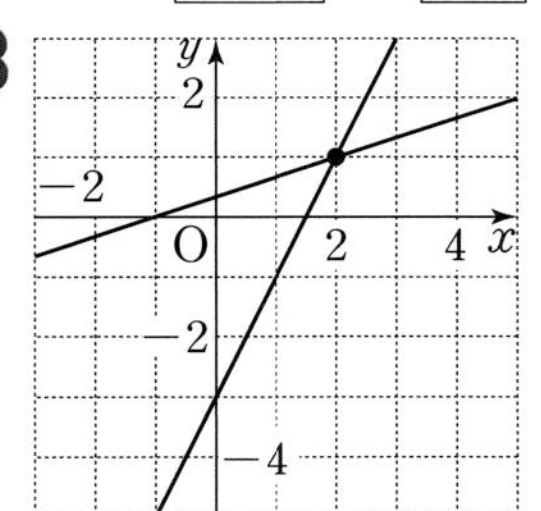

답

339

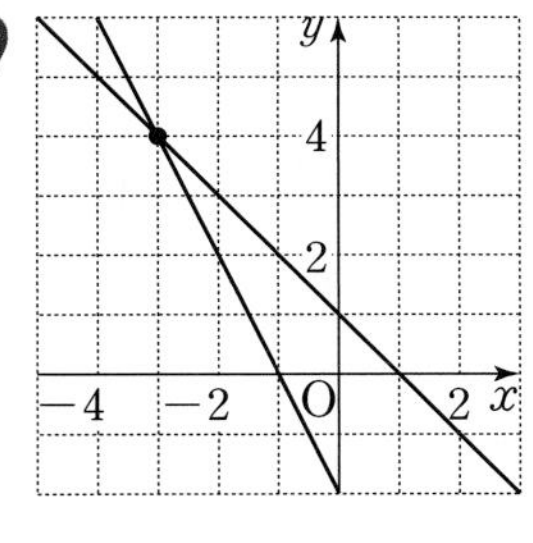

답

[340~342] 다음 연립방정식의 두 일차방정식의 그래프가 그림과 같을 때, 연립방정식의 해를 구하여라.

340 $\begin{cases} x-y=0 \\ 2x+y=3 \end{cases}$ ➡

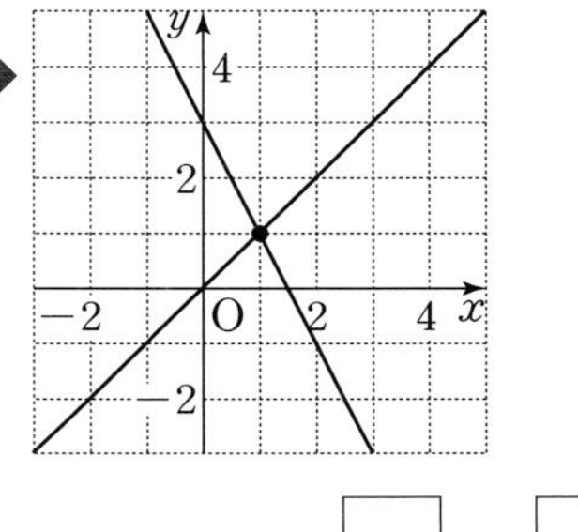

답 $x=$☐, $y=$☐

해 두 그래프의 교점의 좌표가 연립방정식의 해이므로 $x=$☐, $y=$☐이다.

341 $\begin{cases} x-y=2 \\ x+2y=8 \end{cases}$ ➡

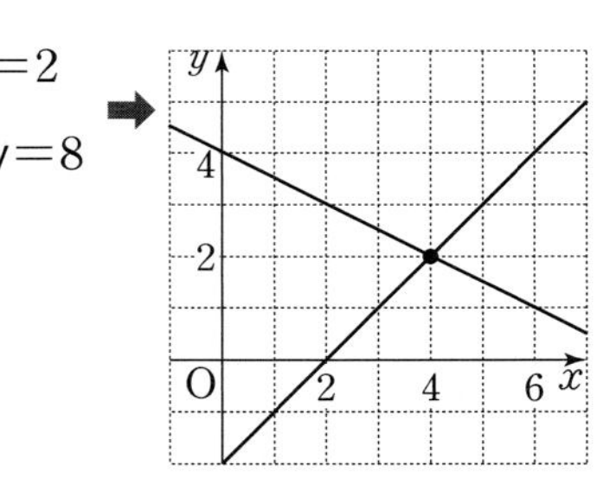

답

342 $\begin{cases} x+2y=2 \\ 2x+y=-5 \end{cases}$ ➡

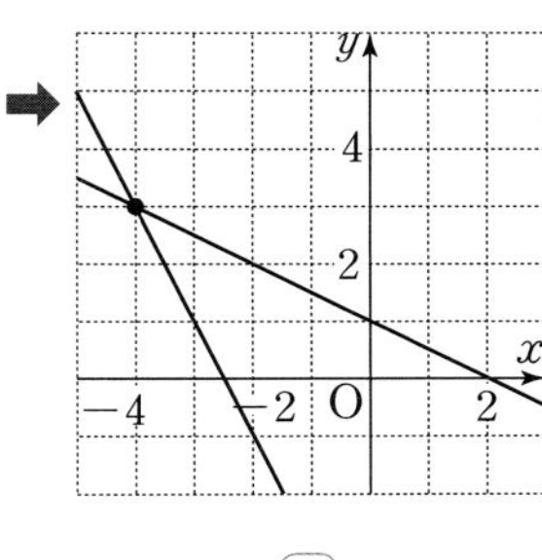

답

26 DAY

* 정답 및 해설 p. 63

유형53 그래프가 주어질 때 미지수의 값 구하기

[343~347] 다음 연립방정식의 두 일차방정식의 그래프가 주어진 그림과 같을 때, 상수 a, b의 값을 각각 구하여라.

343 $\begin{cases} x+ay=5 \\ bx+y=1 \end{cases}$ ➡

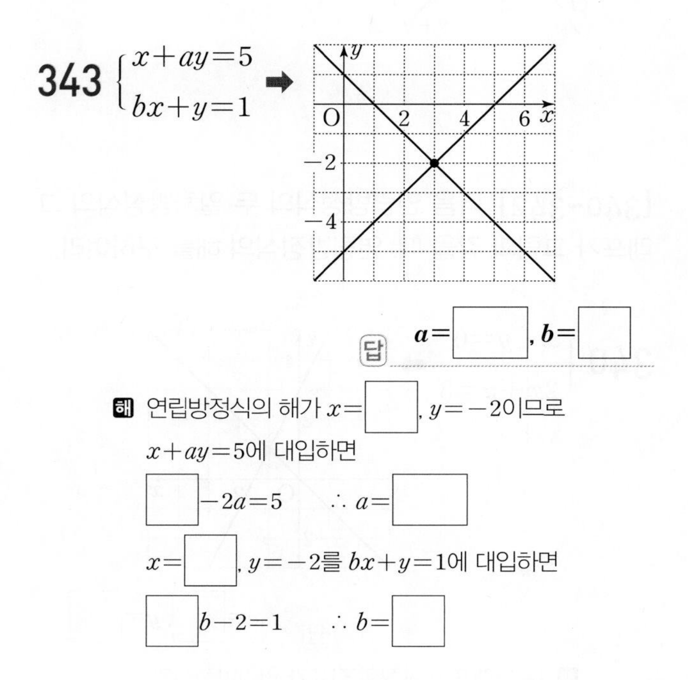

답 $a=$ ☐, $b=$ ☐

해 연립방정식의 해가 $x=$ ☐, $y=-2$이므로

$x+ay=5$에 대입하면

☐ $-2a=5$ $\therefore a=$ ☐

$x=$ ☐, $y=-2$를 $bx+y=1$에 대입하면

☐ $b-2=1$ $\therefore b=$ ☐

344 $\begin{cases} ax-2y=0 \\ x+y=b \end{cases}$ ➡

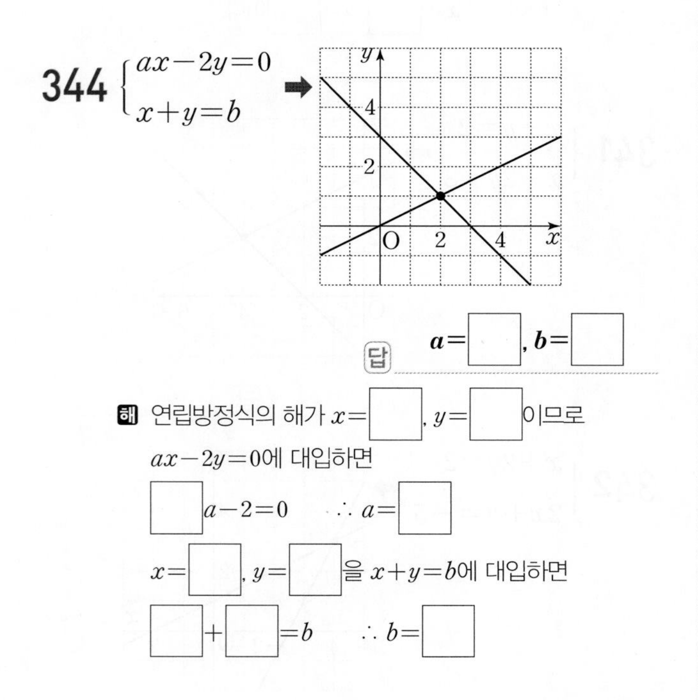

답 $a=$ ☐, $b=$ ☐

해 연립방정식의 해가 $x=$ ☐, $y=$ ☐이므로

$ax-2y=0$에 대입하면

☐ $a-2=0$ $\therefore a=$ ☐

$x=$ ☐, $y=$ ☐을 $x+y=b$에 대입하면

☐ + ☐ $=b$ $\therefore b=$ ☐

345 $\begin{cases} x+ay=-3 \\ x+5y=b \end{cases}$ ➡

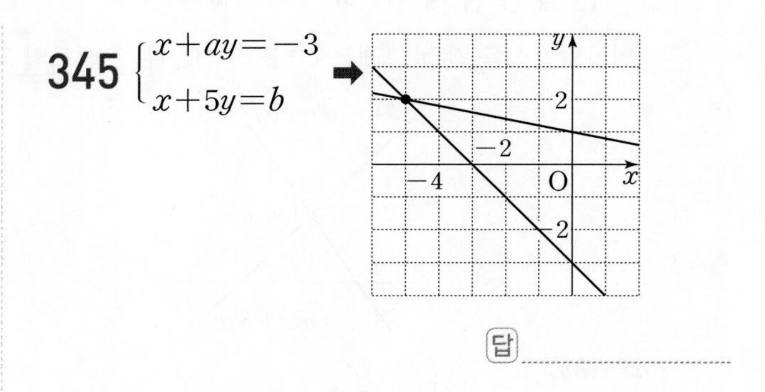

답

346 $\begin{cases} x-ay=4 \\ bx-4y=-4 \end{cases}$ ➡

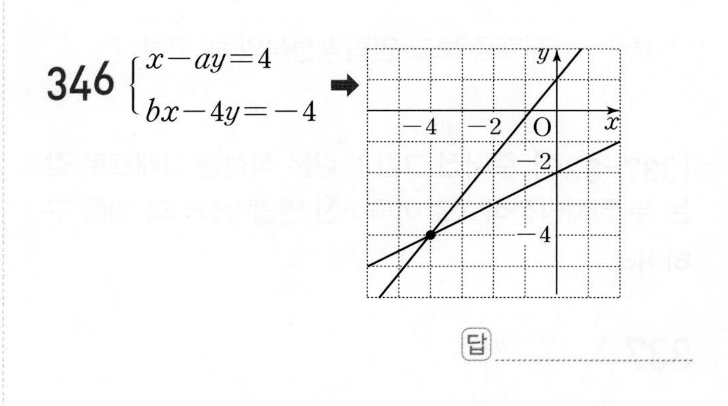

답

347 $\begin{cases} ax-5y=0 \\ 6x-by=15 \end{cases}$ ➡

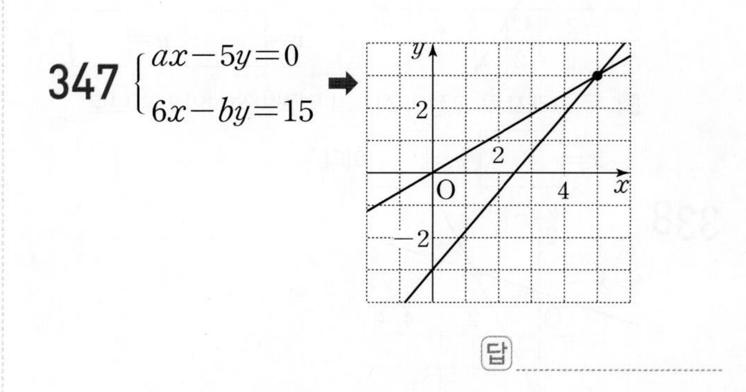

답

개념 체크

348 다음 빈칸에 알맞은 것을 써넣어라.

두 일차방정식을 각각 그래프로 나타낼 때, 두 그래프의 [ ]의 좌표가 [ ]방정식의 [ ]가 된다.

* 정답 및 해설 p. 64

24 연립방정식의 해와 그래프 (2)

(1) 연립방정식 $\begin{cases} ax+by+c=0 \\ a'x+b'y+c'=0 \end{cases}$의 해를 $x=p$, $y=q$라고 할 때, 점 $(p,\ q)$는 두 일차방정식의 그래프의 교점의 좌표와 같다.

(2) $\begin{cases} ax+by+c=0 \\ a'x+b'y+c'=0 \end{cases}$에서

① 두 직선이 한 점에서 만날 때 ➡ $\dfrac{a}{a'} \neq \dfrac{b}{b'}$

② 두 직선이 평행할 때 ➡ $\dfrac{a}{a'} = \dfrac{b}{b'} \neq \dfrac{c}{c'}$
기울기는 같고, y절편은 다르다.

③ 두 직선이 일치할 때 ➡ $\dfrac{a}{a'} = \dfrac{b}{b'} = \dfrac{c}{c'}$
기울기가 같고, y절편은 같다.

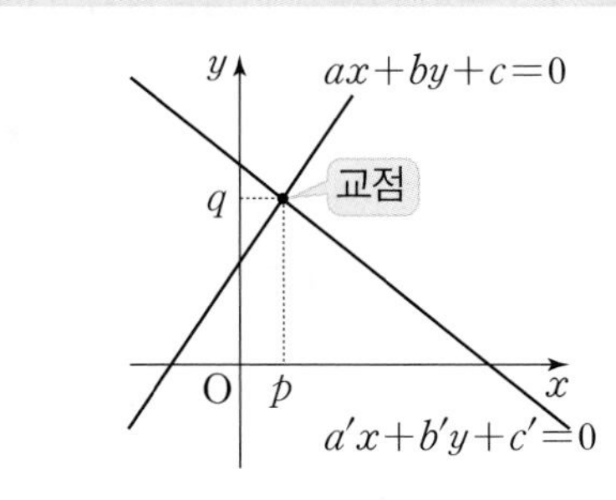

➡ 두 직선이 한 점에서 만나므로 $\dfrac{a}{a'} \neq \dfrac{b}{b'}$

유형54 연립방정식을 그래프로 나타내고 해 구하기

[349~352] 다음 연립방정식에서 두 일차방정식의 그래프를 좌표평면 위에 나타내고, 연립방정식의 해를 구하여라.

349 $\begin{cases} x+y=2 \\ x-y=4 \end{cases}$

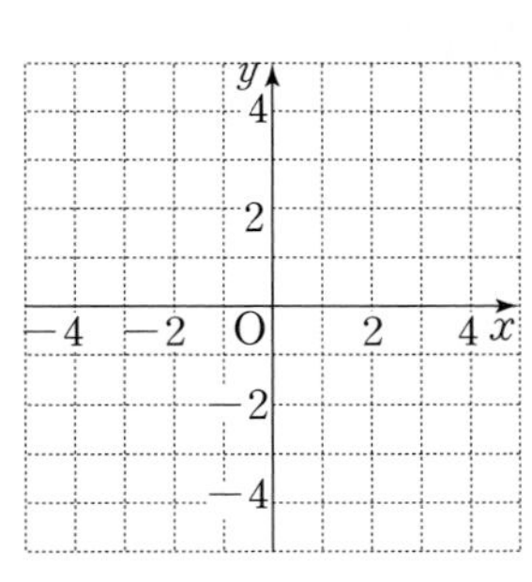

답 ______

해 두 일차방정식의 그래프가 만나는 점의 좌표가 (☐, ☐)이므로 연립방정식의 해는 $x=$ ☐, $y=$ ☐ 이다.

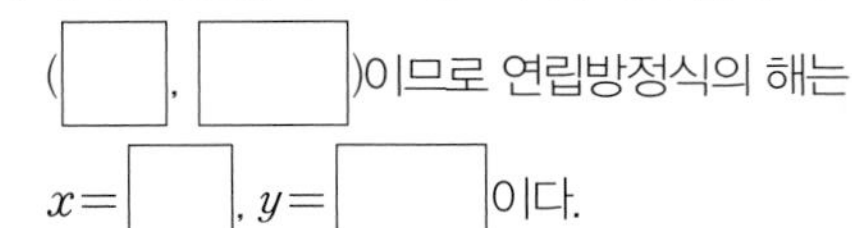

350 $\begin{cases} 3x-y=2 \\ x+y=6 \end{cases}$

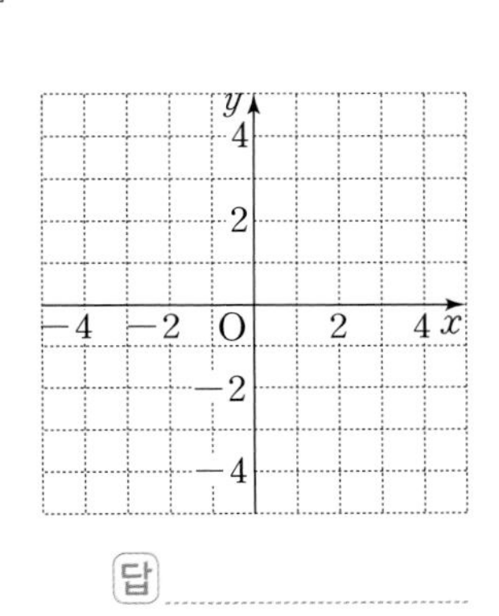

답 ______

351 $\begin{cases} 3x+2y=4 \\ 2x+3y=6 \end{cases}$

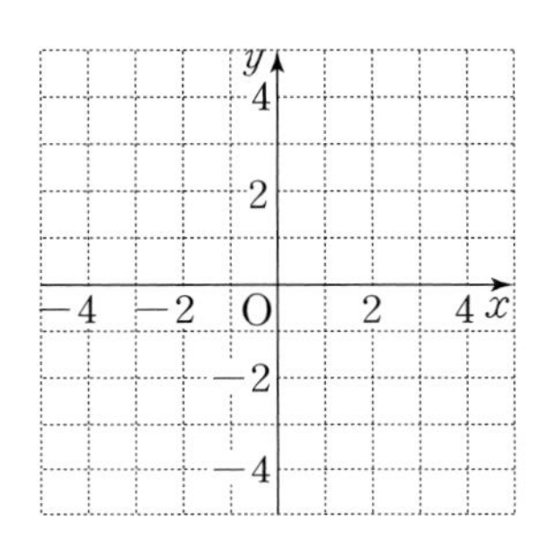

답 ______

352 $\begin{cases} 4x+3y=5 \\ 3x-4y=10 \end{cases}$

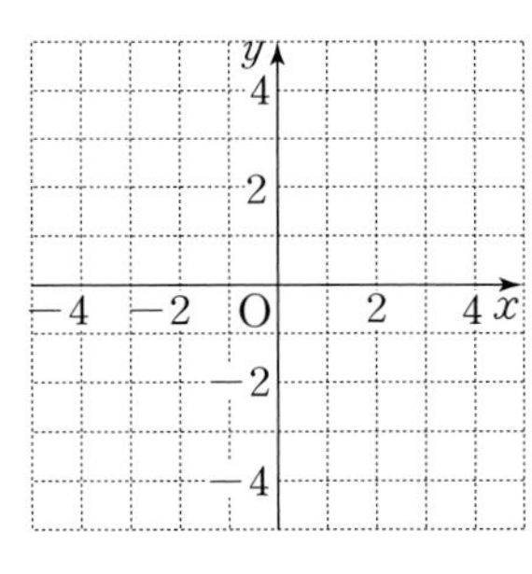

답 ______

26 DAY

유형55 두 직선의 위치 관계와 연립방정식의 해의 개수

[353~360] 다음 두 직선의 위치 관계를 말하고, 연립방정식의 해의 개수를 구하여라.

353 $\begin{cases} 6x-5y=0 \\ 6x-5y=15 \end{cases}$

답 위치 관계 :

해의 개수 :

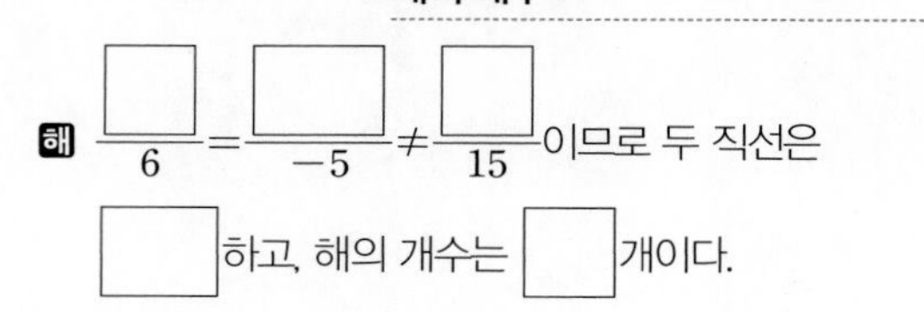

해 $\frac{\square}{6}=\frac{\square}{-5}\neq\frac{\square}{15}$이므로 두 직선은 □하고, 해의 개수는 □개이다.

354 $\begin{cases} 4x-2y=3 \\ -2x+y=1 \end{cases}$

답 위치 관계 :

해의 개수 :

355 $\begin{cases} 3x-y=4 \\ 9x-3y=12 \end{cases}$

답 위치 관계 :

해의 개수 :

356 $\begin{cases} -6x+y=2 \\ 2x-y=2 \end{cases}$

답 위치 관계 :

해의 개수 :

357 $\begin{cases} 7x+3y=1 \\ -7x-3y=4 \end{cases}$

답 위치 관계 :

해의 개수 :

358 $\begin{cases} 2x-3y=6 \\ -x+2y=4 \end{cases}$

답 위치 관계 :

해의 개수 :

359 $\begin{cases} 3x-5y=-9 \\ -x-y=-2 \end{cases}$

답 위치 관계 :

해의 개수 :

360 $\begin{cases} \frac{1}{2}x+2y=4 \\ x+4y=8 \end{cases}$

답 위치 관계 :

해의 개수 :

유형56 두 그래프를 보고 연립방정식의 미지수 구하기

[361~365] 다음 그림과 같이 좌표평면 위에 나타낸 두 그래프를 보고, 상수 a, b의 값을 각각 구하여라.

361

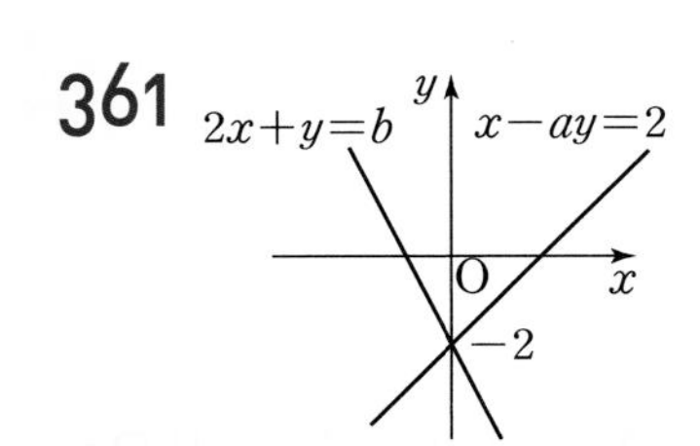

답 $a=$ ☐, $b=$ ☐

해 직선 $x-ay=2$가 점 $(0,\ -2)$를 지나므로

$0-a\times(-2)=2$ $\therefore\ a=$ ☐

직선 $2x+y=b$가 점 $(0,\ -2)$를 지나므로

$2\times0-2=b$ $\therefore\ b=$ ☐

362

$ax+y=4$, y, O, 1, x, $3x-y=b$

답 $a=$ ☐, $b=$ ☐

363

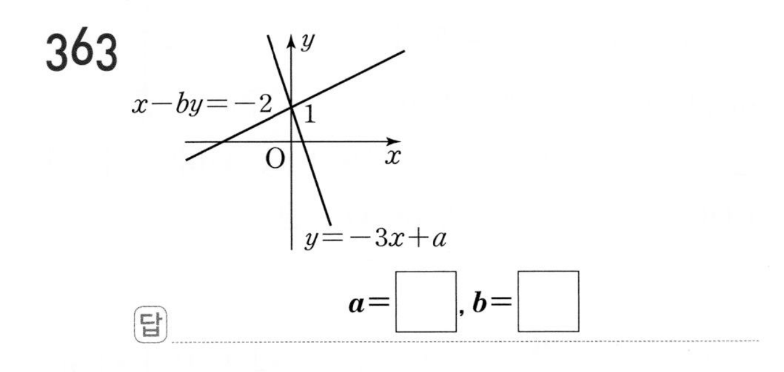

답 $a=$ ☐, $b=$ ☐

364

y, $y=bx+1$, 3, O, 1, x, $ax+2y=9$

답 $a=$ ☐, $b=$ ☐

365

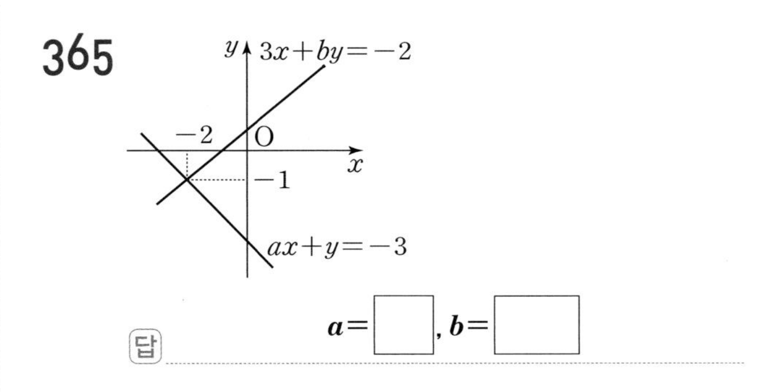

답 $a=$ ☐, $b=$ ☐

개념 체크

366 다음 빈칸에 알맞은 것을 써넣어라.

1) 연립방정식 $\begin{cases} ax+by+c=0 \\ a'x+b'y+c'=0 \end{cases}$의 해를 $x=p$, $y=q$라고 할 때, 점 [ ]는 두 일차방정식의 그래프의 교점의 좌표와 같다.

2) $\begin{cases} ax+by+c=0 \\ a'x+b'y+c'=0 \end{cases}$에서

① 두 직선이 한 점에서 만날 때, $\frac{a}{a'}$[ ]$\frac{b}{b'}$

② 두 직선이 평행할 때, $\frac{a}{a'}$[ ]$\frac{b}{b'}$[ ]$\frac{c}{c'}$

③ 두 직선이 일치할 때, $\frac{a}{a'}$[ ]$\frac{b}{b'}$[ ]$\frac{c}{c'}$

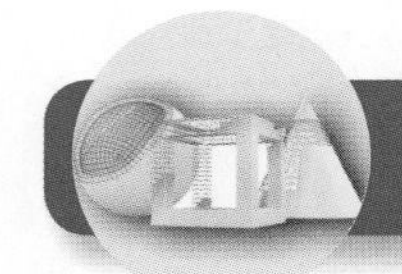

단원 총정리 문제

01 두 함수 $f(x)=x$, $g(x)=\frac{2}{x}$에 대하여 $f(3)=a$일 때, $g(a)$의 값을 구하여라. (단, a는 상수)

02 오른쪽 그림은 세 함수 $y=ax$, $y=bx$, $y=cx$의 그래프이다. 상수 a, b, c의 대소 관계로 옳은 것은?

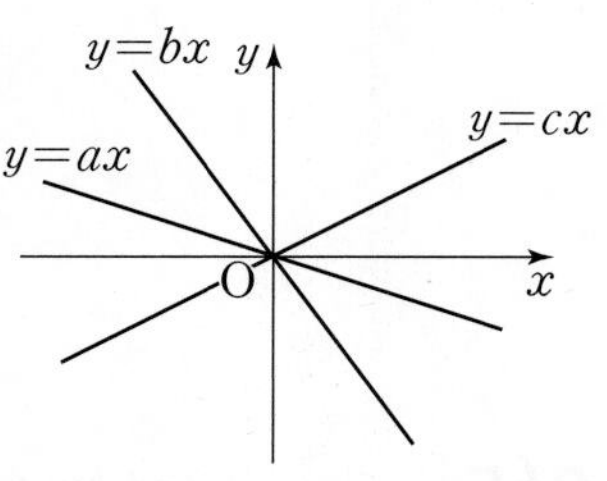

① $a>b>c$ ② $a>c>b$
③ $b>c>a$ ④ $c>a>b$
⑤ $c>b>a$

03 함수 $y=\frac{1}{7}x$의 그래프가 점 $(a, a-2)$를 지날 때, 상수 a의 값은?

① -3 ② $-\frac{7}{3}$ ③ -1
④ $\frac{7}{3}$ ⑤ 3

04 다음 중 함수 $y=-\frac{x}{2}$의 그래프에 대한 설명으로 옳지 않은 것은?

① 점 $(-4, 2)$를 지난다.
② 원점을 지나지 않는다.
③ x의 값이 증가하면 y의 값은 감소한다.
④ 제 2사분면과 제 4사분면을 지난다.
⑤ 오른쪽 아래로 향하는 직선이다.

05 다음 조건을 모두 만족하는 함수 $f(x)$를 구하여라.

(가) $y=f(x)$의 그래프가 원점을 지나는 직선이다.
(나) $f(3)=-9$

06 다음 중 함수 $y=\frac{12}{x}$의 그래프에 대한 설명으로 옳은 것을 모두 고르면? (정답 2개)

① 원점을 지난다.
② 제 2사분면과 제 4사분면을 지난다.
③ $y=\frac{24}{x}$의 그래프보다 좌표축에 가깝다.
④ 점 $(6, 2)$를 지난다.
⑤ $x<0$일 때, x의 값이 증가하면 y의 값도 증가한다.

07 오른쪽 그림과 같은 함수의 그래프에서 점 A의 y좌표를 구하여라.

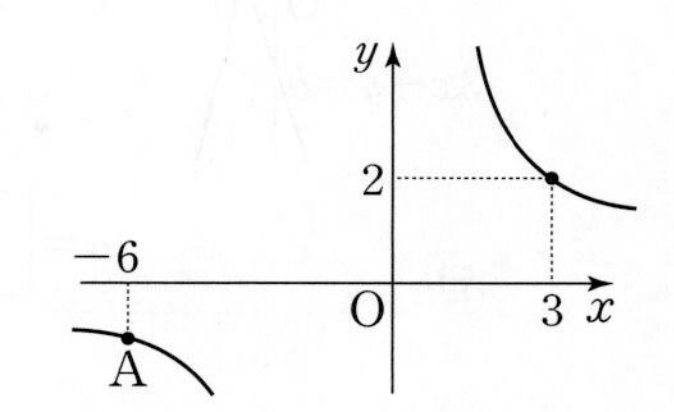

08 오른쪽 그림과 같이 함수 $y=\frac{3}{2}x$의 그래프 위의 한 점 P에서 x축에 내린 수선이 x축과 만나는 점 Q의 좌표가 $(8, 0)$이다. 삼각형 POQ의 넓이를 구하여라. (단, O는 원점)

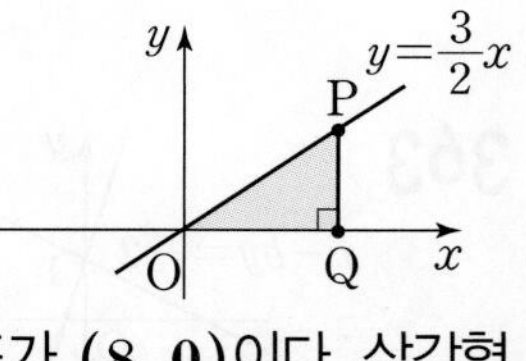

09 함수 $y=\frac{20}{x}$의 그래프 위의 두 점 A, B의 x좌표가 각각 -2, 5일 때, 두 점 A, B의 y좌표의 합을 구하여라.

10 다음 중 y가 x에 대한 일차함수인 것은?

① $y=3x-4-3x$ ② $xy=1$
③ $y=\frac{2-x}{3}$ ④ $y=x^2+1$
⑤ $y=\frac{x}{2}(1-x)$

11 다음 중 y가 x에 관한 일차함수가 아닌 것을 모두 고르면? (정답 2개)

① 5000원짜리 배 1개와 x원짜리 사과 3개의 총가격 y원
② 직사각형의 넓이는 32 cm^2이고 가로의 길이가 x cm일 때, 세로의 길이가 y cm
③ 넓이가 10 cm^2이고, 밑변의 길이가 x cm인 삼각형의 높이 y cm
④ 전체 쪽수가 220쪽인 책을 매일 11쪽씩 x일 동안 읽고 남은 쪽수 y쪽
⑤ 길이가 18 cm인 초가 1분에 0.4 cm씩 x분 동안 타고 남은 길이 y cm

12 일차함수 $f(x)=ax+4$에 대하여 $f(3)=-2$일 때, $f(-1)$의 값을 구하여라. (단, a는 상수)

13 일차함수 $y=ax$의 그래프를 y축의 방향으로 3만큼 평행이동하면 $y=-3x+b$의 그래프가 된다고 할 때, $a+b$의 값은? (단, a, b는 상수)

① -2 ② -1 ③ 0
④ 1 ⑤ 2

14 일차함수 $y=\frac{1}{2}x+3$의 그래프가 지나는 두 점을 이용하여 오른쪽 좌표평면 위에 그래프를 그려라.

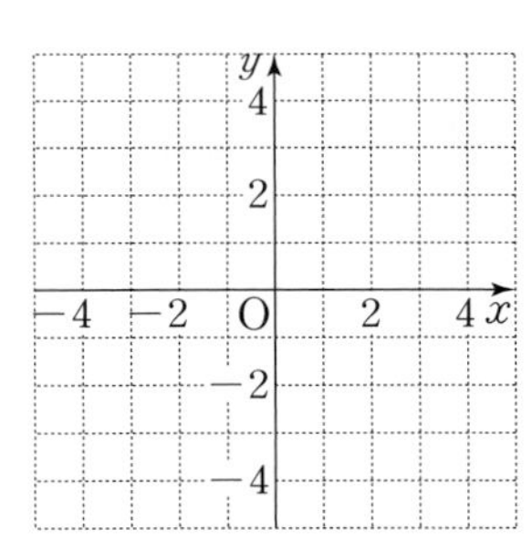

15 일차함수 $y=\frac{3}{8}x-6$의 그래프의 x절편을 a, y절편을 b라 할 때, $a+b$의 값은? (단, a, b는 상수)

① 7 ② 8 ③ 9
④ 10 ⑤ 11

16 다음 일차함수 중 그 그래프가 x의 값이 8만큼 증가할 때, y의 값이 2만큼 감소하는 것은?

① $y=-\frac{1}{2}x+3$ ② $y=5x+\frac{2}{3}$
③ $y=-\frac{1}{4}x+4$ ④ $y=-4x+5$
⑤ $y=-2x+1$

17 세 점 $(4, 2)$, $(-2, 5)$, $(8, k)$가 한 직선 위에 있을 때, k의 값을 구하여라.

27 DAY

18 다음 중 일차함수 $y=\frac{3}{4}x-3$의 그래프는?

①
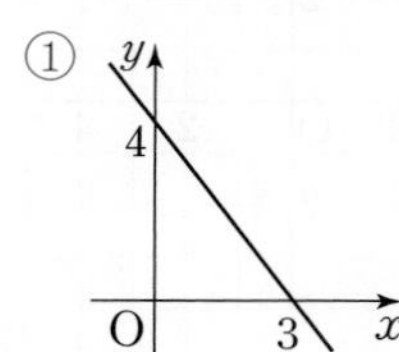

②
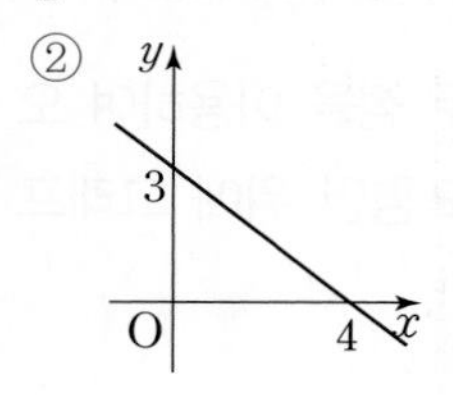

③
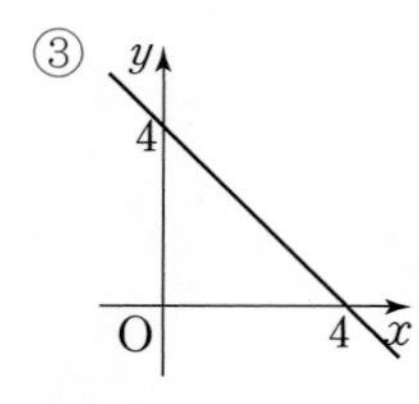

④
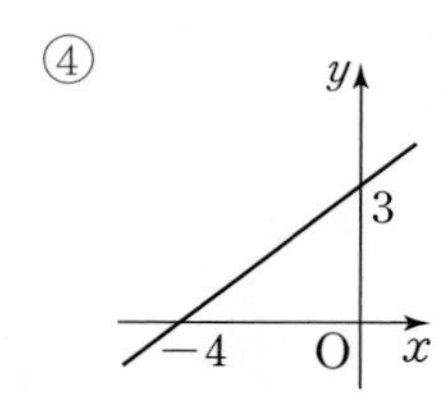

⑤
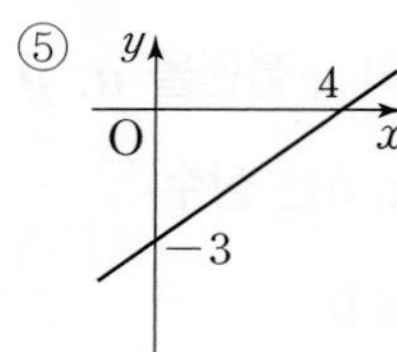

19 오른쪽 그림은 같은 지점에서 같은 방향으로 동시에 출발한 재환이와 진영이가 시간에 따라 이동한 거리를 그래프로 나타낸 것이다. 다음 물음에 답하여라.

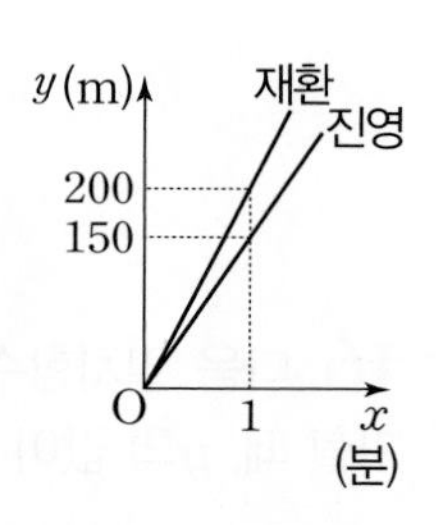

(1) 재환이가 x분 동안 이동한 거리를 y m라 할 때, x, y 사이의 관계를 식으로 나타내어라.

(2) 진영이가 x분 동안 이동한 거리를 y m라 할 때, x, y 사이의 관계를 식으로 나타내어라.

(3) 출발한 지 3분 후의 재환이와 진영이 사이의 거리는 몇 m인지 구하여라.

20 일차함수 $y=-\frac{1}{2}x+2$의 그래프와 x축 및 y축으로 둘러싸인 도형의 넓이를 구하여라.

21 일차함수 $y=-ax-b$의 그래프가 오른쪽 그림과 같을 때, 다음 중 옳은 것은? (단, a, b는 상수)

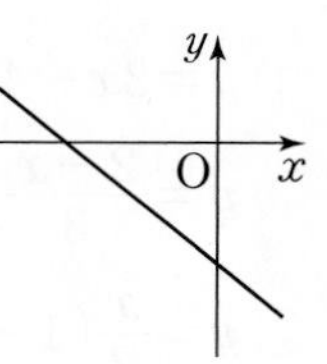

① $a>0$, $b>0$ ② $a>0$, $b<0$
③ $a<0$, $b>0$ ④ $a<0$, $b<0$
⑤ $a<0$, $b=0$

22 기울기가 $\frac{4}{5}$이고, 점 $(15, -4)$를 지나는 직선을 그래프로 하는 일차함수의 식은?

① $y=\frac{4}{5}x-18$ ② $y=\frac{4}{5}x-16$
③ $y=\frac{4}{5}x-14$ ④ $y=\frac{5}{4}x-16$
⑤ $y=\frac{5}{4}x-14$

23 두 점 $(3, -4)$, $(8, -1)$을 지나는 직선을 그래프로 하는 일차함수의 식은?

① $y=\frac{3}{5}x-9$ ② $y=\frac{3}{5}x-\frac{29}{5}$
③ $y=\frac{3}{5}x-1$ ④ $y=\frac{3}{5}x+\frac{29}{5}$
⑤ $y=\frac{3}{5}x+9$

24 다음 중 일차방정식 $3x-6y+18=0$의 그래프에 대한 설명으로 옳은 것은?

① x의 값이 증가할 때 y의 값은 감소한다.
② x절편은 3이다.
③ y절편은 18이다.
④ 제 1, 3, 4사분면을 지난다.
⑤ 일차함수 $y=\frac{1}{2}x-3$의 그래프와 평행하다.

25 일차방정식 $4x-5y+7=0$의 그래프의 기울기를 a, x절편을 b, y절편을 c라 할 때, abc의 값을 구하여라.

26 오른쪽 그림과 같은 직선을 그래프로 하는 일차방정식은?

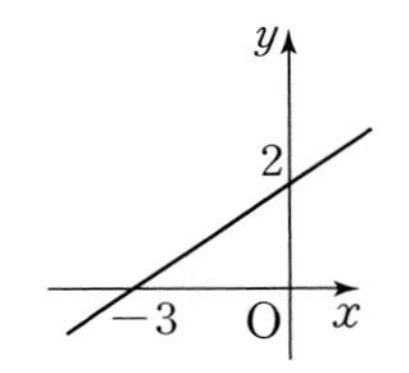

① $2x-3y+6=0$
② $2x-3y-6=0$
③ $3x-2y+6=0$
④ $3x-2y-6=0$
⑤ $3x-4y+6=0$

27 x축에 평행하고 점 $(2, -3)$을 지나는 직선의 방정식은?

① $x+2=0$　② $x=2$
③ $x+y=0$　④ $y=-3$
⑤ $y=-2$

28 두 점 $(6, 4)$, $(6, -2)$를 지나는 직선의 방정식은?

① $y-2=0$　② $y=4$
③ $x-6=0$　④ $x=-6$
⑤ $2x-6y=7$

29 두 점 $(-2a-1, 3)$, $(3a-11, -3)$을 지나는 직선이 x축에 수직일 때, 상수 a의 값을 구하여라.

30 오른쪽 그림은 연립방정식 $\begin{cases} ax+by=c \\ px-qy=r \end{cases}$를 풀기 위하여 두 일차방정식의 그래프를 그린 것이다. 이 연립방정식의 해를 구하여라. (단, a, b, c, p, q, r는 상수)

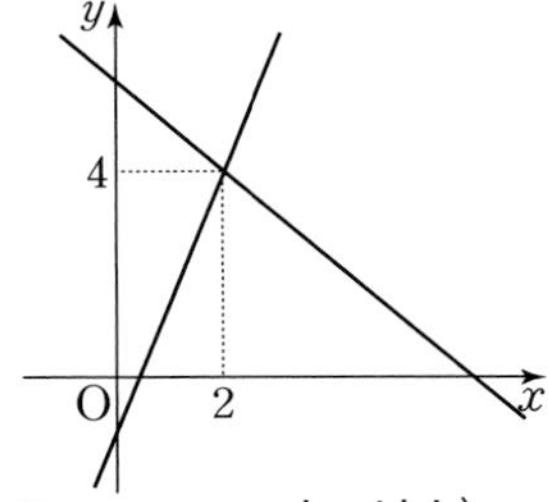

31 연립방정식 $\begin{cases} ax-5y=12 \\ 3x+5y=b \end{cases}$의 해가 무수히 많을 때, $a-b$의 값은? (단, a, b는 상수)

① 9　② 10　③ 11
④ 12　⑤ 13

32 길이가 50 cm인 초에 불을 붙이면 5분마다 4 cm씩 초가 짧아진다고 한다. 초의 길이가 26 cm가 되는 것은 불을 붙인 지 몇 분 후인지 구하여라.

33 20 L들이 수조에 물이 4 L 들어 있다. 2분에 1 L씩 수조에 물을 담을 때, 수조를 가득 채우는 데 몇 분이 걸리는지 구하여라.

MIND MAP

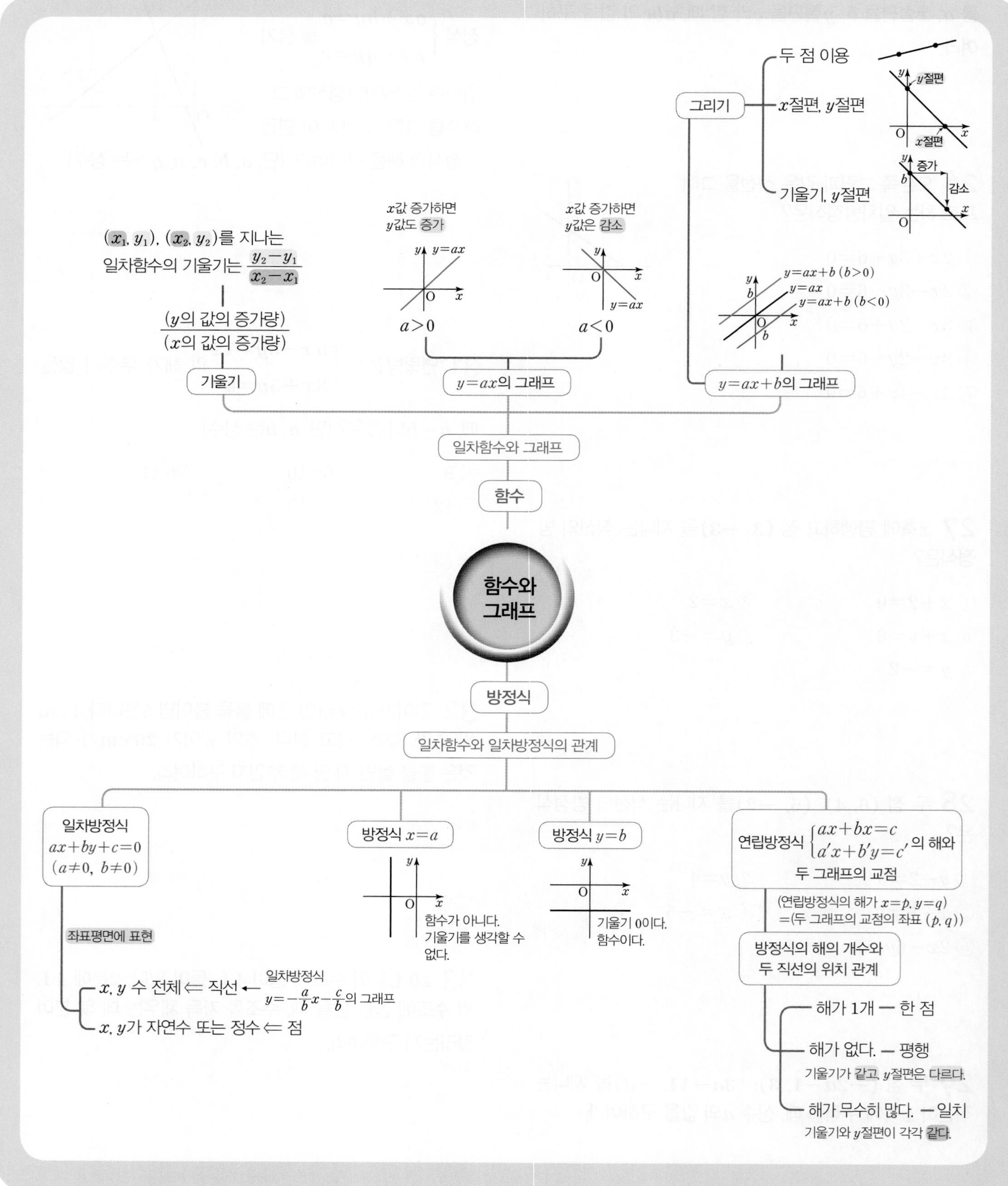

함수와 그래프
함수
일차함수와 그래프
기울기
$y=ax$의 그래프
$y=ax+b$의 그래프
(x_1, y_1), (x_2, y_2)를 지나는 일차함수의 기울기는 $\frac{y_2-y_1}{x_2-x_1}$
$\frac{(y\text{의 값의 증가량})}{(x\text{의 값의 증가량})}$
x값 증가하면 y값도 증가
$a>0$
x값 증가하면 y값은 감소
$a<0$
그리기
두 점 이용
x절편, y절편
기울기, y절편
y절편
x절편
증가
감소
$y=ax+b\ (b>0)$
$y=ax$
$y=ax+b\ (b<0)$
방정식
일차함수와 일차방정식의 관계
일차방정식 $ax+by+c=0$ $(a\neq0,\ b\neq0)$
좌표평면에 표현
x, y 수 전체 ⇐ 직선 ← 일차방정식 $y=-\frac{a}{b}x-\frac{c}{b}$의 그래프
x, y가 자연수 또는 정수 ⇐ 점
방정식 $x=a$
함수가 아니다.
기울기를 생각할 수 없다.
방정식 $y=b$
기울기 0이다.
함수이다.
연립방정식 $\begin{cases} ax+bx=c \\ a'x+b'y=c' \end{cases}$의 해와 두 그래프의 교점
(연립방정식의 해가 $x=p, y=q$) =(두 그래프의 교점의 좌표 (p, q))
방정식의 해의 개수와 두 직선의 위치 관계
해가 1개 — 한 점
해가 없다. — 평행
기울기가 같고, y절편은 다르다.
해가 무수히 많다. — 일치
기울기와 y절편이 각각 같다.

재미있는 수학 퍼즐

1. 어느 가게에서 구슬을 상자에 담아 팔고 있다. 구슬을 담은 상자는 모두 10개이고 각 상자에는 100개의 구슬이 들어있다. 그런데 한 상자에 담겨 있는 구슬 전체가 불량품이라는 것을 알아채고 불량품이 들어있는 상자를 수거하려고 한다. 정상적인 구슬은 1개에 10 g이고, 불량품 구슬은 9 g이라고 할 때 저울을 한 번만 사용하여 불량품이 담겨 있는 구슬을 가려내어라.
2. 오른쪽 그림과 같이 성냥개비로 만들어진 4개의 정육면체가 있다.
   성냥개비를 1개만 움직여서 4개의 정육면체를 2개로 만들어 보아라.

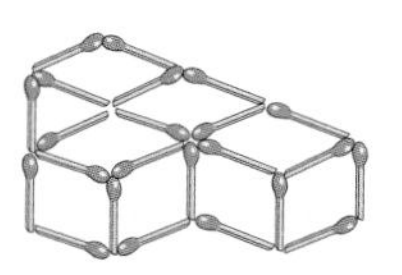

3. 바닥에 놓여진 4 L짜리 물통과 7 L짜리 물통을 사용하여 5 L를 정확히 재려고 한다. 최소 몇 번 바닥에 놓여진 물통을 들어야 하는가? 물통에는 눈금이 없으며 물통의 물을 옮길 때는 반드시 물통을 들어서 옮겨야 한다.

해답

1. 첫 번째 상자에서는 구슬을 한 개, 두 번째 상자에서는 구슬을 두 개, ……, 열 번째 상자에는 구슬을 10개를 꺼낸다. 그러면 구슬의 개수는 총 55개이고, 만약 모두 정상적인 구슬이라면 550 g이 되어야 한다. 이때 불량품은 정상적인 구슬보다 1 g이 가벼우므로 550 g에서 모자란 무게만큼 구슬의 개수를 꺼낸 상자가 불량품이 들어있는 상자이다. 예를 들어 544 g 이라면 6 g이 부족하므로 구슬을 6개 꺼낸 상자가 불량품이 된다.
2. 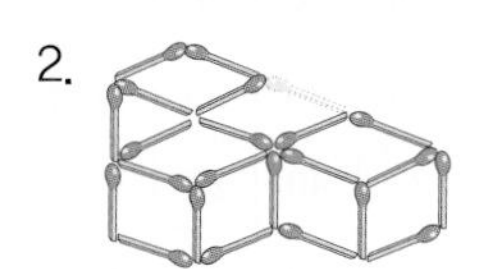
3. 1) 4 L짜리 물통에 물을 가득 채우고 7 L짜리 물통에 붓는다.
   2) 다시 한 번 4 L짜리 물통에 물을 가득 채우고 7 L짜리 물통에 부으면 3 L가 채워지고 4 L짜리 물통에는 1 L가 남는다.
   3) 7 L짜리 물통의 물을 모두 버린다.
   4) 남은 4 L짜리 물통에 남은 1 L를 7 L짜리 물통에 붓는다.
   5) 4 L짜리 물통에 물을 가득 채운 후 7 L짜리 물통에 부으면 7 L짜리 물통에 5 L가 남는다.

한국의 수학자 최석정

최석정(1646년~1715년)은 조선 후기의 문신이자 수학자로서 30세에 진사 시험에 수석 합격한 이후 우의정, 좌의정을 거쳐 숙종 때 영의정을 지낸 인물로 8번이나 영의정에 등용되어 조선 시대에 가장 많이 영의정에 임명되었다. 학자로서도 훌륭한 업적을 이루었지만 수학에 특히 큰 업적을 남겼으며, 그는 학자라면 수학의 이치에 밝아야 한다고 생각했다. 그는 '수학은 진리에 이르는 길이며, 수학의 질서를 알면 이치를 깨우칠 수 있다.'라고 하였다.

그는 영의정을 그만둔 이후 구수략이라는 수학책을 저술하였는데 여태까지 한국에 전해내려오는 수학에 대한 내용을 정리한 책 중 가장 체계적이고 방대하다. 구수략에는 많은 수학적인 내용이 있으나 특히 다양한 마방진에 대한 내용이 다양하게 수록되어 있다.

지수귀문도는 거북이의 등딱지 모양으로 이루어진 마방진으로 구수략에 쓰여진 마방진은 육각형으로 이루어진 숫자의 합이 93인 지수귀문도이다. 93 이외에도 여러 가지 해가 존재하는 것으로 알려졌으며, 지수귀문도를 만드는 일반적인 방법은 최근에야 알려졌다.
또한 오일러 마방진이라고도 불리는 직교라틴마방진은 같은 행과 열에 숫자를 중복시키지 않으면서 각 행과 열의 숫자의 합이 같게 만드는 방정식이다. 구수략에서 나오는 직교라틴마방진은 오일러보다 60여 년 먼저 발견된 것으로 세계 최초로 직교라틴방정식을 제시한 것으로 알려져 있다.

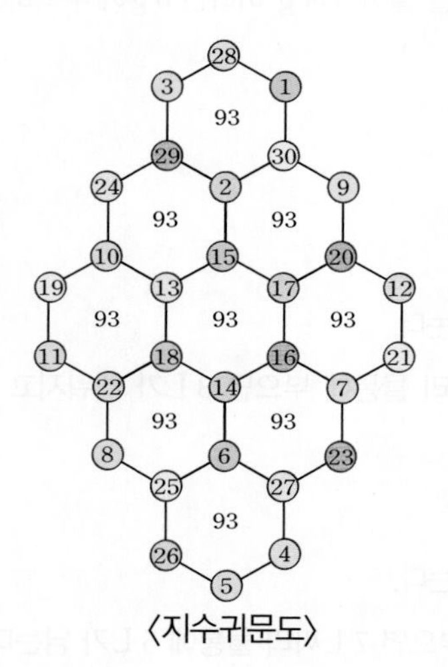

〈지수귀문도〉

68	7	48	73	5	45	3	70	50
27	38	58	15	52	56	80	33	10
28	78	17	35	66	22	40	20	63
6	64	53	51	1	71	39	8	76
74	36	13	61	41	21	59	46	18
43	23	57	11	81	31	25	69	29
79	2	42	9	77	37	65	4	54
12	49	62	67	30	26	24	44	55
32	72	19	47	16	60	34	75	14

〈직교라틴마방진〉

memo

memo

memo

⊙ (주)수경출판사의 모든 교재에는 마인드 트리가 있습니다.

⊙ 교재의 **마인드 트리** 5개를 모아서 보내주시는 모든 분께 선물을 드립니다.

⊙ 각각 다른 교재의 **마인드 트리**를 모아 주셔야 됩니다.

>> 다음 교재 중 1권과 개념정리 노트 1권을 드립니다.

- 형상기억 수학공식집(중1)
- 형상기억 수학공식집(중등 종합)
- 보카 레슨 Level **1**
- 보카 레슨 Level **2**
- 보카 레슨 Level **3**

중 1권 +  개념정리 노트 1권

*오려서 보내 주세요.

⊙ 보내실 곳 : 서울시 영등포구 양평로 21길 26(양평동 5가) IS비즈타워 807호
(주)수경출판사 (우 07207)

⊙ 언제든지 엽서에 붙이거나, 편지 봉투에 넣어 보내 주세요.

풀이나 스카치 테이프를 이용해 붙여 주세요.

우 편 봉 함 엽 서

보내는 사람

*주소 ____________________

*이름 __________ *학년 (중____, 고____)

□□□□□

우표

받는 사람

서울시 영등포구 양평로 21길 26(양평동 5가)
IS비즈타워 807호
(주)수경출판사 교재 기획실

0 7 2 0 7

수력충전 중등 수학 2 (상)

Mind Tree
자이스토리

Mind Tree

5개를 모아 보내 주세요!

(각각 다른 교재로)

1. 이 책을 구입하게 된 동기는 무엇입니까? [교재명 :]

① 서점에서 다른 책들과 비교해 보고 ② 광고를 보고/듣고 ③ 학교/학원 보충 교재 [학교명(학원명):]
④ 선생님의 추천 ⑤ 친구/선배의 권유 ⑥ 기타 [ ]

2. 교재를 선택할 때 가장 큰 기준이 되는 것은?(복수 응답 가능)

① 유명 출판사 ② 교재 내용 ③ 디자인 ④ 난이도
⑤ 교재 분량 ⑥ 해설 ⑦ 동영상 강의 ⑧ 기타 [ ]

3. 이 책의 전반적인 부분에 대한 질문입니다.

◆ 표지 디자인 : 좋다 □ 보통이다 □ 좋지 않다 □ ◆ 본문 디자인 : 좋다 □ 보통이다 □ 좋지 않다 □
◆ 문제 난이도 : 어렵다 □ 알맞다 □ 쉽다 □ ◆ 교재의 분량 : 많다 □ 알맞다 □ 적다 □

4. 이 책의 구성 요소를 평가한다면?

• 단원 개념 ( ) • 핵심 내용정리 ( ) • 개념 적용 / 연산 ( )
• 개념 체크 ( ) • 단원 총정리 ( ) • 해설/해답 ( )

① 매우 만족 ② 만족 ③ 보통 ④ 불만 ⑤ 매우 불만

*오려서 보내 주세요.

5. 이 책에서 추가되어야 할 점이 있다면 무엇입니까?

6. 최근 본인이 크게 도움을 받은 책이 있다면?(또는 가장 인기있는 교재는?)

교재명 : 과목 :

7. 내가 원하는 교재가 있다면?

이름 : 연락처 : 이메일 :

학 교 : 학 년 :

외롭고 고된 자신과 싸움의 시간이 힘드셨죠?
꾹 참고 이겨내고 있는
당신의 모습에 경의를 보냅니다.
합격은 당신의 것입니다.

❄ 마인드 트리를 붙이고 원하는 교재를 체크하세요.

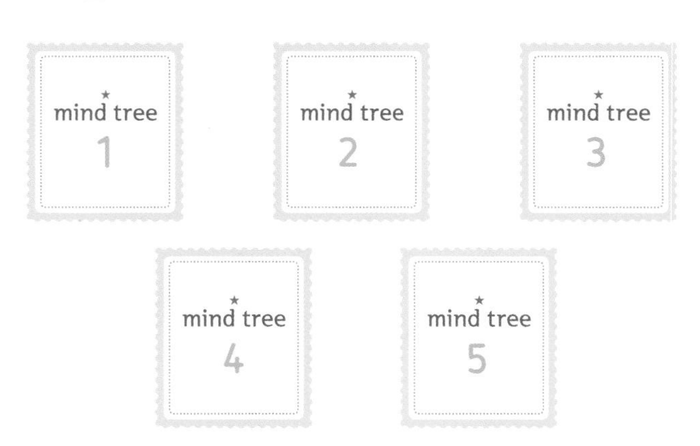

※ 원하는 교재를 1권 체크

- ☐ 형상기억 수학공식집 중1
- ☐ 형상기억 수학공식집 중등 종합
- ☐ 보카 레슨 Level 1
- ☐ 보카 레슨 Level 2
- ☐ 보카 레슨 Level 3

수학 기본 실력 100% 충전

수력충전

DEVELOP YOUR BASIC SKILLS
GENERATE YOUR MATH POWER

중등 수학 2 (상)

개념 충전 » 연산 훈련서

18% 35% 57% 73% 94%

[해설편]

자이스토리 · 수경출판사

수학 기본 실력 100% 충전

개념 충전 » 연산 훈련서

중등 수학 2 (상)

[정답 및 해설]

자이스토리 · 수경출판사

I 수와 연산

I −1 유리수와 소수

pp. 10~15

01 답 1) $\mathbf{4,\ \frac{12}{6}}$　2) $\mathbf{4,\ \frac{12}{6},\ 0,\ -1}$

3) $\mathbf{-\frac{1}{3},\ 2.5,\ -3.08,\ \frac{7}{8}}$　4) $\mathbf{4,\ 2.5,\ \frac{12}{6},\ \frac{7}{8}}$

5) $\mathbf{-\frac{1}{3},\ -3.08,\ -1}$

6) $\mathbf{4,\ 0,\ -\frac{1}{3},\ 2.5,\ \frac{12}{6},\ -3.08,\ \frac{7}{8},\ -1}$

1) $\frac{12}{6}=2$이므로 $4,\ \frac{12}{6}$가 자연수이다.

2) 양의 정수, 0, 음의 정수인 $4,\ \frac{12}{6}(=2),\ 0,\ -1$이 정수이다.

5) 음의 부호가 붙은 수인 $-\frac{1}{3},\ -3.08,\ -1$이 음의 유리수이다.

02 답 1) ㉠　2) ㉢　3) ㉡　4) ㉡

2) $\frac{3}{5}$은 정수가 아닌 유리수이므로 ㉢ 영역에 해당된다.

03 답 유리수, 정수

04 답 **0.5**

$1\div2=\boxed{0.5}$

05 답 **0.3**

$3\div10=0.3$

06 답 **0.35**

$7\div20=0.35$

07 답 **0.333⋯**

$1\div3=\boxed{0.333\cdots}$

08 답 **0.444⋯**

$4\div9=0.444\cdots$

09 답 **0.8333⋯**

$5\div6=0.8333\cdots$

10 답 유

소수점 아래의 0이 아닌 숫자가 유한 개인가? → (예) → 유한소수
소수점 아래의 0이 아닌 숫자가 유한 개인가? → 아니오 → 무한소수

11 답 무

소수점 아래의 0이 아닌 숫자가 무한히 계속되므로 무한소수이다.

12 답 유

소수점 아래의 0이 아닌 숫자가 유한개이므로 유한소수이다.

13 답 유

소수점 아래의 0이 아닌 숫자가 유한개이므로 유한소수이다.

14 답 무

소수점 아래의 0이 아닌 숫자가 무한히 계속되므로 무한소수이다.

15 답 **0**, 유한소수, **0**, 무한소수

16 답 $\mathbf{\frac{9}{10}}$

$0.9=\frac{\boxed{9}}{10}$

17 답 $\mathbf{-\frac{3}{5}}$

$-0.6=-\frac{\boxed{6}}{10}=-\frac{\boxed{3}}{5}$

18 답 $\mathbf{\frac{3}{25}}$

$0.12=\frac{12}{100}=\frac{3}{25}$

19 답 $\mathbf{\frac{3}{4}}$

$0.75=\frac{75}{100}=\frac{3}{4}$

20 답 $\mathbf{\frac{9}{5}}$

$1.8=\frac{18}{10}=\frac{9}{5}$

21 답 $\mathbf{-\frac{157}{50}}$

$-3.14=-\frac{314}{100}=-\frac{157}{50}$

22 답 $\mathbf{\frac{19}{125}}$

$0.152=\frac{152}{1000}=\frac{19}{125}$

23 답 $\frac{37}{20}$

$1.85=\frac{185}{100}=\frac{37}{20}$

24 답 $-\frac{25}{4}$

$-6.25=-\frac{625}{100}=-\frac{25}{4}$

25 답 $\frac{128}{125}$

$1.024=\frac{1024}{1000}=\frac{128}{125}$

26 답 **2, 2**

기약분수의 분모를 소인수분해하여 소인수 $\boxed{2}$와 $\boxed{5}$의 지수가 같아지도록 분모, 분자에 2를 곱해서 분모를 10의 거듭제곱으로 나타낸다.

27 답 5^3, 5^3

기약분수의 분모를 소인수분해하여 소인수 2와 5의 지수가 같아지도록 분모, 분자에 5^3을 곱해서 분모를 10의 거듭제곱으로 나타낸다.

28 답 2^2, 2^2, **8, 0.08**

기약분수의 분모를 소인수분해하여 소인수 2와 5의 지수가 같아지도록 분모, 분자에 2^2을 곱해서 분모를 10의 거듭제곱으로 나타낸다.

29 답 **5, 5, 15, 0.15**

기약분수의 분모를 소인수분해하여 소인수 2와 5의 지수가 같아지도록 분모, 분자에 5를 곱해서 분모를 10의 거듭제곱으로 나타낸다.

30 답 **2, 2, 6, 0.06**

기약분수의 분모를 소인수분해하여 소인수 2와 5의 지수가 같아지도록 분모, 분자에 2를 곱해서 분모를 10의 거듭제곱으로 나타낸다.

31 답 5^2, 5^2, **25**, 10^3, **0.025**

기약분수의 분모를 소인수분해하여 소인수 2와 5의 지수가 같아지도록 분모, 분자에 5^2을 곱해서 분모를 10의 거듭제곱으로 나타낸다.

32 답 **5, 5, 35**, 10^3, **0.035**

기약분수의 분모를 소인수분해하여 소인수 2와 5의 지수가 같아지도록 분모, 분자에 5를 곱해서 분모를 10의 거듭제곱으로 나타낸다.

33 답 2^2, 2^2, **44**, 10^3, **0.044**

기약분수의 분모를 소인수분해하여 소인수 2와 5의 지수가 같아지도록 분모, 분자에 2^2을 곱해서 분모를 10의 거듭제곱으로 나타낸다.

34 답 **2, 5**

35 답 유

❶ 이 분수는 기약분수인가? (예(○), 아니오)

❷ 분모의 소인수가 2나 5뿐인가? (예(○), 아니오)

❸ 이 분수는 (유한소수(○), 무한소수)로 나타내어진다.

36 답 무

❶ 이 분수는 기약분수인가? (예(○), 아니오)

❷ 분모의 소인수가 2나 5뿐인가? (예, 아니오(○))

❸ 이 분수는 (유한소수, 무한소수(○))로 나타내어진다.

37 답 유

기약분수의 분모의 소인수가 2와 5뿐이다.

38 답 무

기약분수의 분모에 2나 5 이외의 소인수 3이 있다.

39 답 유

❶ 이 분수는 기약분수가 아니므로 약분하면

$$\frac{28}{2\times5\times7}=\frac{\boxed{2}}{5}$$

❷ 분모의 소인수가 2나 5뿐인가? (예(○), 아니오)

❸ 이 분수는 (유한소수(○), 무한소수)로 나타내어진다.

40 답 무

$$\frac{15}{2^2\times5\times7^2}=\frac{3}{2^2\times7^2}$$

41 답 무

$$\frac{21}{2\times5\times7^2}=\frac{3}{2\times5\times7}$$

42 답 무

$$\frac{3}{72}=\frac{\boxed{1}}{24}=\frac{\boxed{1}}{2^3\times3}$$

분모에 2나 5 이외의 소인수 $\boxed{3}$이 있으므로 분모를 10의 거듭제곱 꼴인 분수로 나타낼 수 없다. 즉, $\boxed{\text{유한}}$소수로 나타낼 수 없다.

43 답 무

$\frac{6}{56}=\frac{3}{\boxed{28}}=\frac{3}{2^2\times\boxed{7}}$

44 답 유

$\frac{9}{60}=\frac{3}{\boxed{20}}=\frac{3}{\boxed{2^2}\times5}$

45 답 무

$\frac{10}{144}=\frac{5}{72}=\frac{5}{2^3\times3^2}$

46 답 유

$\frac{33}{240}=\frac{11}{80}=\frac{11}{2^4\times5}$

47 답 유

$\frac{27}{120}=\frac{9}{40}=\frac{9}{2^3\times5}$

48 답 **3**

기약분수의 분모에 2나 5 이외의 소인수가 없도록 해야 한다. 따라서 기약분수의 분모의 소인수 중에서 2나 5가 아닌 수를 모두 곱한 수가 a이므로 $a=3$

49 답 **7**

분모의 소인수 중에서 2나 5가 아닌 7을 곱해야 유한소수로 나타낼 수 있으므로 $a=7$

50 답 **3**

$\frac{39\times a}{2\times3^2\times5}=\frac{\boxed{13}\times a}{2\times\boxed{3}\times5}$

분모의 소인수 중에서 2나 5가 아닌 3을 곱해야 유한소수로 나타낼 수 있으므로 $a=\boxed{3}$

51 답 **9**

$\frac{5}{18}\times a=\frac{5}{2\times3^2}\times a$

분모의 소인수 중에서 2나 5가 아닌 9를 곱해야 유한소수로 나타낼 수 있으므로 $a=\boxed{9}$

52 답 **11**

$\frac{63}{330}\times a=\frac{3^2\times7}{2\times3\times5\times11}\times a=\frac{3\times7}{2\times5\times11}\times a$

분모의 소인수 중에서 2나 5가 아닌 11을 곱해야 유한소수로 나타낼 수 있으므로 $a=11$

53 답 기약, 소인수분해, 유한

Ⅰ-2 순환소수

pp. 16~27

54 답 ○

❶ 소수점 아래의 어떤 자리에서부터 일정한 숫자의 배열이 한없이 되풀이되는가? (예(○), 아니오)

❷ 이 소수는 순환소수인가? (예(○), 아니오)

55 답 ○

소수점 아래의 어떤 자리에서부터 일정한 숫자의 배열이 한없이 되풀이되므로 순환소수이다.

56 답 ×

❶ 소수점 아래의 어떤 자리에서부터 일정한 숫자의 배열이 한없이 되풀이되는가? (예, 아니오(○))

❷ 이 소수는 순환소수인가? (예, 아니오(○))

57 답 ×

일정한 숫자의 배열이 한없이 되풀이되지 않는 순환하지 않는 무한소수이다.

58 답 ×

일정한 숫자의 배열이 한없이 되풀이되지 않는 순환하지 않는 무한소수이다.

59 답 **3**

0.333⋯은 소수점 아래의 숫자 3이 일정하게 되풀이되므로 순환마디는 3이다.

60 답 **71**

0.717171⋯은 소수점 아래의 숫자 7, 1이 일정하게 되풀이되므로 순환마디는 71이다.

61 답 **35**

0.93535⋯는 소수점 아래의 숫자 3, 5가 일정하게 되풀이되므로 순환마디는 35이다.

62 답 **234**

1.234234⋯는 소수점 아래의 숫자 2, 3, 4가 일정하게 되풀이되므로 순환마디는 234이다.

63 답 **508**

1.508508⋯은 소수점 아래의 숫자 5, 0, 8이 일정하게 되풀이되므로 순환마디는 508이다.

64 답 $0.\dot{4}$

$0.444\cdots$의 순환마디는 4이므로 순환마디를 써서 나타내면 $0.\dot{4}$이다.

65 답 $0.3\dot{1}$

$0.3111\cdots$의 순환마디는 1이므로 순환마디를 써서 나타내면 $0.3\dot{1}$이다.

66 답 $0.\dot{5}\dot{7}$

$0.575757\cdots$의 순환마디는 57이므로 순환마디를 써서 나타내면 $0.\dot{5}\dot{7}$이다.

67 답 $0.9\dot{6}\dot{3}$

$0.96363\cdots$의 순환마디는 63이므로 순환마디를 써서 나타내면 $0.9\dot{6}\dot{3}$이다.

68 답 $0.\dot{1}2\dot{3}$

$0.123123\cdots$의 순환마디는 123이므로 순환마디를 써서 나타내면 $0.\dot{1}2\dot{3}$이다.

69 답 $3.\dot{2}4\dot{1}$

$3.241241\cdots$의 순환마디는 241이므로 순환마디를 써서 나타내면 $3.\dot{2}4\dot{1}$이다.

70 답 $0.\dot{8}$

$\frac{8}{9}=8\div 9=\boxed{0.888\cdots}$

순환마디가 $\boxed{8}$이므로 간단히 나타내면 $\boxed{0.\dot{8}}$이다.

71 답 $0.\dot{1}$

$\frac{1}{9}=1\div 9=0.111\cdots$

순환마디가 1이므로 간단히 나타내면 $0.\dot{1}$이다.

72 답 $0.\dot{6}$

$\frac{2}{3}=2\div 3=0.666\cdots$

순환마디가 6이므로 간단히 나타내면 $0.\dot{6}$이다.

73 답 $0.8\dot{3}$

$\frac{5}{6}=5\div 6=0.8333\cdots$

순환마디가 3이므로 간단히 나타내면 $0.8\dot{3}$이다.

74 답 $0.\dot{7}\dot{2}$

$\frac{8}{11}=8\div 11=0.7272\cdots$

순환마디가 72이므로 간단히 나타내면 $0.\dot{7}\dot{2}$이다.

75 답 $0.41\dot{6}$

$\frac{5}{12}=5\div 12=0.41666\cdots$

순환마디가 6이므로 간단히 나타내면 $0.41\dot{6}$이다.

76 답 2, 2번째, 3

$0.\dot{2}\dot{3}$의 순환마디의 숫자의 개수는 2, 3의 2개이므로

$40=\boxed{2}\times 20$

따라서 $0.\dot{2}\dot{3}$의 소수점 아래 40번째 자리의 숫자는 순환마디의 (1번째, (2번째)) 자리의 숫자와 같은 $\boxed{3}$이다.

77 답 1, 1번째, 6

$0.\dot{6}5\dot{4}$의 순환마디의 숫자의 개수는 6, 5, 4의 3개이므로

$40=3\times 13+\boxed{1}$

따라서 $0.\dot{6}5\dot{4}$의 소수점 아래 40번째 자리의 숫자는 순환마디의 ((1번째), 2번째, 3번째) 자리의 숫자와 같은 $\boxed{6}$이다.

78 답 1) $0.\dot{4}\dot{5}$ 2) 4

1) $\frac{5}{11}=0.454545\cdots=0.\dot{4}\dot{5}$

2) $0.\dot{4}\dot{5}$의 순환마디의 숫자의 개수는 4, 5의 2개이므로

$25=2\times 12+1$

따라서 $0.\dot{4}\dot{5}$의 소수점 아래 25번째 자리의 숫자는 순환마디의 1번째 자리의 숫자와 같은 4이다.

79 답 5, 유한소수

❶ 분모의 소인수가 2와 $\boxed{5}$뿐이다.

❷ ((유한소수), 순환소수)로 나타낼 수 있다.

80 답 3, 3, 순환소수

❶ 분모에 2나 5 이외의 소인수 $\boxed{3}$이 있다.

❷ (유한소수, (순환소수))로 나타낼 수 있다.

81 답 $\frac{5}{56}$, 3, 7, 순환소수

분모에 2나 5 이외의 소인수 $\boxed{7}$이 있으므로

(유한소수, (순환소수))로 나타낼 수 있다.

82 답 $\frac{21}{110}$, 11, 순환소수

분모에 2나 5 이외의 소인수 $\boxed{11}$이 있으므로

(유한소수, (순환소수))로 나타낼 수 있다.

83 답 순환소수, 순환마디, 위

84 답 **10, 10, 10, 9, $\frac{7}{9}$**

(i) $0.\dot{7}$을 x로 놓으면 $x=0.777\cdots$ ⋯ ㉠

(ii) $0.\dot{7}$의 순환마디는 7로 그 개수가 1개이므로 ㉠의 양변에 $\boxed{10}$을 곱하면 $\boxed{10}x=7.777\cdots$ ⋯ ㉡

(iii) ㉡에서 ㉠을 빼면

$$\begin{array}{rl} \boxed{10}x= & 7.777\cdots \\ -)\quad x= & 0.777\cdots \\ \hline \boxed{9}x= & 7 \end{array} \qquad \therefore x=\boxed{\frac{7}{9}}$$

85 답 **49, 100, 100, 100, 99, 148, $\frac{148}{99}$**

(i) $1.\dot{4}\dot{9}$를 x로 놓으면 $x=1.4949\cdots$ ⋯ ㉠

(ii) $1.\dot{4}\dot{9}$의 순환마디는 $\boxed{49}$로 그 개수가 2개이므로 ㉠의 양변에 $\boxed{100}$을 곱하면 $\boxed{100}x=149.4949\cdots$ ⋯ ㉡

(iii) ㉡에서 ㉠을 빼면

$$\begin{array}{rl} \boxed{100}x= & 149.4949\cdots \\ -)\quad x= & 1.4949\cdots \\ \hline \boxed{99}x= & \boxed{148} \end{array} \qquad \therefore x=\boxed{\frac{148}{99}}$$

86 답 **9, 5, $\frac{5}{9}$**

$x=0.\dot{5}=0.555\cdots$로 놓으면

$$\begin{array}{rl} 10x= & 5.555\cdots \\ -)\quad x= & 0.555\cdots \\ \hline \boxed{9}x= & \boxed{5} \end{array} \qquad \therefore x=\boxed{\frac{5}{9}}$$

87 답 **100, 99, $\frac{34}{99}$**

$x=0.\dot{3}\dot{4}=0.343434\cdots$로 놓으면

$$\begin{array}{rl} \boxed{100}x= & 34.3434\cdots \\ -)\quad x= & 0.3434\cdots \\ \hline \boxed{99}x= & 34 \end{array} \qquad \therefore x=\boxed{\frac{34}{99}}$$

88 답 **1000, 999, $\frac{215}{999}$**

$x=0.\dot{2}1\dot{5}=0.215215\cdots$로 놓으면

$$\begin{array}{rl} \boxed{1000}x= & 215.215215\cdots \\ -)\quad x= & 0.215215\cdots \\ \hline \boxed{999}x= & 215 \end{array} \qquad \therefore x=\boxed{\frac{215}{999}}$$

89 답 **10, 9, $\frac{26}{9}$**

$x=2.\dot{8}=2.888\cdots$로 놓으면

$$\begin{array}{rl} \boxed{10}x= & 28.888\cdots \\ -)\quad x= & 2.888\cdots \\ \hline \boxed{9}x= & 26 \end{array}$$

$\therefore x=\boxed{\frac{26}{9}}$

90 답 **100, 99, 309, $\frac{309}{99}$, $\frac{103}{33}$**

$x=3.\dot{1}\dot{2}=3.121212\cdots$로 놓으면

$$\begin{array}{rl} \boxed{100}x= & 312.1212\cdots \\ -)\quad x= & 3.1212\cdots \\ \hline \boxed{99}x= & \boxed{309} \end{array}$$

$\therefore x=\boxed{\frac{309}{99}}=\boxed{\frac{103}{33}}$

91 답 **1000, 999, 1402, $\frac{1402}{999}$**

$x=1.\dot{4}0\dot{3}=1.403403\cdots$으로 놓으면

$$\begin{array}{rl} \boxed{1000}x= & 1403.403403\cdots \\ -)\quad x= & 1.403403\cdots \\ \hline \boxed{999}x= & \boxed{1402} \end{array}$$

$\therefore x=\boxed{\frac{1402}{999}}$

92 답 **$\frac{14}{3}$**

$x=4.\dot{6}=4.666\cdots$으로 놓으면

$$\begin{array}{rl} 10x= & 46.666\cdots \\ -)\quad x= & 4.666\cdots \\ \hline 9x= & 42 \end{array}$$

$\therefore x=\frac{42}{9}=\frac{14}{3}$

93 답 **$\frac{53}{99}$**

$x=0.\dot{5}\dot{3}=0.5353\cdots$으로 놓으면

$$\begin{array}{rl} 100x= & 53.5353\cdots \\ -)\quad x= & 0.5353\cdots \\ \hline 99x= & 53 \end{array}$$

$\therefore x=\frac{53}{99}$

94 답 $\frac{374}{333}$

$x=1.\dot{1}2\dot{3}=1.123123\cdots$으로 놓으면

$$\begin{array}{r} 1000x=1123.123123\cdots \\ -)\quad x=\quad 1.123123\cdots \\ \hline 999x=1122 \end{array}$$

$\therefore x=\frac{1122}{999}=\frac{374}{333}$

95 답 ㉠

소수점 아래 첫째 자리부터 순환마디가 시작되고, 순환마디가 1개이므로 $10x-x$를 이용한다.

96 답 ㉡

소수점 아래 첫째 자리부터 순환마디가 시작되고, 순환마디가 2개이므로 $100x-x$를 이용한다.

97 답 ㉢

소수점 아래 첫째 자리부터 순환마디가 시작되고, 순환마디가 3개이므로 $1000x-x$를 이용한다.

98 답 ㉢

소수점 아래 첫째 자리부터 순환마디가 시작되고, 순환마디가 3개이므로 $1000x-x$를 이용한다.

99 답 첫째, x, 10, 첫째, 소수, 빼서

100 답 100, 100, 10, 10, 100, 10, 90, $\frac{29}{90}$

(i) $0.3\dot{2}$를 x로 놓으면

$x=0.3222\cdots$ ⋯ ㉠

(ii) $0.3\dot{2}$에서 소수점 아래의 순환하지 않는 숫자는 3으로 $a=1$, 순환마디는 2로 $b=1$이다. 즉, ㉠의 양변에 $\boxed{100}$을 곱하면

$\boxed{100}x=32.222\cdots$ ⋯ ㉡

(iii) ㉠의 양변에 $\boxed{10}$을 곱하면

$\boxed{10}x=3.222\cdots$ ⋯ ㉢

(iv) ㉡에서 ㉢을 빼면

$$\begin{array}{r} \boxed{100}x=32.222\cdots \\ -)\ \boxed{10}x=\ 3.222\cdots \\ \hline \boxed{90}x=29 \end{array}$$

$\therefore x=\boxed{\frac{29}{90}}$

101 답 4, 32, 1000, 1000, 10, 10, 1000, 10, 990, 990, $\frac{214}{495}$

(i) $0.4\dot{3}\dot{2}$를 x로 놓으면

$x=0.43232\cdots$ ⋯ ㉠

(ii) $0.4\dot{3}\dot{2}$에서 소수점 아래의 순환하지 않는 숫자는 $\boxed{4}$로 $a=1$, 순환마디는 $\boxed{32}$로 $b=2$이다. 즉, ㉠의 양변에 $\boxed{1000}$을 곱하면

$\boxed{1000}x=432.3232\cdots$ ⋯ ㉡

(iii) ㉠의 양변에 $\boxed{10}$을 곱하면

$\boxed{10}x=4.3232\cdots$ ⋯ ㉢

(iv) ㉡에서 ㉢을 빼면

$$\begin{array}{r} \boxed{1000}x=432.3232\cdots \\ -)\ \boxed{10}x=\quad 4.3232\cdots \\ \hline \boxed{990}x=428 \end{array}$$

$\therefore x=\frac{428}{\boxed{990}}=\boxed{\frac{214}{495}}$

102 답 10, 90, $\frac{47}{90}$

$x=0.5\dot{2}=0.5222\cdots$로 놓으면

$$\begin{array}{r} 100x=52.222\cdots \\ -)\ \boxed{10}x=\ 5.222\cdots \\ \hline \boxed{90}x=47 \end{array}$$

$\therefore x=\boxed{\frac{47}{90}}$

103 답 100, 10, 90, 90, $\frac{2}{15}$

$x=0.1\dot{3}=0.1333\cdots$으로 놓으면

$$\begin{array}{r} \boxed{100}x=13.333\cdots \\ -)\ \boxed{10}x=\ 1.333\cdots \\ \hline \boxed{90}x=12 \end{array}$$

$\therefore x=\frac{12}{\boxed{90}}=\boxed{\frac{2}{15}}$

104 답 1000, 10, 990, $\frac{133}{990}$

$x=0.1\dot{3}\dot{4}=0.13434\cdots$로 놓으면

$$\begin{array}{r} \boxed{1000}x=134.3434\cdots \\ -)\ \boxed{10}x=\quad 1.3434\cdots \\ \hline \boxed{990}x=133 \end{array}$$

$\therefore x=\boxed{\frac{133}{990}}$

105 답 **100, 900, 900, $\frac{107}{225}$**

$x=0.47\dot{5}=0.47555\cdots$로 놓으면

$$\begin{array}{r} 1000x=475.555\cdots \\ -)\ \boxed{100}\,x=\ 47.555\cdots \\ \hline \boxed{900}\,x=428 \end{array}$$

$\therefore x=\frac{428}{\boxed{900}}=\boxed{\frac{107}{225}}$

106 답 **100, 10, 90, 229, $\frac{229}{90}$**

$x=2.5\dot{4}=2.5444\cdots$로 놓으면

$$\begin{array}{r} \boxed{100}\,x=254.444\cdots \\ -)\ \boxed{10}\,x=\ 25.444\cdots \\ \hline \boxed{90}\,x=\boxed{229} \end{array}$$

$\therefore x=\boxed{\frac{229}{90}}$

107 답 **1000, 10, 990, 1709, $\frac{1709}{990}$**

$x=1.7\dot{2}\dot{6}=1.72626\cdots$으로 놓으면

$$\begin{array}{r} \boxed{1000}\,x=1726.2626\cdots \\ -)\ \boxed{10}\,x=\ 17.2626\cdots \\ \hline \boxed{990}\,x=\boxed{1709} \end{array}$$

$\therefore x=\boxed{\frac{1709}{990}}$

108 답 $\frac{17}{90}$

$x=0.1\dot{8}=0.1888\cdots$로 놓으면

$$\begin{array}{r} 100x=18.888\cdots \\ -)\ 10x=\ 1.888\cdots \\ \hline 90x=17 \end{array}$$

$\therefore x=\frac{17}{90}$

109 답 $\frac{47}{330}$

$x=0.1\dot{4}\dot{2}=0.14242\cdots$로 놓으면

$$\begin{array}{r} 1000x=142.4242\cdots \\ -)\ 10x=\ 1.4242\cdots \\ \hline 990x=141 \end{array}$$

$\therefore x=\frac{141}{990}=\frac{47}{330}$

110 답 $\frac{127}{45}$

$x=2.8\dot{2}=2.8222\cdots$로 놓으면

$$\begin{array}{r} 100x=282.222\cdots \\ -)\ 10x=\ 28.222\cdots \\ \hline 90x=254 \end{array}$$

$\therefore x=\frac{254}{90}=\frac{127}{45}$

111 답 ㉠

소수점 아래의 순환하지 않는 숫자의 개수 1과 순환마디의 숫자의 개수 1의 합, 즉 2만큼 10의 거듭제곱을 곱해주고, 소수점 아래의 순환하지 않는 숫자의 개수 1만큼 10의 거듭제곱을 곱하여 두 식을 변끼리 빼서 x의 값을 구하면 되므로 가장 편리한 식은 $100x-10x$이다.

112 답 ㉠

소수점 아래의 순환하지 않는 숫자의 개수 1과 순환마디의 숫자의 개수 1의 합, 즉 2만큼 10의 거듭제곱을 곱해주고, 소수점 아래의 순환하지 않는 숫자의 개수 1만큼 10의 거듭제곱을 곱하여 두 식을 변끼리 빼서 x의 값을 구하면 되므로 가장 편리한 식은 $100x-10x$이다.

113 답 ㉡

소수점 아래의 순환하지 않는 숫자의 개수 1과 순환마디의 숫자의 개수 2의 합, 즉 3만큼 10의 거듭제곱을 곱해주고, 소수점 아래의 순환하지 않는 숫자의 개수 1만큼 10의 거듭제곱을 곱하여 두 식을 변끼리 빼서 x의 값을 구하면 되므로 가장 편리한 식은 $1000x-10x$이다.

114 답 ㉢

소수점 아래의 순환하지 않는 숫자의 개수 2와 순환마디의 숫자의 개수 1의 합, 즉 3만큼 10의 거듭제곱을 곱해주고, 소수점 아래의 순환하지 않는 숫자의 개수 2만큼 10의 거듭제곱을 곱하여 두 식을 변끼리 빼서 x의 값을 구하면 되므로 가장 편리한 식은 $1000x-100x$이다.

115 답 x, x, 빼서

116 답 $\frac{4}{9}$

$0.\dot{4}=\frac{4}{\boxed{9}}$

117 답 $\frac{104}{9}$

$11.\dot{5}=\frac{115-\boxed{11}}{9}=\frac{\boxed{104}}{9}$

118 답 $\frac{67}{33}$

$2.\dot{0}\dot{3}=\frac{203-2}{99}=\frac{201}{99}=\frac{67}{33}$

119 답 $\frac{23}{90}$

$0.2\dot{5}=\frac{\boxed{25}-2}{\boxed{90}}=\frac{23}{\boxed{90}}$

120 답 $\frac{19}{45}$

$0.4\dot{2}=\frac{42-4}{90}=\frac{38}{90}=\frac{19}{45}$

121 답 $\frac{61}{495}$

$0.\dot{1}2\dot{3}=\frac{123-1}{990}=\frac{122}{990}=\frac{61}{495}$

122 답 $\frac{113}{45}$

$2.5\dot{1}=\frac{251-\boxed{25}}{\boxed{90}}=\frac{226}{\boxed{90}}=\frac{\boxed{113}}{\boxed{45}}$

123 답 **분모, 9, 0, 분자, 순환하지 않는**

124 답 $<$

❶ 자리의 수로 비교하는 방법

$0.3=0.3$

$0.\dot{3}=0.333\cdots$

$\Rightarrow 0.3\boxed{<}0.\dot{3}$

❷ 분수로 비교하는 방법

$0.3=\frac{3}{10}=\frac{\boxed{27}}{9},\ 0.\dot{3}=\frac{3}{9}=\frac{\boxed{30}}{90}$

$\Rightarrow 0.3\boxed{<}0.\dot{3}$

125 답 $<$

$2.4<2.444\cdots$

126 답 $>$

$2.7474\cdots>2.74$

127 답 $<$

$0.39<0.3939\cdots$

128 답 $<$

$0.357<0.35757\cdots$

129 답 $>$

❶ 자리의 수로 비교하는 방법

$0.\dot{7}\ =0.7\underline{7}77\cdots$

$0.7\dot{2}=0.7\underline{2}22\cdots$

$\Rightarrow 0.\dot{7}\boxed{>}0.7\dot{2}$

❷ 분수로 비교하는 방법

$0.\dot{7}=\frac{7}{9}=\frac{\boxed{70}}{90},\ 0.7\dot{2}=\frac{72-7}{90}=\frac{\boxed{65}}{90}$

$\Rightarrow 0.\dot{7}\boxed{>}0.7\dot{2}$

130 답 $<$

$0.3\dot{2}=0.32\underline{2}2\cdots$

$\frac{32}{99}=0.\dot{3}\dot{2}=0.32\underline{3}2\cdots$

$\Rightarrow 0.3\dot{2}<\frac{32}{99}$

131 답 $>$

$0.0\dot{4}=0.04\underline{4}4\cdots$

$\frac{4}{99}=0.\dot{0}\dot{4}=0.04\underline{0}4\cdots$

$\Rightarrow 0.0\dot{4}>\frac{4}{99}$

132 답 **순환마디, 크기, 분모**

133 답 ○

모든 유리수는 $\frac{b}{a}(a\neq0)$ 꼴로 나타낼 수 있다.

134 답 ×

모든 소수는 분수로 나타낼 수 없다. 무한소수 중 순환하지 않는 무한소수는 분수로 나타낼 수 없기 때문이다.

135 답 ×

순환하지 않는 무한소수는 순환소수가 아니므로 모든 무한소수는 순환소수가 아니다.

136 답 ○

모든 순환소수는 분수 꼴로 나타낼 수 있으므로 유리수이다.

137 답 ×

모든 유리수는 유한소수로 나타낼 수 없다. 유리수 중 순환소수는 무한소수로밖에 나타낼 수 없기 때문이다.

138 답 ㄷ, ㅁ

ㄷ. π는 순환하지 않는 무한소수로 유리수가 아니다.

ㅁ. 0.3030030003⋯은 순환하지 않는 무한소수로 유리수가 아니다.

139 답 ㄱ, ㄹ

ㄴ. a는 무한소수 중 순환소수이므로 유리수이다.

ㄷ. 순환마디는 94이다.

ㅁ. a를 기약분수로 나타내면

$$a=1.8\dot{9}\dot{4}=\frac{1894-18}{990}=\frac{1876}{990}$$

$$=\frac{938}{495}=\frac{938}{3^2\times5\times11}$$

이므로 분모에 2 또는 5 이외의 소인수 3, 11이 있다.

140 답 유한, 순환, 유리수

단원 총정리 문제 정답 Ⅰ 수와 연산

pp.28~29

01 ⑤ 02 ③, ④ 03 ② 04 ㄴ, ㄷ, ㄹ
05 ② 06 ① 07 4 08 3 09 ④
10 ② 11 ③ 12 ⑤ 13 524 14 ③, ⑤
15 77 16 $\frac{45}{4}$

01 답 ⑤

순환하지 않는 무한소수는 유리수가 아니므로 $\frac{b}{a}$ (a, b는 정수, $a\neq0$) 꼴로 나타낼 수 없다.

02 답 ③, ④

① $\frac{12}{3}=4$이므로 양의 정수

⑤ $-\frac{20}{4}=-5$이므로 음의 정수

03 답 ②

② 음의 정수가 아닌 정수는 0 또는 양의 정수이다.

04 답 ㄴ, ㄷ, ㄹ

소수점 아래의 0이 아닌 숫자가 유한개인 소수는 ㄴ, ㄷ, ㄹ이다.

05 답 ②

① 0.0555⋯ → 5

③ 1.541541⋯ → 541

④ 0.8999⋯ → 9

⑤ 3.079079⋯ → 079

06 답 ①

② $1.75858\cdots=1.7\dot{5}\dot{8}$

③ $0.9222\cdots=0.9\dot{2}$

④ $3.753753\cdots=\dot{3}.75\dot{3}$

⑤ $0.082082\cdots=0.\dot{0}8\dot{2}$

07 답 4

$\frac{11}{12}=0.91666\cdots=0.91\dot{6}$이므로

순환마디의 숫자의 개수는 1개이다.

$\frac{7}{27}=0.259259\cdots=0.\dot{2}5\dot{9}$이므로

순환마디의 숫자의 개수는 3개이다.

따라서 $a=1$, $b=3$이므로 $a+b=4$이다.

08 답 3

$\frac{12}{33}=\frac{4}{11}=0.3636\cdots=0.\dot{3}\dot{6}$이므로 순환마디의 숫자의 개수는 2개이다.

$35=2\times17+1$이므로 소수점 아래 35번째 자리의 숫자는 소수점 아래 첫째 자리의 숫자와 같은 3이다.

09 답 ④

① $\frac{1}{15}=\frac{1}{3\times5}$

기약분수의 분모는 2나 5 이외의 소인수 3이 있으므로 유한소수로 나타낼 수 없다.

② $\frac{1}{12}=\frac{1}{2^2\times3}$

기약분수의 분모는 2나 5 이외의 소인수 3이 있으므로 유한소수로 나타낼 수 없다.

③ $\frac{20}{75}=\frac{4}{15}=\frac{4}{3\times5}$

기약분수의 분모는 2나 5 이외의 소인수 3이 있으므로 유한소수로 나타낼 수 없다.

④ $\frac{44}{2^2\times5\times11}=\frac{1}{5}$

기약분수의 분모는 2나 5뿐이므로 유한소수로 나타낼 수 있다.

⑤ $\frac{8}{2^2\times3\times7}=\frac{2}{3\times7}$

기약분수의 분모는 2나 5 이외의 소인수 3, 7이 있으므로 유한소수로 나타낼 수 없다.

10 답 ②

② $\frac{28}{5\times3}$

기약분수의 분모는 2나 5 이외의 소인수 3이 있으므로 유한소수로 나타낼 수 없다.

④ $\frac{28}{5\times7}=\frac{4}{5}$

기약분수의 분모는 2나 5뿐이므로 유한소수로 나타낼 수 있다.

⑤ $\frac{28}{5\times14}=\frac{2}{5}$

기약분수의 분모는 2나 5뿐이므로 유한소수로 나타낼 수 있다.

11 답 ③

$x=0.4\dot{3}=0.4333\cdots$으로 놓으면

$100x=43.333\cdots$ $\cdots$ ⓐ

$10x=4.333\cdots$ $\cdots$ ⓑ

ⓐ−ⓑ를 하면 $90x=39$

$\therefore x=\frac{39}{90}=\frac{13}{30}$

12 답 ⑤

⑤ $x=0.52828\cdots$로 놓으면

$$\begin{array}{rl} 1000x= & 528.2828\cdots \\ -)\ \ 10x= & 5.2828\cdots \\ \hline 990x= & 523 \end{array}$$

13 답 524

$4.\dot{2}\dot{9}=\frac{429-4}{99}=\frac{425}{99}$

따라서 분자와 분모의 합은 $425+99=524$

14 답 ③, ⑤

① $3.\dot{4}=\frac{34-3}{9}=\frac{31}{9}$

② $0.\dot{2}\dot{9}=\frac{29}{99}$

④ $0.\dot{1}2\dot{4}=\frac{124}{999}$

15 답 77

$\frac{7}{196}=\frac{7}{2^2\times7^2}=\frac{1}{2^2\times7}$

이므로 a는 7의 배수이어야 한다.

$\frac{1}{220}=\frac{1}{2^2\times5\times11}$

이므로 a는 11의 배수이어야 한다.

즉, a는 7과 11의 공배수, 즉 77의 배수이어야 한다.

따라서 구하는 가장 작은 자연수는 77이다.

16 답 $\frac{45}{4}$

$0.\dot{0}\dot{9}=\frac{9}{99}=\frac{1}{11}$ $\therefore a=11$

$0.9\dot{7}=\frac{88}{90}=\frac{44}{45}$ $\therefore b=\frac{45}{44}$

$\therefore ab=11\times\frac{45}{44}=\frac{45}{4}$

Ⅱ 식의 계산

Ⅱ -1 단항식의 계산

pp. 34~44

01 답 $\boldsymbol{x^5}$

$x^2 \times x^3 = x^{2\boxed{+}3} = x^{\boxed{5}}$

02 답 $\boldsymbol{y^{11}}$

$y^5 \times y^6 = y^{5+6} = y^{11}$

03 답 $\boldsymbol{z^4}$

$z \times z^3 = z^{1+3} = z^4$

04 답 $\boldsymbol{a^6}$

$a^4 \times a^2 = a^{4+2} = a^6$

05 답 $\boldsymbol{b^{12}}$

$b^7 \times b^5 = b^{7+5} = b^{12}$

06 답 $\boldsymbol{c^7}$

$c^3 \times c^4 = c^{3+4} = c^7$

07 답 $\boldsymbol{x^6}$

$x \times x^2 \times x^3 = x^{\boxed{1}+\boxed{2}+3} = x^{\boxed{6}}$

08 답 $\boldsymbol{a^{12}}$

$a^2 \times a^2 \times a^3 \times a^5 = a^{2+2+3+5} = a^{12}$

09 답 $\boldsymbol{x^5y^4}$

밑이 같은 것끼리만 지수법칙을 적용하면

$x^3 \times y^4 \times x^2 = x^{\boxed{3}+2}y^{\boxed{4}} = x^{\boxed{5}}y^{\boxed{4}}$

10 답 $\boldsymbol{a^4b^4}$

$a^3 \times b \times a \times b^3 = a^{3+1}b^{1+3} = a^4b^4$

11 답 $\boldsymbol{a^5x^6}$

$a^2 \times x^2 \times x^4 \times a^3 = a^{2+3}x^{2+4} = a^5x^6$

12 답 자연수, ×, +

13 답 $\boldsymbol{x^6}$

$(x^3)^2 = x^{3\boxed{\times}2} = x^{\boxed{6}}$

14 답 $\boldsymbol{y^{24}}$

$(y^8)^3 = y^{8\times3} = y^{24}$

15 답 $\boldsymbol{z^{21}}$

$(z^3)^7 = z^{3\times7} = z^{21}$

16 답 $\boldsymbol{a^8}$

$(a^4)^2 = a^{4\times2} = a^8$

17 답 $\boldsymbol{b^{12}}$

$(b^3)^4 = b^{3\times4} = b^{12}$

18 답 $\boldsymbol{c^{24}}$

$(c^6)^4 = c^{6\times4} = c^{24}$

19 답 $\boldsymbol{a^{22}}$

$(a^4)^2 \times (a^2)^7 = a^{\boxed{4}\times2} \times a^{2\times\boxed{7}} = a^{\boxed{8}+\boxed{14}} = a^{\boxed{22}}$

20 답 $\boldsymbol{b^{16}}$

$b \times (b^3)^5 = b \times b^{3\times5} = b^{1+15} = b^{16}$

21 답 $\boldsymbol{x^{23}}$

$x^5 \times (x^6)^2 \times (x^2)^3 = x^5 \times x^{12} \times x^6 = x^{5+12+6} = x^{23}$

22 답 $\boldsymbol{x^{10}y^6}$

$x^4 \times (y^3)^2 \times (x^2)^3 = x^4 \times y^6 \times x^6 = x^{4+6}y^6 = x^{10}y^6$

23 답 $\boldsymbol{a^{12}y^{11}}$

$(a^3)^4 \times (y^2)^4 \times y^3 = a^{12} \times y^8 \times y^3 = a^{12}y^{8+3} = a^{12}y^{11}$

24 답 자연수, $\boldsymbol{mn}$

25 답 $\boldsymbol{2^3}$

$2^5 \div 2^2 = a^{\boxed{5}-\boxed{2}} = 2^{\boxed{3}}$

26 답 $\boldsymbol{a^2}$

$a^6 \div a^4 = a^{6-4} = a^2$

27 답 $\boldsymbol{x^5}$

$x^7 \div x^2 = x^{7-2} = x^5$

28 답 $\boldsymbol{y}$

$y^{10} \div y^9 = y^{10-9} = y$

29 답 $\boldsymbol{7^4}$

$7^7 \div 7^3 = 7^{7-3} = 7^4$

30 답 **1**

지수가 같으므로 $a^9 \div a^9 = 1$

31 답 1

지수가 같으므로 $5^8 \div 5^8 = 1$

32 답 $\frac{1}{x^5}$

$x^2 \div x^7 = \frac{1}{x^{\boxed{7}-\boxed{2}}} = \frac{1}{x^{\boxed{5}}}$

33 답 $\frac{1}{a^3}$

$a^3 \div a^6 = \frac{1}{a^{6-3}} = \frac{1}{a^3}$

34 답 $\frac{1}{b^7}$

$b^5 \div b^{12} = \frac{1}{b^{12-5}} = \frac{1}{b^7}$

35 답 $\frac{1}{3^5}$

$3^4 \div 3^9 = \frac{1}{3^{9-4}} = \frac{1}{3^5}$

36 답 $\frac{1}{x^4}$

$x^{14} \div x^{18} = \frac{1}{x^{18-14}} = \frac{1}{x^4}$

37 답 x^2

$(x^3)^2 \div x^4 = x^{\boxed{6}} \div x^4 = x^{\boxed{6}-4} = x^{\boxed{2}}$

38 답 a^3

$(a^4)^3 \div a^9 = a^{12} \div a^9 = a^{12-9} = a^3$

39 답 y

$(y^2)^5 \div (y^3)^3 = y^{10} \div y^9 = y^{10-9} = y$

40 답 1

$a^{10} \div (a^2)^5 = a^{10} \div a^{10} = 1$

41 답 1

$(x^3)^2 \div (x^2)^3 = x^6 \div x^6 = 1$

42 답 $\frac{1}{b^3}$

$(b^4)^3 \div (b^3)^5 = b^{12} \div b^{15} = \frac{1}{b^{15-12}} = \frac{1}{b^3}$

43 답 $\frac{1}{y^5}$

$(y^{10})^3 \div (y^5)^7 = y^{30} \div y^{35} = \frac{1}{y^{35-30}} = \frac{1}{y^5}$

44 답 $\frac{1}{a^7}$

$(a^4)^5 \div (a^9)^3 = a^{20} \div a^{27} = \frac{1}{a^{27-20}} = \frac{1}{a^7}$

45 답 a^2

$a^5 \div a^2 \div a = a^{\boxed{3}} \div a = a^{\boxed{2}}$

46 답 1

$x^6 \div x^2 \div x^4 = x^4 \div x^4 = 1$

47 답 $\frac{1}{b^4}$

$b^3 \div b \div b^6 = b^2 \div b^6 = \frac{1}{b^4}$

48 답 a

$(a^5)^3 \div (a^4)^2 \div (a^2)^3 = a^{15} \div a^8 \div a^6 = a^7 \div a^6 = a$

49 답 $\frac{1}{y^7}$

$(y^3)^3 \div (y^2)^4 \div (y^4)^2 = y^9 \div y^8 \div y^8 = y \div y^8 = \frac{1}{y^7}$

50 답 자연수, $>$, a^{m-n}, $=$, 1, $<$, $\frac{1}{a^{n-m}}$

51 답 a^3b^3

$(ab)^3 = ab \times ab \times ab = a^3b^3$

52 답 x^5y^5

$(xy)^5 = \underbrace{xy \times \cdots \times xy}_{5개} = x^5y^5$

53 답 a^4b^8

$(ab^2)^4 = a^{\boxed{4}}b^{2\times\boxed{4}} = a^{\boxed{4}}b^{\boxed{8}}$

54 답 x^6y^2

$(x^3y)^2 = x^{3\times2}y^2 = x^6y^2$

55 답 $a^{12}b^9$

$(a^4b^3)^3 = a^{4\times3}b^{3\times3} = a^{12}b^9$

56 답 x^4y^6

$(x^2y^3)^2 = x^{2\times2}y^{3\times2} = x^4y^6$

57 답 $\frac{y^4}{x^4}$

$\left(\frac{y}{x}\right)^4 = \frac{y}{x} \times \frac{y}{x} \times \frac{y}{x} \times \frac{y}{x} = \frac{y^4}{x^4}$

58 답 $\boldsymbol{\frac{a^3}{b^6}}$

$\left(\frac{a}{b^2}\right)^3=\frac{a^3}{(b^2)^{\boxed{3}}}=\frac{a^3}{b^{\boxed{2}\times\boxed{3}}}=\frac{a^3}{b^{\boxed{6}}}$

59 답 $\boldsymbol{\frac{x^{10}}{y^5}}$

$\left(\frac{x^2}{y}\right)^5=\frac{(x^2)^5}{y^5}=\frac{x^{2\times5}}{y^5}=\frac{x^{10}}{y^5}$

60 답 $\boldsymbol{\frac{b^{21}}{a^{12}}}$

$\left(\frac{b^7}{a^4}\right)^3=\frac{(b^7)^3}{(a^4)^3}=\frac{b^{7\times3}}{a^{4\times3}}=\frac{b^{21}}{a^{12}}$

61 답 자연수, $\boldsymbol{n}$, $\boldsymbol{n}$

62 답 $\boldsymbol{6ab}$

$3a\times2b=(3\times\boxed{2})\times(a\times\boxed{b})=\boxed{6ab}$

63 답 $\boldsymbol{15xy}$

$5x\times3y=(5\times3)\times(x\times y)=15xy$

64 답 $\boldsymbol{28ab}$

$4a\times7b=(4\times7)\times(a\times b)=28ab$

65 답 $\boldsymbol{-16ab}$

$(-4a)\times4b=-(4\times4)\times(a\times b)=-16ab$

66 답 $\boldsymbol{-12xy}$

$2x\times(-6y)=-(2\times6)\times(x\times y)=-12xy$

67 답 $\boldsymbol{30xy}$

$-5x\times(-6y)=(5\times6)\times(x\times y)=30xy$

68 답 $\boldsymbol{-6x^3}$

$2x\times(-3x^2)=-(2\times\boxed{3})\times x^{\boxed{1}+2}=-\boxed{6}x^{\boxed{3}}$

69 답 $\boldsymbol{-8a^3b^4}$

$4a^2b\times(-2ab^3)=-(4\times2)\times a^{2+1}b^{1+3}=-8a^3b^4$

70 답 $\boldsymbol{30x^5y^8}$

$-5x^3y^2\times(-6x^2y^6)=(5\times6)\times x^{3+2}y^{2+6}=30x^5y^8$

71 답 $\boldsymbol{-36a^3}$

$(-3a)^2\times(-4a)=9a^2\times(-4a)$

$=-(9\times4)\times a^{2+1}$

$=-36a^3$

72 답 $\boldsymbol{-8a^5}$

$(-2a)^3\times a^2=(-8a^3)\times a^2=-8\times a^{3+2}=-8a^5$

73 답 $\boldsymbol{16x^4y^7}$

$x^2y^3\times(4xy^2)^2=x^2y^3\times16x^2y^4=16\times x^{2+2}y^{3+4}$

$=16x^4y^7$

74 답 $\boldsymbol{6x^4y^4z^5}$

(주어진 식)$=6\times x^{2+2}y^{1+3}z^{2+3}=6x^4y^4z^5$

75 답 $\boldsymbol{12a^5b^3c^6}$

(주어진 식)$=(6\times2)\times a^{2+3}b^{2+1}c^{1+5}$

$=12a^5b^3c^6$

76 답 $\boldsymbol{-4x^6y^4z^3}$

(주어진 식)$=-(2\times2)\times x^{1+5}y^{3+1}z^{2+1}=-4x^6y^4z^3$

77 답 $\boldsymbol{-60a^2b^3}$

(주어진 식)$=-(3\times4\times\boxed{5})\times a^{1+\boxed{1}}b^{1+\boxed{2}}$

$=\boxed{-60a^2b^3}$

78 답 $\boldsymbol{24a^4b^5}$

(주어진 식)$=(3\times2\times4)\times a^{2+1+1}b^{1+3+1}=24a^4b^5$

79 답 $\boldsymbol{-6x^6y^7}$

(주어진 식)$=-(3\times2)\times x^{3+2+1}y^{4+3}=-6x^6y^7$

80 답 $\boldsymbol{12x^5y^3}$

(주어진 식)$=6x^2\times2xy\times x^2y^2=12x^5y^3$

81 답 $\boldsymbol{144x^{11}y^{10}}$

(주어진 식)$=4x^6y^4\times4xy^2\times9x^4y^4=144x^{11}y^{10}$

82 답 $\boldsymbol{216x^9y^{11}}$

(주어진 식)$=4x^2y^4\times27x^6y^3\times2xy^4=216x^9y^{11}$

83 답 $\boldsymbol{-288a^{17}b^{14}}$

(주어진 식)$=-8a^9b^6\times4a^4b^2\times9a^4b^6=-288a^{17}b^{14}$

84 답 계수, 문자, 지수

85 답 **3**

$6a\div2a=\frac{6a}{\boxed{2a}}=\boxed{3}$

86 답 **2**

$8x\div4x=\frac{8x}{4x}=2$

87 답 $\boldsymbol{-3y}$

$-9xy\div3x=-\frac{9xy}{3x}=-3y$

88 답 $\boldsymbol{-\frac{b}{2a}}$

$ab^2\div(-2a^2b)=-\frac{ab^2}{2a^2b}=-\frac{b}{2a}$

89 답 $\boldsymbol{2x}$

$-6x^2y\div(-3xy)=\frac{-6x^2y}{-3xy}=2x$

90 답 $\boldsymbol{12x}$

$16x^3\div\frac{4}{3}x^2=16x^3\times\frac{\boxed{3}}{\boxed{4x^2}}=\boxed{12x}$

91 답 $\boldsymbol{10a^2}$

$2a^3\div\frac{1}{5}a=2a^3\times\frac{5}{a}=10a^2$

92 답 $\boldsymbol{-6y^2}$

$-4x^2y^3\div\frac{2}{3}x^2y=-4x^2y^3\times\frac{3}{2x^2y}=-6y^2$

93 답 $\boldsymbol{-\frac{6}{x}}$

$3xy\div\left(-\frac{1}{2}x^2y\right)=3xy\times\left(-\frac{2}{x^2y}\right)=-\frac{6}{x}$

94 답 $\boldsymbol{\frac{3b^3}{2a}}$

$-\frac{3}{4}a^3b^2\div\left(-\frac{a^4}{2b}\right)=-\frac{3}{4}a^3b^2\times\left(-\frac{2b}{a^4}\right)=\frac{3b^3}{2a}$

95 답 $\boldsymbol{2a^7x^5}$

(주어진 식)$=8a^9x^9\div4a^2x^4=\frac{8a^9x^9}{4a^2x^4}=2a^7x^5$

96 답 $\boldsymbol{-\frac{x^4}{16y}}$

(주어진 식)$=-x^6y^3\div16x^2y^4=-\frac{x^6y^3}{16x^2y^4}=-\frac{x^4}{16y}$

97 답 $\boldsymbol{27x^3}$

(주어진 식)$=-27x^6y^6\div(-x^3y^6)=\frac{27x^6y^6}{x^3y^6}=27x^3$

98 답 $\boldsymbol{\frac{3a}{4b^2}}$

(주어진 식)$=\frac{9}{4}a^4b^2\times\frac{1}{3a^3b^4}=\frac{3a}{4b^2}$

99 답 $\boldsymbol{-\frac{8}{15}x^3y^2}$

(주어진 식)$=\frac{4}{9}x^4y^4\times\left(-\frac{6}{5xy^2}\right)=-\frac{8}{15}x^3y^2$

100 답 $\boldsymbol{-\frac{3x^2}{8y}}$

(주어진 식)$=\frac{1}{9}x^2y^2\times\left(-\frac{27}{8y^3}\right)=-\frac{3x^2}{8y}$

101 답 $\boldsymbol{-\frac{a^4}{18b}}$

(주어진 식)$=-\frac{1}{8}a^6b^3\div\frac{9}{4}a^2b^4$

$=-\frac{1}{8}a^6b^3\times\frac{4}{9a^2b^4}=-\frac{a^4}{18b}$

102 답 $\boldsymbol{2a^2b}$

(주어진 식)$=\boxed{16a^8b^4}\times\frac{\boxed{1}}{a^4b^2}\times\frac{1}{\boxed{8a^2b}}=\boxed{2a^2b}$

103 답 $\boldsymbol{2b^7}$

(주어진 식)$=8a^3b^9\div a^2b^2\div4a$

$=8a^3b^9\times\frac{1}{a^2b^2}\times\frac{1}{4a}=2b^7$

104 답 $\boldsymbol{-y^6}$

(주어진 식)$=x^5y^{10}\div(-x^6y^3)\div\frac{y}{x}$

$=x^5y^{10}\times\left(-\frac{1}{x^6y^3}\right)\times\frac{x}{y}=-y^6$

105 답 $\boldsymbol{-\frac{27x^7y^4}{4}}$

(주어진 식)$=-27x^6y^9\div\frac{4y^4}{x^2}\div xy$

$=-27x^6y^9\times\frac{x^2}{4y^4}\times\frac{1}{xy}=-\frac{27x^7y^4}{4}$

106 답 1) 분수, 약분 2) 분모

107 답 $\boldsymbol{x^4}$

(주어진 식)$=3x^2\times2x^3\times\frac{\boxed{1}}{\boxed{6x}}=\boxed{x^4}$

108 답 $\boldsymbol{12x^3}$

(주어진 식)$=4x^4\times6x\times\frac{1}{2x^2}=12x^3$

109 답 $\boldsymbol{6a^2}$

(주어진 식)$=12a^4\times4a\times\frac{1}{8a^3}=6a^2$

110 답 $\boldsymbol{3x}$

(주어진 식)$=-x^2\times(-9x^2)\times\frac{1}{3x^3}=3x$

111 답 $\boldsymbol{-3y}$

(주어진 식)$=y^2\times(-27y^3)\times\frac{1}{9y^4}=-3y$

112 답 $\boldsymbol{6a^2}$

(주어진 식)$=4a^3\times\frac{\boxed{1}}{\boxed{2a^2}}\times3a=\boxed{6a^2}$

113 답 $\boldsymbol{x^3}$

(주어진 식)$=2x^3\times\frac{1}{6x^2}\times3x^2=x^3$

114 답 $\boldsymbol{-12a^2}$

(주어진 식)$=-8a^3\times\frac{1}{2a^2}\times3a=-12a^2$

115 답 $\boldsymbol{3y}$

(주어진 식)$=18y^3\times\left(-\frac{1}{6y^4}\right)\times(-y^2)=3y$

116 답 $\boldsymbol{2b^3}$

(주어진 식)$=-3b^2\times\frac{1}{6b^3}\times(-4b^4)=2b^3$

117 답 $\boldsymbol{2x^8y^5}$

(주어진 식)$=8x^6y^3\times x^5y^4\times\frac{1}{4x^3y^2}=2x^8y^5$

118 답 $\boldsymbol{-27a^5b^2}$

(주어진 식)$=24a^4b^3\times9a^4b^2\times\frac{1}{-8a^3b^3}=-27a^5b^2$

119 답 $\boldsymbol{54x^7}$

(주어진 식)$=27x^6y^3\times(-16x)\div(-8y^3)$

$=27x^6y^3\times(-16x)\times\frac{1}{-8y^3}=54x^7$

120 답 $\boldsymbol{8b^5}$

(주어진 식)$=16a^2b^4\times2a^2b^3\div4a^4b^2$

$=16a^2b^4\times2a^2b^3\times\frac{1}{4a^4b^2}=8b^5$

121 답 $\boldsymbol{-18x^4y^3}$

(주어진 식)$=9x^4y^8\times16x^{12}y^4\div(-8x^{12}y^9)$

$=9x^4y^8\times16x^{12}y^4\times\frac{1}{-8x^{12}y^9}=-18x^4y^3$

122 답 $\boldsymbol{-4x^7y^3}$

(주어진 식)$=4x^4y^6\times x^6y^3\div(-x^3y^6)$

$=4x^4y^6\times x^6y^3\times\frac{1}{-x^3y^6}=-4x^7y^3$

123 답 $\boldsymbol{4x^{10}y^2}$

(주어진 식)$=4x^6y^2\times x^6y^6\div x^2y^6=4x^6y^2\times x^6y^6\times\frac{1}{x^2y^6}$

$=4x^{10}y^2$

124 답 $\boldsymbol{2x^5y}$

(주어진 식)$=4x^4y^2\times\frac{1}{6x^4y^3}\times3x^5y^2=2x^5y$

125 답 $\boldsymbol{54xy^4}$

(주어진 식)$=27x^6y^3\times\frac{1}{8x^7y^3}\times16x^2y^4=54xy^4$

126 답 $\boldsymbol{\frac{3}{2}xy}$

(주어진 식)$=6xy^3\div16x^4y^8\times4x^4y^6$

$=6xy^3\times\frac{1}{16x^4y^8}\times4x^4y^6=\frac{3}{2}xy$

127 답 $\boldsymbol{-9b^5}$

(주어진 식)$=9a^2b^4\div4a^4b^2\times(-4a^2b^3)$

$=9a^2b^4\times\frac{1}{4a^4b^2}\times(-4a^2b^3)=-9b^5$

128 답 $\boldsymbol{3x^4y^5}$

(주어진 식)$=8x^6y^3\div(-8x^3y^3)\times(-3xy^5)$

$=8x^6y^3\times\frac{1}{-8x^3y^3}\times(-3xy^5)=3x^4y^5$

129 답 $\boldsymbol{-2x^6y^2}$

(주어진 식)$=-2x^2y^5\div x^2y^6\times x^6y^3$

$=-2x^2y^5\times\frac{1}{x^2y^6}\times x^6y^3=-2x^6y^2$

130 답 $\boldsymbol{-8x^9y^2}$

(주어진 식)$=x^6y^2\div x^3y^6\times(-8x^6y^6)$

$=x^6y^2\times\frac{1}{x^3y^6}\times(-8x^6y^6)=-8x^9y^2$

131 답 괄호, 괄호, 곱셈, 계수, 문자

Ⅱ-2 다항식의 계산

pp. 45~55

132 답 $\boldsymbol{4a-3b}$

(주어진 식)$=a+2b+\boxed{3a}-\boxed{5b}$

$=(a+\boxed{3a})+(2b-\boxed{5b})$

$=\boxed{4}a-\boxed{3}b$

133 답 $\boldsymbol{9a+3b}$

(주어진 식)$=(4a+5a)+(-3b+6b)$

$=9a+3b$

134 답 $\boldsymbol{3x+4y}$

(주어진 식)$=(2x+x)+(5y-y)$

$=3x+4y$

135 답 $\boldsymbol{4a-b}$

(주어진 식)$=(a+3a)+(-3b+2b)$

$=4a-b$

136 답 $\boldsymbol{x-2y}$

(주어진 식)$=(-x+2x)+(3y-5y)$

$=x-2y$

137 답 $\boldsymbol{3x+8y}$

(주어진 식)$=5x+3y-\boxed{2x}+\boxed{5y}$

$=(5x-\boxed{2x})+(3y+\boxed{5y})$

$=\boxed{3}x+\boxed{8}y$

138 답 $\boldsymbol{a+11b}$

(주어진 식)$=3a+6b-2a+5b$

$=(3a-2a)+(6b+5b)=a+11b$

139 답 $\boldsymbol{-2a+b}$

(주어진 식)$=4a-3b-6a+4b$

$=(4a-6a)+(-3b+4b)$

$=-2a+b$

140 답 $\boldsymbol{-2x-2y}$

(주어진 식)$=7x+5y-9x-7y$

$=(7x-9x)+(5y-7y)$

$=-2x-2y$

141 답 $\boldsymbol{-2a-4b}$

(주어진 식)$=2a-5b-4a+b$

$=(2a-4a)+(-5b+b)$

$=-2a-4b$

142 답 $\boldsymbol{4x-5y}$

(주어진 식)$=6x-4y-2x-y$

$=(6x-2x)+(-4y-y)$

$=4x-5y$

143 답 $\boldsymbol{5x-4y}$

(주어진 식)$=3x+y-(y-2x+4y)$

$=3x+y-(-\boxed{2}x+\boxed{5}y)$

$=3x+y+\boxed{2}x-\boxed{5}y$

$=\boxed{5}x-\boxed{4}y$

144 답 $\boldsymbol{2x-y}$

(주어진 식)$=3x+(x-4y-2x+3y)=3x+(-x-y)$

$=3x-x-y=2x-y$

145 답 $\boldsymbol{13a-8b}$

(주어진 식)$=10a-(6b-3a+2b)=10a-(-3a+8b)$

$=10a+3a-8b=13a-8b$

146 답 $\boldsymbol{x-10y}$

(주어진 식)$=2x-7y-(2x-x+3y)$

$=2x-7y-(x+3y)=2x-7y-x-3y$

$=x-10y$

147 답 $\boldsymbol{2a-7b}$

(주어진 식)$=4a-6b-(7a-3b-5a+4b)$

$=4a-6b-(2a+b)=4a-6b-2a-b$

$=2a-7b$

148 답 $\boldsymbol{5x-6y}$

(주어진 식)$=-x-\{2y-(9x-5y-3x+y)\}$

$=-x-\{2y-(6x-4y)\}$

$=-x-(2y-6x+4y)$

$=-x-(-6x+6y)$

$=-x+6x-6y$

$=5x-6y$

149 답 $5x-4y$

$(\text{주어진 식})=2x-\{7y-2x-(2x-x+3y)\}$
$=2x-\{7y-2x-(x+3y)\}$
$=2x-(7y-2x-x-3y)$
$=2x-(-3x+4y)$
$=2x+3x-4y$
$=5x-4y$

150 답 $3x-y$

$(\text{주어진 식})=x-\{x+2y-(5x-2x+y)\}$
$=x-\{x+2y-(3x+y)\}$
$=x-(x+2y-3x-y)$
$=x-(-2x+y)$
$=x+2x-y=3x-y$

151 답 1) 괄호, 동류항 2) 부호, 괄호, 동류항 3) 소, 중, 대

152 답 ○

문자 a에 대한 다항식 중에서 차수가 가장 큰 항의 차수가 [2]이므로 a에 대한 [이]차식이다.

153 답 ×

차수가 가장 큰 항의 차수는 1이다.

154 답 ○

차수가 가장 큰 항의 차수는 2이다.

155 답 ×

차수가 가장 큰 항의 차수는 3이다.

156 답 ×

차수가 가장 큰 항의 차수는 1이다.

157 답 ○

차수가 가장 큰 항의 차수는 2이다.

158 답 $3x^2-x+1$

$(\text{주어진 식})=x^2+1+2x^2-x=(x^2+2x^2)-x+1$
$=\boxed{3}x^2-x+1$

159 답 $4a^2-5a$

$(\text{주어진 식})=3a^2-a+a^2-4a$
$=(3a^2+a^2)+(-a-4a)$
$=4a^2-5a$

160 답 x^2+x

$(\text{주어진 식})=2x^2-2x-x^2+3x$
$=(2x^2-x^2)+(-2x+3x)$
$=x^2+x$

161 답 $-2x^2+5$

$(\text{주어진 식})=3x^2+4-5x^2+1$
$=(3x^2-5x^2)+(4+1)$
$=-2x^2+5$

162 답 $-3a^2+3a+5$

$(\text{주어진 식})=-a^2+3a-2a^2+5$
$=(-a^2-2a^2)+3a+5$
$=-3a^2+3a+5$

163 답 $-3x^2-x$

$(\text{주어진 식})=-x^2-2x-2x^2+x$
$=(-x^2-2x^2)+(-2x+x)$
$=-3x^2-x$

164 답 $5x^2+1$

$(\text{주어진 식})=3x^2+3x-1+2x^2-3x+2$
$=(3x^2+2x^2)+(3x-3x)+(-1+2)$
$=\boxed{5}x^2+\boxed{1}$

165 답 $4y^2-5y+4$

$(\text{주어진 식})=3y^2-4y+1+y^2-y+3$
$=(3y^2+y^2)+(-4y-y)+(1+3)$
$=4y^2-5y+4$

166 답 $-3a^2+a-4$

$(\text{주어진 식})=3a^2-3a+5-6a^2+4a-9$
$=(3a^2-6a^2)+(-3a+4a)+(5-9)$
$=-3a^2+a-4$

167 답 $2x^2-3x-2$

$(\text{주어진 식})=-2x^2+5x-7+4x^2-8x+5$
$=(-2x^2+4x^2)+(5x-8x)+(-7+5)$
$=2x^2-3x-2$

168 답 $\mathbf{3x^2-10x-4}$

(주어진 식)$=-5x^2-4x-3+8x^2-6x-1$

$=(-5x^2+8x^2)+(-4x-6x)+(-3-1)$

$=3x^2-10x-4$

169 답 $\mathbf{-x^2-2x+7}$

(주어진 식)$=-2x^2+3x+3+x^2-5x+4$

$=(-2x^2+x^2)+(3x-5x)+(3+4)$

$=-x^2-2x+7$

170 답 $\mathbf{2x^2-2x+3}$

(주어진 식)$=3x^2-2x-x^2+3=(3x^2-x^2)-2x+3$

$=\boxed{2}x^2-\boxed{2}x+3$

171 답 $\mathbf{2b^2-3b-7}$

(주어진 식)$=4b^2-3b-2b^2-7=(4b^2-2b^2)-3b-7$

$=2b^2-3b-7$

172 답 $\mathbf{6x^2+2x+3}$

(주어진 식)$=5x^2+3+x^2+2x=(5x^2+x^2)+2x+3$

$=6x^2+2x+3$

173 답 $\mathbf{-5x^2+x}$

(주어진 식)$=-3x^2-2x-2x^2+3x$

$=(-3x^2-2x^2)+(-2x+3x)$

$=-5x^2+x$

174 답 $\mathbf{-a^2}$

(주어진 식)$=-3a^2+a+2a^2-a$

$=(-3a^2+2a^2)+(a-a)$

$=-a^2$

175 답 $\mathbf{4y^2-y}$

(주어진 식)$=3y^2-2y+y^2+y=(3y^2+y^2)+(-2y+y)$

$=4y^2-y$

176 답 $\mathbf{3x^2+2x+4}$

(주어진 식)$=2x^2+3x-3+x^2-x+7$

$=(2x^2+x^2)+(3x-x)+(-3+7)$

$=\boxed{3}x^2+\boxed{2}x+\boxed{4}$

177 답 $\mathbf{2a^2-8a}$

(주어진 식)$=3a^2-3a-2-a^2-5a+2$

$=(3a^2-a^2)+(-3a-5a)+(-2+2)$

$=2a^2-8a$

178 답 $\mathbf{3b^2+b-3}$

(주어진 식)$=-5b^2-3b+2+8b^2+4b-5$

$=(-5b^2+8b^2)+(-3b+4b)+(2-5)$

$=3b^2+b-3$

179 답 $\mathbf{-3x^2-2x-5}$

(주어진 식)$=-x^2+3x-2-2x^2-5x-3$

$=(-x^2-2x^2)+(3x-5x)+(-2-3)$

$=-3x^2-2x-5$

180 답 $\mathbf{-3x^2+2x+3}$

(주어진 식)$=-7x^2+4x+4x^2-2x+3$

$=(-7x^2+4x^2)+(4x-2x)+3$

$=-3x^2+2x+3$

181 답 $\mathbf{-y^2+3y-4}$

(주어진 식)$=-2y^2+y-3+y^2+2y-1$

$=(-2y^2+y^2)+(y+2y)+(-3-1)$

$=-y^2+3y-4$

182 답 $\mathbf{3a^2+a+4}$

$\boxed{}=a^2+4a-1+(2a^2-3a+5)$

$=(a^2+2a^2)+(4a-3a)+(-1+5)$

$=\boxed{3}a^2+a+\boxed{4}$

183 답 $\mathbf{2x^2-2x-4}$

$\boxed{}=6x^2-5x+3-(4x^2-3x+7)$

$=(6x^2-4x^2)+(-5x+3x)+(3-7)$

$=2x^2-2x-4$

184 답 $\mathbf{-2x^2+2x-1}$

$\boxed{}=2x^2-3x+1-(4x^2-5x+2)$

$=(2x^2-4x^2)+(-3x+5x)+(1-2)$

$=-2x^2+2x-1$

185 답 $\mathbf{-2x^2-3x-3}$

$\boxed{}=3x^2-2x-1-(5x^2+x+2)$

$=(3x^2-5x^2)+(-2x-x)+(-1-2)$

$=-2x^2-3x-3$

186 답 이차식, 괄호, 동류항

187 답 $\mathbf{6x^2+2x}$

(주어진 식)$=2x\times\boxed{3x}+2x\times\boxed{1}$

$=\boxed{6x^2}+\boxed{2x}$

188 답 x^2-2xy

(주어진 식)$=x\times x+x\times(-2y)$

$=x^2-2xy$

189 답 $-9a^2-12a$

(주어진 식)$=-3a\times 3a+(-3a)\times 4$

$=-9a^2-12a$

190 답 $6x^2-9xy+9x$

(주어진 식)$=3x\times 2x+3x\times(-3y)+3x\times 3$

$=6x^2-9xy+9x$

191 답 $-7x^2+7xy+21x$

(주어진 식)$=7x\times(-x)+7x\times y+7x\times 3$

$=-7x^2+7xy+21x$

192 답 $-3x^2+9xy+6x$

(주어진 식)$=-3x\times x+(-3x)\times(-3y)$

$+(-3x)\times(-2)$

$=-3x^2+9xy+6x$

193 답 $2a^2+5a$

(주어진 식)$=2a\times\boxed{a}+5\times\boxed{a}$

$=\boxed{2a^2}+\boxed{5a}$

194 답 $6a^2-10a$

(주어진 식)$=3a\times 2a+(-5)\times 2a$

$=6a^2-10a$

195 답 $6a^2-8ab+2a$

(주어진 식)$=3a\times 2a+(-4b)\times 2a+1\times 2a$

$=6a^2-8ab+2a$

196 답 $-6x^2+9x$

(주어진 식)$=2x\times(-3x)+(-3)\times(-3x)$

$=-6x^2+9x$

197 답 $-6ab+10b^2-16b$

(주어진 식)$=3a\times(-2b)+(-5b)\times(-2b)$

$+8\times(-2b)$

$=-6ab+10b^2-16b$

198 답 다항식, 전개, 전개, 전개식, 분배법칙, 단항식, 항

199 답 $2x+4$

(주어진 식)$=\dfrac{4x+8}{\boxed{2}}=\dfrac{4x}{\boxed{2}}+\dfrac{8}{\boxed{2}}$

$=\boxed{2}x+\boxed{4}$

200 답 $3b+2$

(주어진 식)$=\dfrac{6ab+4a}{2a}=\dfrac{6ab}{2a}+\dfrac{4a}{2a}$

$=3b+2$

201 답 $-3x+5$

(주어진 식)$=\dfrac{9xy-15y}{-3y}=\dfrac{9xy}{-3y}+\dfrac{-15y}{-3y}$

$=-3x+5$

202 답 $3y+2$

(주어진 식)$=\dfrac{12xy^2+8xy}{4xy}=\dfrac{12xy^2}{4xy}+\dfrac{8xy}{4xy}$

$=3y+2$

203 답 $3-5x^2y^2$

(주어진 식)$=\dfrac{9xy^2-15x^3y^4}{3xy^2}=\dfrac{9xy^2}{3xy^2}+\dfrac{-15x^3y^4}{3xy^2}$

$=3-5x^2y^2$

204 답 $4a+6$

(주어진 식)$=(2ab+3b)\times\boxed{\dfrac{2}{b}}$

$=2ab\times\boxed{\dfrac{2}{b}}+3b\times\boxed{\dfrac{2}{b}}$

$=\boxed{4}a+\boxed{6}$

205 답 $2x-6$

(주어진 식)$=(x^2-3x)\times\dfrac{2}{x}$

$=x^2\times\dfrac{2}{x}-3x\times\dfrac{2}{x}=2x-6$

206 답 $6xy-6y$

(주어진 식)$=(2xy^2-2y^2)\times\dfrac{3}{y}$

$=2xy^2\times\dfrac{3}{y}-2y^2\times\dfrac{3}{y}=6xy-6y$

207 답 $18x-12y$

(주어진 식)$=(12x^2y-8xy^2)\times\dfrac{3}{2xy}$

$=12x^2y\times\dfrac{3}{2xy}-8xy^2\times\dfrac{3}{2xy}$

$=18x-12y$

208 답 1) 분수 2) 곱셈, 분배법칙

209 답 $-3x+3y$

$$(\text{주어진 식})=\frac{2xy-4y^2}{-2y}+(-2x+y)$$
$$=-x+2y-2x+y$$
$$=-3x+3y$$

210 답 $9ab+10a$

$$(\text{주어진 식})=(ab-2a)+4b\times2a+6\times2a$$
$$=ab-2a+8ab+12a=9ab+10a$$

211 답 $-8x-8y$

$$(\text{주어진 식})=2\times(-5x)+2\times(-2y)+\frac{4x^2-8xy}{2x}$$
$$=-10x-4y+2x-4y$$
$$=-8x-8y$$

212 답 $6x^2-17x-3$

$$(\text{주어진 식})=\frac{4x^2+6x}{-2x}+2x\times3x-5\times3x$$
$$=-2x-3+6x^2-15x$$
$$=6x^2-17x-3$$

213 답 $2x+5$

$$(\text{주어진 식})=\frac{y+2xy}{-y}-(-4x-6)$$
$$=-1-2x+4x+6$$
$$=2x+5$$

214 답 $4xy+8x$

$$(\text{주어진 식})=-2x\times y+(-2x)\times(-6)-(-6xy+4x)$$
$$=-2xy+12x+6xy-4x$$
$$=4xy+8x$$

215 답 $4x-3y$

$$(\text{주어진 식})=\frac{2xy+3y^2}{y}-2\times(-x)+(-2)\times3y$$
$$=2x+3y+2x-6y$$
$$=4x-3y$$

216 답 지수법칙, 소, 중, 대, 곱셈, 나눗셈, 동류항

217 답 5

$3x-4=3\times\boxed{3}-4=\boxed{5}$

218 답 -13

$-5x+2=-5\times3+2=-15+2=-13$

219 답 -29

$$-2x^2-3x-2=-2\times3^2-3\times3-2$$
$$=-18-9-2=-29$$

220 답 7

$-4x-1=-4\times(-2)-1=8-1=7$

221 답 8

$x^2+4=(-2)^2+4=4+4=8$

222 답 -5

$$x^2+5x+1=(-2)^2+5\times(-2)+1$$
$$=4-10+1=-5$$

223 답 -7

$4x+y=4\times\boxed{-2}+\boxed{1}=\boxed{-7}$

224 답 -1

$-x-3y=-(-2)-3\times1=2-3=-1$

225 답 -17

$$(\text{주어진 식})=2x+2y+5x-5y=7x-3y$$
$$=7\times(-2)-3\times1=-14-3$$
$$=-17$$

226 답 5

$$(\text{주어진 식})=\frac{10x^2-5xy}{-5x}=-2x+y$$
$$=-2\times(-2)+1=4+1=5$$

227 답 -3

$(\text{주어진 식})=x-y=-2-1=-3$

228 답 문자, 값, 식의 값

229 답 $-3x+11$

$$5x-2y+5=5x-2(4x-3)+5$$
$$=5x-\boxed{8}x+\boxed{6}+5$$
$$=\boxed{-3}x+\boxed{11}$$

230 답 $\boldsymbol{6x}$

$2x+y+3=2x+(4x-3)+3$

$=2x+4x-3+3=6x$

231 답 $\boldsymbol{9x-7}$

$x+2y-1=x+2(4x-3)-1$

$=x+8x-6-1=9x-7$

232 답 $\boldsymbol{-16x+15}$

$4x-5y=4x-5(4x-3)=4x-20x+15$

$=-16x+15$

233 답 $\boldsymbol{-8x+7}$

$4x-3y-2=4x-3(4x-3)-2$

$=4x-12x+9-2$

$=-8x+7$

234 답 $\boldsymbol{12x+13}$

(주어진 식)$=8x-2y-2x+7=6x-2y+7$

$=6x-2(-3x-3)+7$

$=6x+\boxed{6}x+\boxed{6}+7$

$=\boxed{12}x+\boxed{13}$

235 답 $\boldsymbol{-5x-13}$

(주어진 식)$=4x-2y-2+5y-2=4x+3y-4$

$=4x+3(-3x-3)-4$

$=4x-9x-9-4=-5x-13$

236 답 $\boldsymbol{13x-3}$

(주어진 식)$=3x+3y+4x-5y-9$

$=7x-2y-9$

$=7x-2(-3x-3)-9$

$=7x+6x+6-9=13x-3$

237 답 $\boldsymbol{5x}$

$3A+2B=3(x+2y)+2(x-3y)$

$=3x+6y+\boxed{2}x-\boxed{6}y=\boxed{5x}$

238 답 $\boldsymbol{-x+13y}$

$2A-3B=2(x+2y)-3(x-3y)$

$=2x+4y-3x+9y$

$=-x+13y$

239 답 $\boldsymbol{3x-19y}$

$-2A+5B=-2(x+2y)+5(x-3y)$

$=-2x-4y+5x-15y$

$=3x-19y$

240 답 $\boldsymbol{3x+16y}$

$5A-2B=5(x+2y)-2(x-3y)$

$=5x+10y-2x+6y$

$=3x+16y$

241 답 $\boldsymbol{-4x+7y}$

$-A-3B=-(x+2y)-3(x-3y)$

$=-x-2y-3x+9y$

$=-4x+7y$

242 답 $\boldsymbol{3x+21y}$

(주어진 식)$=2A+3B-3A+2B=-A+5B$

$=-(2x-y)+5(x+4y)$

$=\boxed{-2}x+y+5x+\boxed{20}y$

$=\boxed{3}x+\boxed{21}y$

243 답 $\boldsymbol{-x-22y}$

(주어진 식)$=-2A-8B+3B+4A=2A-5B$

$=2(2x-y)-5(x+4y)$

$=4x-2y-5x-20y$

$=-x-22y$

244 답 $\boldsymbol{-x-13y}$

(주어진 식)$=3A-4B-2A+B=A-3B$

$=2x-y-3(x+4y)=2x-y-3x-12y$

$=-x-13y$

245 답 $\boldsymbol{-9x+18y}$

(주어진 식)$=B-A-5A+2B=-6A+3B$

$=-6(2x-y)+3(x+4y)$

$=-12x+6y+3x+12y$

$=-9x+18y$

246 답 문자, 식, 식의 대입

단원 총정리 문제 정답 Ⅱ 식의 계산

pp.56~57

01 ③	02 ②	03 ①	04 ①	05 ①
06 ⑤	07 17	08 ②	09 ①	10 ③, ⑤
11 ⑤	12 $3x^2-3x-15$	13 ②	14 ②	
15 14	16 ③			

01 답 ③

① $x^4\times x^2=x^6$　　② $y^3\times y^3=y^6$

④ $(x^4)^2=x^8$　　⑤ $(a^5)^3=a^{15}$

02 답 ②

$(x^3)^4\div(x^3)^2\div(x^2)^4=x^{12}\div x^6\div x^8$

$=x^6\div x^8=\dfrac{1}{x^{8-6}}=\dfrac{1}{x^2}$

03 답 ①

② $\dfrac{1}{x^2}$　③ x^8　④ x^{21}　⑤ $16x^4y^4$

04 답 ①

① $x^{\square+4}=x^9$이므로 $\square+4=9$　$\therefore \square=5$

② $x^{3\times\square}=x^{27}$이므로 $3\times\square=27$　$\therefore \square=9$

③ $x^{16-\square}=x^9$이므로 $16-\square=9$　$\therefore \square=7$

④ $2^{\square}x^{2\times\square}y^{3\times\square}=64x^{12}y^{18}$이므로 $2\times\square=12$

$\therefore \square=6$

⑤ $\dfrac{x^{5\times2}}{y^{\square\times2}}=\dfrac{x^{10}}{y^{14}}$이므로 $\square\times2=14$　$\therefore \square=7$

05 답 ①

(주어진 식)$=4a^6\times4ab^2\times(-a^3b^6)=-16a^{10}b^8$

06 답 ⑤

(주어진 식)$=18x^3y\div6x\div y^2=18x^3y\times\dfrac{1}{6x}\times\dfrac{1}{y^2}=\dfrac{3x^2}{y}$

07 답 **17**

$(-3x^2y^3)^2\div\dfrac{3}{4}x^3y^2=9x^4y^6\times\dfrac{4}{3x^3y^2}=12xy^4$

따라서 $a=12$, $b=1$, $c=4$이므로 $a+b+c=17$

08 답 ②

$25x^{14}y^8\div\square\times4x^6y^6=20x^7y^2$

$25x^{14}y^8\times\dfrac{1}{\square}\times4x^6y^6=20x^7y^2$

$\therefore \square=25x^{14}y^8\times4x^6y^6\div20x^7y^2$

$=25x^{14}y^8\times4x^6y^6\times\dfrac{1}{20x^7y^2}$

$=5x^{13}y^{12}$

09 답 ①

(주어진 식)$=4x-\{3y+(2x-x-y)\}$

$=4x-\{3y+(x-y)\}=4x-(x+2y)$

$=3x-2y$

10 답 ③, ⑤

② $2x^2-2(x^2+2)=2x^2-2x^2-4=-4$

⑤ $-3x^3+x^2-2x+3x^3+1=x^2-2x+1$

따라서 x에 대한 이차식인 것은 ③, ⑤이다.

11 답 ⑤

(주어진 식)$=5x^2-x-2x^2-x+2$

$=(5x^2-2x^2)+(-x-x)+2$

$=3x^2-2x+2$

12 답 $\boldsymbol{3x^2-3x-15}$

어떤 식을 A라 하면 $A+(2x^2+x+10)=7x^2-x+5$

$A=7x^2-x+5-(2x^2+x+10)$

$=7x^2-x+5-2x^2-x-10=5x^2-2x-5$

따라서 바르게 계산하면

$5x^2-2x-5-(2x^2+x+10)$

$=5x^2-2x-5-2x^2-x-10=3x^2-3x-15$

13 답 ②

① $2x(2x+1)=4x^2+2x$이므로 x의 계수는 2

② $-\dfrac{2}{5}x(10x-25)=-4x^2+10x$이므로 x의 계수는 10

③ $(x^2-2x+2)\times(-4x)=-4x^3+8x^2-8x$이므로

x의 계수는 -8

④ $3x(y-9)=3xy-27x$이므로 x의 계수는 -27

⑤ $-4x(x+2y+3)=-4x^2-8xy-12x$이므로

x의 계수는 -12

14 답 ②

(주어진 식)$=\dfrac{a^2x+2ax^2}{-ax}+a\times3x+a\times1$

$=-a-2x+3ax+a=3ax-2x$

15 답 **14**

$8x(3x+2y)-2x(5x+y)=24x^2+16xy-10x^2-2xy$

$=14x^2+14xy$

따라서 xy의 계수는 14이다.

16 답 ③

$3x-2y+3=3x-2(2x-1)+3=3x-4x+2+3$

$=-x+5$

Ⅲ 일차부등식과 연립일차방정식

Ⅲ－1 일차부등식

pp. 62~79

01 답 ×

방정식이다.

02 답 ×

항등식이다.

03 답 ×

동류항을 정리하면 $6x-5$로 다항식이다.

04 답 ○

$x>-5$이므로 부등식이다.

05 답 ○

$40\le56$이므로 참인 식이다.

06 답 ○

$-5<0$이므로 참인 식이다.

07 답 $x>6$ 또는 $6<x$

x는 6보다 크므로 $x>6$ 또는 $6<x$

08 답 $x\le6$ 또는 $6\ge x$

x는 6보다 작거나 같으므로 $x\le6$ 또는 $6\ge x$

09 답 $x\ge3$ 또는 $3\le x$

x는 3보다 크거나 같으므로 $x\ge3$ 또는 $3\le x$

10 답 $x<3$ 또는 $3>x$

x는 3 미만이므로 $x<3$ 또는 $3>x$

11 답 $2x-8>12$ 또는 $12<2x-8$

$2x-8$이 12보다 크므로 $2x-8>12$ 또는 $12<2x-8$

12 답 $<$, $>$, $\ge$, $\le$, 대소 관계

13 답 ×

$x=0$을 대입하면

(좌변)$=2\times0+4=\boxed{4}$, (우변)$=5$

즉, (좌변)$<$(우변)이므로 거짓인 부등식이다.

14 답 ○

$x=\boxed{2}$를 대입하면

(좌변)$=7-3\times\boxed{2}=\boxed{1}$, (우변)$=6$

즉, (좌변)$\boxed{\le}$(우변)이므로 참인 부등식이다.

15 답 ×

$x=3$을 대입하면

(좌변)$=-2\times3+8=2$

(우변)$=3+5=8$

즉, (좌변)$<$(우변)이므로 거짓인 부등식이다.

16 답 ○

$x=-2$를 대입하면

(좌변)$=3\times(-2+4)=6$

(우변)$=-2$

즉, (좌변)$>$(우변)이므로 참인 부등식이다.

17 답 ○

$x=1$을 대입하면

(좌변)$=\frac{1}{2}-3=-\frac{5}{2}$

(우변)$=4-\frac{1}{3}=\frac{11}{3}$

즉, (좌변)$\le$(우변)이므로 참인 부등식이다.

18 답 5

$x=4$일 때, $4-4>0$ (거짓)

$x=5$일 때, $5-4>0$ (참)

$x=5$일 때만 참이므로 해는 $x=\boxed{5}$

19 답 3

$x=1$일 때, $2\times\boxed{1}-3>1$ (거짓)

$x=2$일 때, $2\times\boxed{2}-3>1$ ($\boxed{\text{거짓}}$)

$x=3$일 때, $2\times\boxed{3}-3>1$ ($\boxed{\text{참}}$)

$x=\boxed{3}$일 때만 참이므로 해는 $x=\boxed{3}$

20 답 1, 2

$x=0$일 때, $0+2\le1$ (거짓)

$x=1$일 때, $-1+2\le1$ (참)

$x=2$일 때, $-2+2\le1$ (참)

$\therefore x=1, 2$

21 답 $-2, -1$

$x=-2$일 때, $-3\times(-2)-1\geq 2$ (참)

$x=-1$일 때, $-3\times(-1)-1\geq 2$ (참)

$x=0$일 때, $-3\times 0-1\geq 2$ (거짓)

$\therefore x=-2, -1$

22 답 $0, 1$

$x=-2$일 때, $5-2\times(-2)<7$ (거짓)

$x=-1$일 때, $5-2\times(-1)<7$ (거짓)

$x=0$일 때, $5-2\times 0<7$ (참)

$x=1$일 때, $5-2\times 1<7$ (참)

$\therefore x=0, 1$

23 답 $0, 1, 2$

$x=0$일 때, $2\times 0-1\leq 0+1$ (참)

$x=1$일 때, $2\times 1-1\leq 1+1$ (참)

$x=2$일 때, $2\times 2-1\leq 2+1$ (참)

$x=3$일 때, $2\times 3-1\leq 3+1$ (거짓)

$\therefore x=0, 1, 2$

24 답 2

$x=-1$일 때, $4\times(-1)-3\geq 5$ (거짓)

$x=0$일 때, $4\times 0-3\geq 5$ (거짓)

$x=1$일 때, $4\times 1-3\geq 5$ (거짓)

$x=2$일 때, $4\times 2-3\geq 5$ (참)

$\therefore x=2$

25 답 $0, 1, 2$

$x=-2$일 때, $1-(-2)<2$ (거짓)

$x=-1$일 때, $1-(-1)<2$ (거짓)

$x=0$일 때, $1-0<2$ (참)

$x=1$일 때, $1-1<2$ (참)

$x=2$일 때, $1-2<2$ (참)

$\therefore x=0, 1, 2$

26 답 1) 좌변, 우변, 양변 2) 해, 참

27 답 $<$

부등식의 양변에 같은 수 $\boxed{3}$을 더하여도 부등호의 방향은 바뀌지 않는다.

28 답 $<$

부등식의 양변에 같은 수 -1을 더하여도 부등호의 방향은 바뀌지 않는다.

29 답 $<$

부등식의 양변에서 같은 수 7을 빼어도 부등호의 방향은 바뀌지 않는다.

30 답 $<$

부등식의 양변에서 같은 수 -2를 빼어도 부등호의 방향은 바뀌지 않는다.

31 답 $<$

부등식의 양변에 같은 양수 $\boxed{3}$을 곱하여도 부등호의 방향은 바뀌지 않는다.

32 답 $<$

부등식의 양변에 같은 양수 $\frac{1}{3}$을 곱하여도 부등호의 방향은 바뀌지 않는다.

33 답 $>$

부등식의 양변에 같은 음수 $\boxed{-6}$을 곱하면 부등호의 방향이 바뀐다.

34 답 $>$

부등식의 양변에 같은 음수 $-\frac{1}{3}$로 나누면 부등호의 방향이 바뀐다.

35 답 $<$

부등식의 양변에 같은 양수 2를 곱하거나, 부등식의 양변에서 같은 수 3을 빼어도 부등호의 방향은 바뀌지 않는다.

36 답 $<$

부등식의 양변에 같은 양수 $\frac{3}{2}$을 곱하거나 같은 수 1을 더하여도 부등호의 방향은 바뀌지 않는다.

37 답 $>$

부등식의 양변에 같은 음수 -4를 곱하면 부등호의 방향이 바뀐다.

38 답 $>$

부등식의 양변에 같은 음수 -2를 곱하면 부등호의 방향이 바뀐다.

39 답 $>$

부등식의 양변에서 같은 수 5를 빼어도 부등호의 방향은 바뀌지 않는다.

40 답 ≤

부등식의 양변에 같은 양수 $\frac{1}{3}$을 곱하여도 부등호의 방향은 바뀌지 않는다.

41 답 ≤

부등식의 양변을 같은 양수 $\frac{2}{3}$로 나누어도 부등호의 방향은 바뀌지 않는다.

42 답 ≤

부등식의 양변을 같은 음수 -4로 나누면 부등호의 방향이 바뀐다.

43 답 >

부등식의 양변을 같은 음수 -2로 나누면 부등호의 방향이 바뀐다.

44 답 >

부등식의 양변에 같은 음수 -5를 곱하면 부등호의 방향이 바뀐다.

45 답 $\boldsymbol{x+5<7}$

$x<2$의 양변에 $\boxed{5}$를 더하여도 부등호의 방향은 바뀌지 않으므로 $x+\boxed{5}<2+\boxed{5}$

$\therefore x+5<\boxed{7}$

46 답 $\boldsymbol{x-4<-2}$

$x<2$의 양변에 -4를 더하여도 부등호의 방향은 바뀌지 않으므로 $x-4<2-4$

$\therefore x-4<-2$

47 답 $\boldsymbol{-\frac{x}{4}>-\frac{1}{2}}$

$x<2$의 양변을 -4로 나누면 부등호의 방향이 바뀌므로

$-\frac{x}{4}>-\frac{1}{2}$

48 답 $\boldsymbol{2x-1<3}$

$x<2$의 양변에 2를 곱하면 $2x<4$

$2x<4$의 양변에서 1을 빼면 $2x-1<3$

49 답 음수, 방향, -2, <

50 답

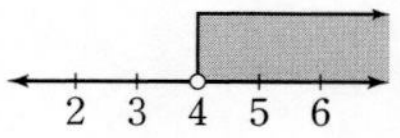

x가 4보다 크므로 4에 대응하는 수직선 위의 점을 ○, 오른쪽 방향으로 화살표 표시를 한다.

51 답

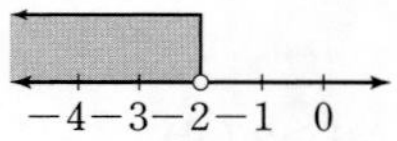

x가 -2보다 작으므로 -2에 대응하는 수직선 위의 점을 ○, 왼쪽 방향으로 화살표 표시를 한다.

52 답

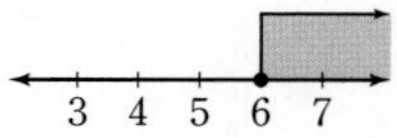

x가 6보다 크거나 같으므로 6에 대응하는 수직선 위의 점을 ●, 오른쪽 방향으로 화살표 표시를 한다.

53 답

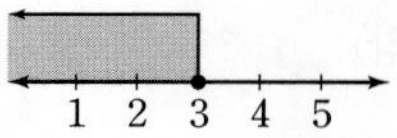

x가 3보다 크거나 같으므로 3에 대응하는 수직선 위의 점을 ●, 왼쪽 방향으로 화살표 표시를 한다.

54 답 $\boldsymbol{x>-1}$,

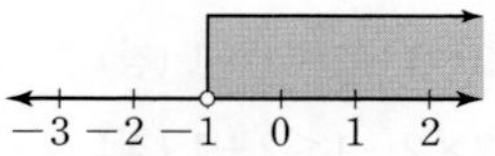

$x+2>1$, $x+2-\boxed{2}>1-\boxed{2}$ $\quad\therefore x>\boxed{-1}$

55 답 $\boldsymbol{x\geq 6}$,

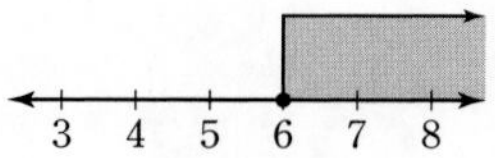

$\frac{1}{3}x\geq 2$, $\frac{1}{3}x\times 3\geq 2\times 3$ $\quad\therefore x\geq 6$

56 답 $\boldsymbol{x<2}$,

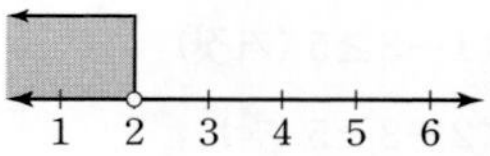

$-2x>-4$, $\frac{-2x}{-2}<\frac{-4}{-2}$ $\quad\therefore x<2$

57 답 >, ≥, 해

58 답 $\boldsymbol{x>6-3}$

밑줄 친 항 $\boxed{+3}$의 부호를 바꾸어 우변으로 옮긴다.

59 답 $\boldsymbol{2x<3+4}$

밑줄 친 항 -4의 부호를 바꾸어 우변으로 옮긴다.

60 답 $\boldsymbol{-2x<3-1}$

밑줄 친 항 1의 부호를 바꾸어 우변으로 옮긴다.

61 답 $\boldsymbol{5x-2x\geq 5}$

밑줄 친 항 $2x$의 부호를 바꾸어 좌변으로 옮긴다.

62 답 $\boldsymbol{x+3x\leq 8}$

밑줄 친 항 $-3x$의 부호를 바꾸어 좌변으로 옮긴다.

63 답 $\boldsymbol{3x-2x>3+4}$

일차항 $2x$는 좌변으로, 상수항 -4는 우변으로 각각 부호를 바꾸어 옮긴다.

64 답 $\boldsymbol{-2x\geq-4-5}$

일차항 $2x$는 좌변으로, 상수항 5는 우변으로 각각 부호를 바꾸어 옮긴다.

65 답 ○

부등식의 모든 항을 좌변으로 이항하면 $-3x-1<0$

(일차식)<0의 꼴이므로 일차부등식이 (맞다, 아니다)

66 답 ×

모든 항을 좌변으로 이항하여 정리하면 (일차식)<0의 꼴이 아니므로 일차부등식이 아니다.

67 답 ×

부등식이 아니다.

68 답 ×

모든 항을 좌변으로 이항하여 정리하면 (일차식)<0의 꼴이 아니므로 일차부등식이 아니다.

69 답 1) 부호, 이항 2) 부호, 우변, -4, 5

70 답 $\boldsymbol{x>-1}$

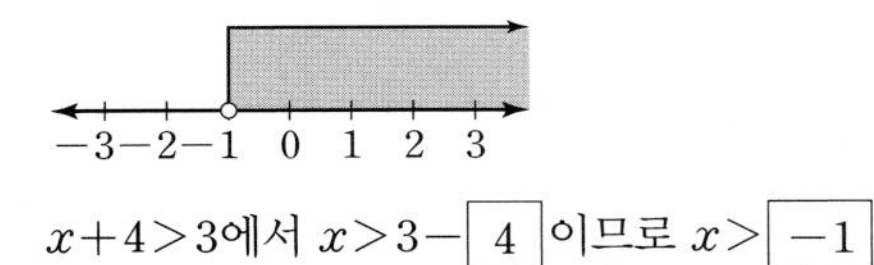

$x+4>3$에서 $x>3-\boxed{4}$이므로 $x>\boxed{-1}$

71 답 $\boldsymbol{x>7}$

$x-2>5$에서 $x>5+2$이므로 $x>7$

72 답 $\boldsymbol{x\geq4}$

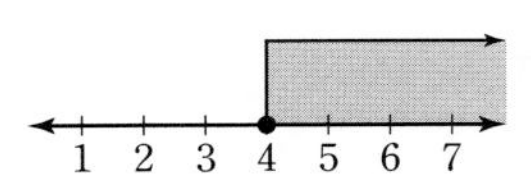

$2x\geq8$에서 $x\geq8\times\frac{1}{2}$이므로 $x\geq4$

73 답 $\boldsymbol{x>-5}$

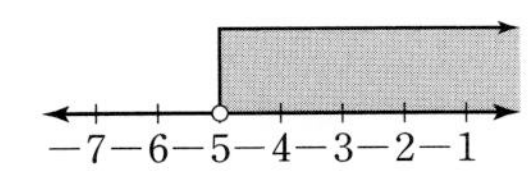

$-3x<15$에서 $x>15\times\left(-\frac{1}{3}\right)$이므로 $x>-5$

74 답 $\boldsymbol{x<3}$

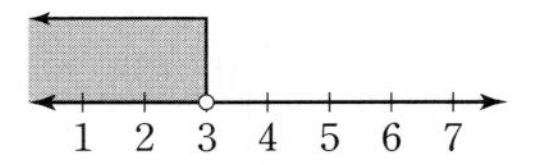

$4x-7<5$에서 $4x<12$이고 $x<12\times\frac{1}{4}$이므로 $x<3$

75 답 $\boldsymbol{x\leq-6}$

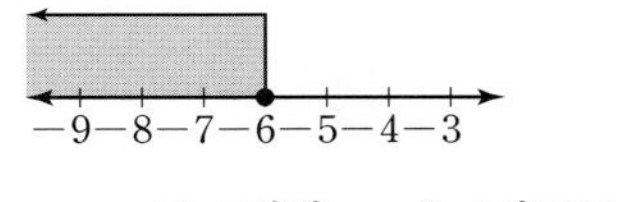

$-x-1\geq5$에서 $-x\geq6$이므로 $x\leq-6$

76 답 $\boldsymbol{x\geq2}$

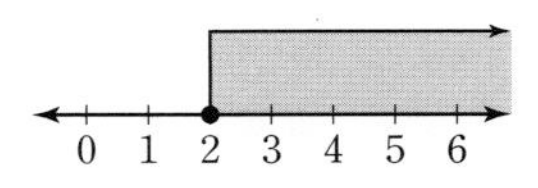

$x+4\leq3x$에서 $-2x\leq-4$이고 $x\geq-4\times\left(-\frac{1}{2}\right)$

$\therefore x\geq2$

77 답 x, 우변, 이항, $<$, $\geq$, a

78 답 $\boldsymbol{x>7}$

$2(x-3)>8$에서 $2x-\boxed{6}>8$

$2x>\boxed{14}$ $\therefore x>\boxed{7}$

79 답 $\boldsymbol{x<2}$

$2(3x-5)<x$에서 $6x-10<x$

$5x<10$ $\therefore x<2$

80 답 $\boldsymbol{x\geq-1}$

$5(x+2)+4\geq9$에서 $5x+10+4\geq9$

$5x\geq-5$ $\therefore x\geq-1$

81 답 $\boldsymbol{x\leq0}$

$2x-3\leq-(x+3)$에서 $2x-3\leq-x-3$

$3x\leq0$ $\therefore x\leq0$

82 답 $\boldsymbol{x\leq-3}$

$6-3x+4x\leq-x$에서 $2x\leq-6$

$\therefore x\leq-3$

83 답 $\boldsymbol{x>-1}$

$4-2x-4<3x+5$에서 $-5x<5$

$\therefore x>-1$

84 답 $x>4$

양변에 $\boxed{3}$을 곱하면

$2x-5>\boxed{3}$, $2x>\boxed{8}$ $\therefore x>\boxed{4}$

85 답 $x>3$

양변에 분모의 최소공배수인 $\boxed{20}$을 곱하면

$5(x+1)<\boxed{4}(3x-4)$, $5x+5<\boxed{12}x-\boxed{16}$

$-7x<-21$ $\therefore x>3$

86 답 $x\le-13$

양변에 분모의 최소공배수인 6을 곱하면

$3(x+3)\le2(x-2)$, $3x+9\le2x-4$

$\therefore x\le-13$

87 답 $x<-5$

양변에 분모의 최소공배수인 12를 곱하면

$3(x-3)-4(2x+1)>12$, $3x-9-8x-4>12$

$-5x>25$ $\therefore x<-5$

88 답 $x<-1$

양변에 10을 곱하면 $2x-1<\boxed{-3}$

$2x<\boxed{-2}$ $\therefore x<\boxed{-1}$

89 답 $x\ge-2$

양변에 10을 곱하면 $-5x-4\le3x+12$

$-8x\le16$ $\therefore x\ge-2$

90 답 $x<3$

양변에 10을 곱하면 $3x+1<10$

$3x<9$ $\therefore x<3$

91 답 $x\le-12$

양변에 10을 곱하면

$2(x-1)\ge3x+10$, $2x-2\ge3x+10$

$-x\ge12$ $\therefore x\le-12$

92 답 $x>-2$

양변에 10을 곱하면

$20(x+0.4)>15x-2$, $20x+8>15x-2$

$5x>-10$ $\therefore x>-2$

93 답 $x>-30$

양변에 $\boxed{20}$을 곱하면

$8x-15(x-2)<\boxed{240}$

괄호를 풀면 $8x-15x+\boxed{30}<\boxed{240}$

$-7x<\boxed{210}$ $\therefore x>\boxed{-30}$

94 답 $x<1$

양변에 10을 곱하면 $3x+4<2x+5$

$\therefore x<1$

95 답 $x\le15$

양변에 15를 곱하면 $5x-3(x+5)\le15$

$5x-3x-15\le15$

$2x\le30$ $\therefore x\le15$

96 답 1) 분배법칙 2) 최소공배수, 정수 3) **10**, 정수

97 답 $x>\frac{1}{a}$

$a>0$이므로 양변을 a로 나누어도 부등호의 방향이 바뀌지 않는다.

$\therefore x>\boxed{\frac{1}{a}}$

98 답 $x>1$

$ax>a$에서 $a>0$이므로 $x>1$

99 답 $x<-1$

$ax+a<0$에서 $ax<-a$

$a>0$이므로 $x<-1$

100 답 $x>-4$

$-ax<4a$에서 $ax>-4a$

$a>0$이므로 $x>\boxed{-4}$

101 답 $x<\frac{2}{a}$

$a<0$이므로 양변을 a로 나누면 부등호의 방향이 바뀐다.

$\therefore x<\boxed{\frac{2}{a}}$

102 답 $x<3$

$ax>3a$에서 $a<0$이므로 $x<3$

103 답 $x>1$

$ax-a<0$에서 $ax<a$

$a<0$이므로 $x>1$

104 답 $x<-5$

$-ax<5a$에서 $ax>-5a$

$a<0$이므로 $x<-5$

105 답 -7

$ax-6<8$에서 $ax<\boxed{14}$ ⋯ ㉠

그런데 부등식의 해가 $x>-2$이므로 $a<0$

따라서 ㉠의 해는 $x>\frac{\boxed{14}}{a}$이므로

$\frac{\boxed{14}}{a}=-2$ $\quad\therefore a=\boxed{-7}$

106 답 3

$2x+1\le a$에서 $2x\le a-1$이므로 $x\le\frac{a-1}{2}$

즉, $\frac{a-1}{2}=\boxed{1}$에서 $a-1=2$이므로 $a=\boxed{3}$

107 답 -1

$3+ax\ge 2$에서 $ax\ge -1$

그런데 부등식의 해가 $x\le 1$이므로 $a<0$

$x\le -\frac{1}{a}$이므로 $-\frac{1}{a}=1$

$\therefore a=-1$

108 답 6

$ax+4\le x-1$에서 $(a-1)x\le -5$

그런데 부등식의 해가 $x\le -1$이므로 $a-1>0$

따라서 $x\le\frac{-5}{a-1}$이므로 $\frac{-5}{a-1}=-1$

$\therefore a=6$

109 답 2

$5x>2x-9$에서 $\boxed{3x}>-9$이므로 $x>\boxed{-3}$

$3x+a>-1+2x$에서 $x>-1-a$

따라서 $-1-a=\boxed{-3}$이므로 $a=\boxed{2}$

110 답 -29

$\frac{x+2}{2}\ge\frac{x-1}{3}$에서 $3(x+2)\ge 2(x-1)$

$3x+6\ge 2x-2$ $\quad\therefore x\ge -8$

$3+6x\ge a+2x$에서 $4x\ge a-3$이므로 $x\ge\frac{a-3}{4}$

따라서 $\frac{a-3}{4}=-8$이므로 $a=-29$

111 답 11

$x-1<-3x+a$에서 $4x<a+1$

$\therefore x<\frac{a+1}{4}$

$0.5(x+7)<5$에서 $5x+35<50$이고

$5x<15$이므로 $x<3$

따라서 $\frac{a+1}{4}=3$이므로 $a=11$

112 답 1) 미지수, $<$, a, 방향, $>$ 2) $>$, a, 나누어

113 답 1) $\frac{1}{2}\times x\times 6\ge 42$ 2) $x\ge 14$ 3) 14

1) $\frac{1}{2}\times x\times\boxed{6}\ge\boxed{42}$

2) $3x\ge\boxed{42}$ $\quad\therefore x\ge\boxed{14}$

3) $x>14$에서 삼각형의 밑변의 길이는 $\boxed{14}$ cm 이상이어야 한다.

114 답 1) 통 A : $(600-18x)$L, 통 B : $(500-14x)$L
2) $x>25$ 3) 26번

2) $600-\boxed{18x}<500-\boxed{14x}$에서

$\boxed{-4}x<-100$ $\quad\therefore x>\boxed{25}$

3) $x>25$에서 통 B에 남은 물의 양이 통 A에 남은 물의 양보다 많아지는 것은 물을 $\boxed{26}$번 빼냈을 때부터이다.

115 답 x, 부등식

116 답 1) $x+2$ 2) $4x-6\ge 2(x+2)$ 3) $x\ge 5$ 4) 14

2) $4x-\boxed{6}\ge 2(x+\boxed{2})$

3) $4x-\boxed{6}\ge 2x+\boxed{4}$

$2x\ge\boxed{10}$ $\quad\therefore x\ge\boxed{5}$

4) $x\ge 5$를 만족하는 가장 작은 짝수 x는 $\boxed{6}$이므로 구하는 두 짝수의 합의 최소의 값은 $\boxed{6}+\boxed{8}=\boxed{14}$이다.

117 답 1) $x-1$, $x+1$ 2) $x<28$ 3) 26, 27, 28

2) $(x-\boxed{1})+x+(x+\boxed{1})<84$

$3x<\boxed{84}$ $\quad\therefore x<\boxed{28}$

3) $x<28$을 만족하는 가장 큰 자연수 x는 27이므로 구하는 세 자연수는 $\boxed{26}$, 27, $\boxed{28}$이다.

118 답 1) $x+1$ 2) $x-1$, $x+1$

119 답 1) 우유 : $600(15-x)$원, 주스 : $800x$원
2) $x\le 5$ 3) 5개

2) $600(\boxed{15}-x)+800x\le 10000$

$\boxed{9000}-600x+800x\le 10000$

$200x\le\boxed{1000}$ $\quad\therefore x\le\boxed{5}$

3) $x\le 5$를 만족하는 최대 주스의 개수는 5이다.

120 답 1) $(x-4)$명 2) $x\le 8$ 3) 8명

2) $4\times 2500+(x-\boxed{4})\times 2000\le 18000$

$10000+2000x-\boxed{8000}\le 18000$

$2000x\le\boxed{16000}$ $\quad\therefore x\le\boxed{8}$

3) $x\le 8$를 만족하는 최대 인원은 8명이다.

121 답 1)

	현재(원)	x개월 후(원)
형	15000	$15000+1000x$
동생	8000	$8000+2000x$

2) $\mathbf{15000+1000x<8000+2000x}$ 3) $\mathbf{x>7}$

4) 8개월 후

2) $150000+\boxed{1000x}<8000+\boxed{2000x}$

3) $\boxed{1000}x>7000$ $\therefore x>\boxed{7}$

122 답 1) $\mathbf{x<10000}$ 2) **10000초 미만**

1) $12000+\boxed{1.8}x<30000$

$\boxed{1.8}x<18000$ $\therefore x<\boxed{10000}$

123 답 $\mathbf{n-x,\ ax+b(n-x)}$

124 답 1) $\frac{x}{4}$시간, $\frac{8-x}{3}$시간 2) $\frac{x}{4}+\frac{8-x}{3}\leq 2\frac{1}{2}$

3) $\mathbf{x\geq 2}$ 4) **2 km 이상**

1) 시속 4 km로 걸은 거리는 $\boxed{x}$ km이므로 걸린 시간은 $\frac{x}{4}$시간, 시속 3 km로 걸은 거리는 $(8-\boxed{x})$ km이므로 걸린 시간은 $\frac{8-\boxed{x}}{3}$시간

2) $\frac{x}{4}+\frac{8-\boxed{x}}{3}\leq=\boxed{2\frac{1}{2}}$

3) $3x+4(8-\boxed{x})\leq\boxed{30}$

$3x+32-\boxed{4x}\leq 30$ $\therefore x\geq\boxed{2}$

125 답 1) $\frac{x}{2}$시간, $\frac{x}{4}$시간 2) $\mathbf{x\leq 4}$ 3) **4 km**

2) $\frac{x}{\boxed{2}}+\frac{x}{\boxed{4}}\leq 3$

$\boxed{2}x+x\leq 12$ $\therefore x\leq\boxed{4}$

126 답 $\frac{x}{a}$, $\mathbf{k-x}$

127 답 1)

	처음 소금물	나중 소금물
농도	6 %	4 % 이하
소금물의 양(g)	200	$200+x$
소금의 양(g)	12	12

2) $\frac{12}{200+x}\times 100\leq 4$ 3) $\mathbf{x\geq 100}$ 4) **100 g**

1) 6 %의 소금물 200 g에 들어 있는 소금의 양은

$\frac{\boxed{6}}{100}\times 200=\boxed{12}$ (g)

2) $\frac{\boxed{12}}{200+x}\times 100\leq 4$

3) $\boxed{1200}\leq 800+4x$ $\therefore x\geq\boxed{100}$

128 답 1) $\mathbf{x\geq 50}$ 2) **50 g 이상**

1)

농도	5 %	8 %	6 %
소금물의 양(g)	100	x	$100+x$
소금의 양(g)	5	$\frac{8}{100}\times x$	$\frac{6}{100}\times(100+x)$

1) 5 %의 소금물 100 g에 들어 있는 소금의 양은

$\frac{\boxed{5}}{100}\times 100=\boxed{5}$ (g)

$5+\frac{8}{100}\times x\geq\frac{\boxed{6}}{100}\times(100+\boxed{x})$

$500+8x\geq 600+\boxed{6x}$ $\therefore x\geq\boxed{50}$

129 답 소금의 양, 소금물의 양

Ⅲ-2 연립일차방정식 pp. 80~109

130 답 ×

등호가 없으므로 방정식이 아니다.

131 답 ○

미지수가 2개이고, 그 차수가 모두 1인 방정식이다.

132 답 ○

미지수가 2개이고, 그 차수가 모두 1인 방정식이다.

133 답 ×

미지수가 x로 1개뿐이고, x^2의 차수가 1이 아니다.

134 답 ×

일차방정식이 아니다.

135 답 ○

$3x+y=4-y$에서 $3x+2y-4=0$

136 답 ×

$2x+y=3x+y$에서 $x=0$이므로 미지수가 x로 1개뿐이다.

137 답 $\mathbf{a=1,\ b=4}$

$x=-4y-7$에서 모든 항을 좌변으로 이항하여 정리하면

$x+4y+7=0$

138 답 $a=2$, $b=5$

$4x+2y=2x-3y$에서 모든 항을 좌변으로 이항하여 정리하면 $2x+5y=0$

139 답 $a=2$, $b=-8$

모든 항을 좌변으로 이항하여 정리하면 $2x-8y-4=0$

140 답 $a=5$, $b=1$

모든 항을 우변으로 이항하여 정리하면 $5x+y+5=0$

141 답 $a=3$, $b=1$

괄호를 풀고 모든 항을 좌변으로 이항하여 정리하면

$5x-y=2x-2y$에서 $3x+y=0$

142 답 $a=1$, $b=3$

괄호를 풀고 모든 항을 좌변으로 이항하여 정리하면

$3x+3y=2x-7$에서 $x+3y+7=0$

143 답 $x+y=20$

(연필의 개수)+(볼펜의 개수)=(산 개수)

$\therefore x+y=\boxed{20}$

144 답 $3x+4y=92$

(3점짜리 총합)+(4점짜리 총합)=(총점)

$\therefore 3x+\boxed{4y}=92$

145 답 $500x+700y=4800$

(500원짜리 사과의 총가격)+(700원짜리 배의 총가격)
=(전체 가격)

$\therefore 500x+700y=4800$

146 답 $2x+4y=46$

(닭의 다리 수)+(고양이의 다리 수)=(전체 다리 수)

$\therefore 2x+4y=46$

147 답 $2x-y=0$

(삼각형의 넓이)$=\frac{1}{2}\times$(밑변의 길이)$\times$(높이)이므로

$y=\frac{1}{2}\times x\times 4 \qquad \therefore 2x-y=0$

148 답 ×

(거리)=(속력)×(시간)이므로 $xy=\boxed{10}$

xy의 차수가 1이 아니다.

149 답 ○

(x개월 저축한 금액)+(y개월 저축한 금액)=(총 금액)

$\boxed{2000x}+5000y=30000$

150 답 ○

(장미 x송이의 가격)+(튤립 y송이의 가격)=(총 가격)

$500x+1000y=7000$

151 답 ×

(직사각형의 넓이)=(가로)×(세로)이므로

$xy=48$

xy의 차수가 1이 아니다.

152 답 2, 1, 2, 일차방정식

153 답 ○

$x=0$, $y=-2$를 $3x-2y=4$에 대입하면

$3\times\boxed{0}-2\times(-2)=\boxed{4}$

즉, 주어진 일차방정식을 참이 되게 하므로

$(0, -2)$는 $3x-2y=4$의 해이다.

154 답 ○

$3\times2-2\times1=4$

155 답 ×

$x=4$, $y=3$을 $3x-2y=4$에 대입하면

$3\times\boxed{4}-2\times\boxed{3}=\boxed{6}\neq4$

즉, 주어진 일차방정식을 참이 되게 하지 않으므로

$(4, 3)$은 $3x-2y=4$의 해가 아니다.

156 답 ×

$3\times(-2)-2\times(-1)=-4\neq4$

157 답 ○

$3\times(-4)-2\times(-8)=4$

158 답 ○

$x=3$, $y=\boxed{2}$를 $2x-4y=-2$에 대입하면

$2\times\boxed{3}-4\times\boxed{2}=\boxed{-2}$

즉, 주어진 일차방정식을 참이 되게 하므로 $(3, 2)$를 해로 갖는다.

159 답 ○

$3-5\times2=-7$

160 답 ×

$7\times3-4\times2=13\neq9$

161 답 ○

$-5\times3+3\times2=-9$

162 답 ×

$-4\times3+2\times2=-8\neq4$

163 답 **2개**

x	1	2	3	4	5	6
y	$\frac{5}{2}$	2	$\frac{3}{2}$	1	$\frac{1}{2}$	0

x, y가 자연수인 해는 (2, 2), (4, $\boxed{1}$)의 2개이다.

164 답 **4개**

x	1	2	3	4	5
y	8	6	4	2	0

(1, 8), (2, 6), (3, 4), (4, 2)

165 답 **4개**

x	1	2	3	4	5
y	12	9	6	3	0

(1, 12), (2, 9), (3, 6), (4, 3)

166 답 **3개**

x	1	2	3	4	5
y	6	4	2	0	−2

(1, 6), (2, 4), (3, 2)

167 답 **(2, 6), (4, 3)**

x	1	2	3	4	5	6
y	$\frac{15}{2}$	6	$\frac{9}{2}$	3	$\frac{3}{2}$	0

따라서 x, y가 자연수인 해는 (2, $\boxed{6}$), (4, $\boxed{3}$)이다.

168 답 **(1, 2), (2, 1)**

x	1	2	3
y	2	1	0

따라서 x, y가 자연수인 해가 (1, 2), (2, 1)이다.

169 답 **(1, 3), (2, 1)**

x	1	2	3
y	3	1	−1

따라서 x, y가 자연수인 해가 (1, 3), (2, 1)이다.

170 답 **(1, 3), (4, 1)**

x	1	2	3	4	5
y	3	$\frac{7}{3}$	$\frac{5}{3}$	1	$\frac{1}{3}$

따라서 x, y가 자연수인 해가 (1, 3), (4, 1)이다.

171 답 **(2, 3), (4, 2), (6, 1)**

x	1	2	3	4	5	6	7
y	$\frac{7}{2}$	3	$\frac{5}{2}$	2	$\frac{3}{2}$	1	$\frac{1}{2}$

따라서 x, y가 자연수인 해가 (2, 3), (4, 2), (6, 1)이다.

172 답 **2**

$x=2$, $y=\boxed{3}$을 $4x-2y=a$에 대입하면

$4\times2-2\times\boxed{3}=a$ $\quad\therefore a=\boxed{2}$

173 답 **3**

$x=\boxed{2}$, $y=\boxed{3}$을 $x-ay=-7$에 대입하면

$\boxed{2}-\boxed{3}a=-7$ $\quad\therefore a=\boxed{3}$

174 답 **4**

$x=2$, $y=3$을 $ax+2y=14$에 대입하면

$2a+6=14$ $\quad\therefore a=4$

175 답 **5**

$x=2$, $y=3$을 $-2x+ay=11$에 대입하면

$-4+3a=11$ $\quad\therefore a=5$

176 답 **−3**

$x=2$, $y=3$을 $(a-1)x+4y=4$에 대입하면

$2(a-1)+12=4$

$2a=-6$ $\quad\therefore a=-3$

177 답 **3**

$x=\boxed{3}$, $y=a$를 $3x+2y=15$에 대입하면

$3\times\boxed{3}+2\times a=15$ $\quad\therefore a=\boxed{3}$

178 답 **5**

$x=3,\ y=a$를 $7x-3y=6$에 대입하면

$21-3a=6 \qquad \therefore a=5$

179 답 **-2**

$x=3,\ y=a$를 $-4x+9y=-30$에 대입하면

$-12+9a=-30 \qquad \therefore a=-2$

180 답 **2, 일차, 참, x, y, (x, y)**

181 답 $\begin{cases} x+y=10 \\ x-y=4 \end{cases}$

두 수 x, y의 합이 10이므로 $x+y=10$

x에서 y를 뺀 값이 4이므로 $x-y=4$

$\therefore \begin{cases} x+y=\boxed{10} \\ x-y=\boxed{4} \end{cases}$

182 답 $\begin{cases} 2x+y=15 \\ 3x-2y=12 \end{cases}$

두 수 x, y에 대하여 x의 2배에 y를 더한 값이 15이므로

$2x+y=15$

x의 3배에서 y의 2배를 뺀 값이 12이므로 $3x-2y=12$

$\therefore \begin{cases} \boxed{2}x+y=\boxed{15} \\ \boxed{3}x-\boxed{2}y=\boxed{12} \end{cases}$

183 답 $\begin{cases} x-3y=-10 \\ 2x+y=1 \end{cases}$

두 수 x, y에 대하여 x에서 y에 3을 곱한 값을 빼면 -10이므로 $x-3y=-10$

x에 2를 곱한 값과 y의 합이 1이므로 $2x+y=1$

$\therefore \begin{cases} x-3y=-10 \\ 2x+y=1 \end{cases}$

184 답 ×

$x=1,\ y=2$를 $x+2y=3$에 대입하면

$1+2\times\boxed{2}=\boxed{5}\neq3$

$x=1,\ y=2$를 $2x-3y=-4$에 대입하면

$2\times1-3\times\boxed{2}=\boxed{-4}$

따라서 $x=1,\ y=2$는 일차방정식 $2x-3y=-4$만 만족하므로 연립방정식의 해가 $\boxed{\text{아니다.}}$

185 답 ○

$\begin{cases} -1-3\times2=-7 \\ 5\times1-2\times2=1 \end{cases}$

186 답 ×

$\begin{cases} 2\times1-5\times2=-8 \\ 6\times1-3\times2=0\neq5 \end{cases}$

187 답 **동시에, x, y, (x, y), 해**

188 답 ㉠−㉡

x의 계수가 1로 같으므로 ㉠$\boxed{-}$㉡을 하면

$$\begin{array}{r} x+2y=5 \\ \boxed{-}\,\underline{)\ x-3y=10} \\ 5y=-5 \end{array}$$

189 답 ㉠+㉡×3

㉡×3을 하면 $-3x+15y=6$이므로

㉠+㉡×3을 하면

$$\begin{array}{r} 3x+\ \ 2y=11 \\ +\underline{)\ -3x+15y=6} \\ 17y=17 \end{array}$$

190 답 ㉠+㉡

㉠$\boxed{+}$㉡을 하면

$$\begin{array}{r} 3x+4y=2 \\ \boxed{+}\,\underline{)\ 3x-4y=10} \\ \boxed{6}x \qquad =\boxed{12} \end{array}$$

191 답 ㉠−㉡

㉠−㉡을 하면

$$\begin{array}{r} 3x+6y=-2 \\ -\underline{)\ -x+6y=14} \\ 4x \qquad =-16 \end{array}$$

192 답 ㉠×5+㉡×3

㉠×5+㉡×3을 하면

$$\begin{array}{r} 5x+15y=35 \\ +\underline{)\ 9x-15y=63} \\ 14x \qquad =98 \end{array}$$

193 답 **$x=3,\ y=0$**

㉠×6$\boxed{+}$㉡을 하면

$$\begin{array}{r} 12x-6y=36 \\ \boxed{+}\,\underline{)\ -3x+6y=-9} \\ \boxed{9}x \qquad =27 \end{array} \qquad \therefore x=\boxed{3}$$

$x=\boxed{3}$을 ㉠에 대입하면

$\boxed{6}-y=6 \qquad \therefore y=\boxed{0}$

194 답 $x=3,\ y=-1$

㉠×3+㉡을 하면

$$\begin{array}{rl} & 3x-3y=12 \\ +) & 2x+3y=3 \\ \hline & 5x \quad\ =15 \end{array} \quad \therefore x=3$$

$x=3$을 ㉠에 대입하면

$3-y=4 \quad \therefore y=-1$

195 답 $x=-2,\ y=4$

㉠−㉡×2를 하면

$$\begin{array}{rl} & x+2y=6 \\ -) & -10x+2y=28 \\ \hline & 11x \quad\ =-22 \end{array} \quad \therefore x=-2$$

$x=-2$를 ㉠에 대입하면

$-2+2y=6 \quad \therefore y=4$

196 답 $x=3,\ y=-1$

㉠×3−㉡×$\boxed{5}$를 하면

$$\begin{array}{rl} & 9x+\ 15y=12 \\ -) & \boxed{25}x+\boxed{15}y=\boxed{60} \\ \hline & \boxed{-16}x \quad\ =\boxed{-48} \end{array} \quad \therefore x=\boxed{3}$$

$x=\boxed{3}$을 ㉠에 대입하면

$\boxed{9}+5y=4 \quad \therefore y=\boxed{-1}$

197 답 $x=-1,\ y=-2$

㉠×2+㉡×3을 하면

$13x=-13 \quad \therefore x=-1$

$x=-1$을 ㉠에 대입하면

$-2-3y=4 \quad \therefore y=-2$

198 답 $x=2,\ y=-1$

㉠×4+㉡×3을 하면

$17x=34 \quad \therefore x=2$

$x=2$를 ㉠에 대입하면

$4+3y=1 \quad \therefore y=-1$

199 답 1) 더하거나, 소거, 가감법

2) 소거, 절댓값, 더하거나, 소거

200 답 $x=2,\ y=1$

㉠을 ㉡에 대입하면 $2x+3(2x-3)=7$

$\boxed{8}x=16 \quad \therefore x=\boxed{2}$

$x=\boxed{2}$를 ㉠에 대입하면 $y=\boxed{1}$

따라서 구하는 연립방정식의 해는

$x=\boxed{2},\ y=\boxed{1}$이다.

201 답 $x=-2,\ y=4$

㉠을 ㉡에 대입하면 $3(-y+2)+2y=2$

$-y=-4 \quad \therefore y=4$

$y=4$를 ㉠에 대입하면 $x=-2$

202 답 $x=2,\ y=1$

㉠을 ㉡에 대입하면 $2x-3(3-x)=1$

$5x=10 \quad \therefore x=2$

$x=2$를 ㉠에 대입하면 $y=1$

203 답 $x=3,\ y=3$

㉠을 ㉡에 대입하면

$2x-3=-x+6$

$\boxed{3}x=9 \quad \therefore x=\boxed{3}$

$x=\boxed{3}$을 ㉠에 대입하면 $y=\boxed{3}$

따라서 구하는 연립방정식의 해는

$x=\boxed{3},\ y=\boxed{3}$이다.

204 답 $x=-11,\ y=-3$

㉠을 ㉡에 대입하면 $4y+1=3y-2$이므로 $y=-3$

$y=-3$을 ㉠에 대입하면 $x=-11$

205 답 $x=-3,\ y=-2$

㉠을 ㉡에 대입하면 $y-7=2y-5$이므로 $y=-2$

$y=-2$를 ㉠에 대입하면 $3x=-9$이므로 $x=-3$

206 답 $x=1,\ y=1$

㉠을 y에 대하여 풀면

$y=-x+\boxed{2}$ ··· ㉢

㉢을 ㉡에 대입하면

$2x-3(-x+\boxed{2})=-1$

$\boxed{5}x=5 \quad \therefore x=\boxed{1}$

$x=\boxed{1}$을 ㉢에 대입하면 $y=\boxed{1}$

따라서 구하는 연립방정식의 해는

$x=\boxed{1},\ y=\boxed{1}$이다.

207 답 $x=8,\ y=3$

㉠을 x에 대하여 풀면

$x=\boxed{y}+5$ ··· ㉢

㉢을 ㉡에 대입하면

$2(\boxed{y}+5)-3y=7$

$-y=\boxed{-3} \quad \therefore y=\boxed{3}$

$y=\boxed{3}$을 ㉢에 대입하면 $x=\boxed{8}$

따라서 구하는 연립방정식의 해는

$x=\boxed{8},\ y=\boxed{3}$이다.

208 답 $x=1, y=2$

㉠을 x에 대하여 풀면 $x=-y+3$ ⋯ ㉢

㉢을 ㉡에 대입하면 $2(-y+3)+3y=8$

$\therefore y=2$

$y=2$를 ㉢에 대입하면 $x=1$

209 답 $x=1, y=0$

㉠을 y에 대하여 풀면 $y=-x+1$ ⋯ ㉢

㉢을 ㉡에 대입하면 $2x-(-x+1)=2$

$3x=3 \quad \therefore x=1$

$x=1$을 ㉢에 대입하면 $y=0$

210 답 $x=2, y=0$

㉠을 y에 대하여 풀면 $y=2x-4$ ⋯ ㉢

㉢을 ㉡에 대입하면 $2x+3(2x-4)=4$

$8x=16 \quad \therefore x=2$

$x=2$를 ㉢에 대입하면 $y=0$

211 답 $x=-1, y=-1$

㉠을 x에 대하여 풀면 $x=3y+2$ ⋯ ㉢

㉢을 ㉡에 대입하면 $3(3y+2)+y=-4$

$10y=-10 \quad \therefore y=-1$

$y=-1$을 ㉢에 대입하면 $x=-1$

212 답 3

미지수를 포함한 식을 제외한 연립방정식

$\begin{cases} x+2y=5 \\ x+y=3 \end{cases}$을 풀면 $x=\boxed{1}$, $y=\boxed{2}$

이를 $3x-y=a-2$에 대입하면 $a=\boxed{3}$

213 답 5

$\begin{cases} x+2y=5 \\ 2x+3y=6 \end{cases}$을 풀면 $x=-3, y=4$

이를 $3x+ay=11$에 대입하면 $a=5$

214 답 15

$\begin{cases} x+2y=5 \\ 3x-y=15 \end{cases}$를 풀면 $x=5, y=0$

이를 $4x+y=a+5$에 대입하면 $a=15$

215 답 -4

$\begin{cases} x+2y=5 \\ 4x+3y=5 \end{cases}$를 풀면 $x=-1, y=3$

이를 $ax-4y=-8$에 대입하면 $a=-4$

216 답 $a=1, b=-7$

두 연립방정식의 해가 같으므로 a, b를 포함하지 않은

연립방정식 $\begin{cases} x-y=4 \\ x-2y=3 \end{cases}$을 풀면

$x=\boxed{5}$, $y=1$

이를 $ax-3y=2$, $3x+by=8$에 각각 대입하면

$a=\boxed{1}$, $b=\boxed{-7}$

217 답 $a=2, b=3$

$\begin{cases} x-y=3 \\ 2x+y=9 \end{cases}$를 풀면

$x=4, y=1$

이를 $x-2y=a$, $bx+2y=14$에 각각 대입하면

$a=2, b=3$

218 답 $a=7, b=-11$

$\begin{cases} 3x+2y=-1 \\ 4x-y=6 \end{cases}$을 풀면

$x=1, y=-2$

이를 $ax+3y=1$, $-5x+3y=b$에 각각 대입하면

$a=7, b=-11$

219 답 미지수, 대입, 대입법

220 답 $x=1, y=-1$

㉠의 괄호를 풀어 정리하면

$3x-\boxed{3}y+4y=2$

$\therefore \boxed{3}x+y=2$ ⋯ ㉢

㉡의 괄호를 풀어 정리하면

$x+2x-\boxed{4}y=7$

$\therefore \boxed{3}x-\boxed{4}y=7$ ⋯ ㉣

㉢−㉣을 하여 풀면

$x=\boxed{1}$, $y=\boxed{-1}$

221 답 $x=1, y=-3$

괄호를 풀어 정리하면

$\begin{cases} \boxed{4}x+y=\boxed{1} & \cdots ㉠ \\ \boxed{10}x+y=\boxed{7} & \cdots ㉡ \end{cases}$

㉠−㉡을 하면

$-6x=-6$

$\therefore x=1$

$x=1$을 ㉠에 대입하면

$y=-3$

222 답 $x=2$, $y=1$

괄호를 풀어 정리하면

$\begin{cases} 4x+\boxed{3}y=\boxed{11} & \cdots ㉠ \\ \boxed{2}x-\boxed{5}y=-1 & \cdots ㉡ \end{cases}$

㉠$-$㉡$\times 2$를 하면 $13y=13$

$\therefore y=1$

$y=1$을 ㉡에 대입하면 $x=2$

223 답 $x=-1$, $y=-3$

괄호를 풀어 정리하면

$\begin{cases} \boxed{4}x+y=-7 & \cdots ㉠ \\ x-\boxed{2}y=5 & \cdots ㉡ \end{cases}$

㉠$\times 2+$㉡을 하면 $9x=-9$

$\therefore x=-1$

$x=-1$을 ㉠에 대입하면 $y=-3$

224 답 분배

225 답 $2x-3y=2$

양변에 $\boxed{6}$을 곱한다.

분모의 최소공배수 6을 곱해 계수를 정수로 만든다.

226 답 $3x+4y=24$

양변에 $\boxed{12}$를 곱한다.

분모의 최소공배수 12를 곱해 계수를 정수로 만든다.

227 답 $x-2y=1$

양변에 $\boxed{6}$을 곱한다.

분모의 최소공배수 6을 곱해 계수를 정수로 만든다.

228 답 $3x+18y=4$

양변에 $\boxed{24}$를 곱한다.

분모의 최소공배수 24를 곱해 계수를 정수로 만든다.

229 답 $x+2y=3$

양변에 $\boxed{10}$을 곱한다.

분모의 최소공배수 10을 곱해 계수를 정수로 만든ㄷ.

230 답 $2x-5y=10$

양변에 $\boxed{100}$을 곱한다.

분모의 최소공배수 100을 곱해 계수를 정수로 만든다.

231 답 $4x+3y=400$

양변에 $\boxed{100}$을 곱한다.

분모의 최소공배수 100을 곱해 계수를 정수로 만든다.

232 답 $3x-20y=24$

양변에 $\boxed{10}$을 곱한다.

분모의 최소공배수 10을 곱해 계수를 정수로 만든다.

233 답 $x=-8$, $y=-6$

㉠$\times 4$를 하면

$x-\boxed{4}y=\boxed{16}$ $\cdots$ ㉢

㉡$\times 6$을 하면

$\boxed{2}x-\boxed{3}y=2$ $\cdots$ ㉣

㉢$\times 2-$㉣을 하여 풀면 $x=\boxed{-8}$, $y=\boxed{-6}$

234 답 $x=2$, $y=0$

㉠$\times 6$을 하면

$\boxed{3}x-\boxed{2}y=6$ $\cdots$ ㉢

㉡$\times 12$를 하면

$\boxed{4}x-3y=\boxed{8}$ $\cdots$ ㉣

㉢$\times 3-$㉣$\times 2$를 하여 풀면 $x=\boxed{2}$, $y=\boxed{0}$

235 답 $x=10$, $y=-12$

주어진 식을 정리하면 $\begin{cases} 3x+\boxed{2}y=\boxed{6} & \cdots ㉠ \\ 4x-\boxed{5}y=\boxed{100} & \cdots ㉡ \end{cases}$

㉠$\times 5+$㉡$\times 2$를 하면 $x=10$

$x=10$을 ㉠에 대입하면 $y=-12$

236 답 $x=4$, $y=6$

주어진 식을 정리하면 $\begin{cases} \boxed{3}x+\boxed{2}y=24 & \cdots ㉠ \\ \boxed{2}x-\boxed{3}y=-10 & \cdots ㉡ \end{cases}$

㉠$\times 3+$㉡$\times 2$를 하면 $x=4$

$x=4$를 ㉠에 대입하면 $y=6$

237 답 $x=15$, $y=21$

㉠$\times 3$을 하면 $3x-(x+y)=\boxed{9}$

$\boxed{2}x-y=\boxed{9}$ $\cdots$ ㉢

㉡$\times 2$를 하면 $(x+y)-\boxed{2}y=\boxed{-6}$

$x-y=\boxed{-6}$ $\cdots$ ㉣

㉢$-$㉣을 하여 풀면

$x=\boxed{15}$, $y=\boxed{21}$

238 답 $x=4$, $y=8$

㉠$\times 10$을 하면

$x+2y=\boxed{20}$ $\cdots$ ㉢

㉡$\times 10$을 하면

$\boxed{3}x-2y=\boxed{-4}$ $\cdots$ ㉣

㉢+㉣을 하여 풀면

$x=\boxed{4}$, $y=\boxed{8}$

239 답 $\boldsymbol{x=6,\ y=1}$

㉠×10을 하면

$\boxed{5}x-\boxed{10}y=20$ … ㉢

㉡×10을 하면

$\boxed{3}x-\boxed{12}y=\boxed{6}$ … ㉣

㉢×3−㉣×5를 하여 풀면

$x=\boxed{6}$, $y=\boxed{1}$

240 답 $\boldsymbol{x=-3,\ y=1}$

주어진 식을 정리하면 $\begin{cases} 2x+\boxed{7}y=\boxed{1} & \cdots ㉠ \\ 5x+\boxed{8}y=\boxed{-7} & \cdots ㉡ \end{cases}$

㉠×5−㉡×2를 하여 풀면 $y=1$

$y=1$을 ㉠에 대입하면 $x=-3$

241 답 $\boldsymbol{x=6,\ y=6}$

주어진 식을 정리하면 $\begin{cases} 3x-\boxed{2}y=\boxed{6} & \cdots ㉠ \\ \boxed{2}x+7y=\boxed{54} & \cdots ㉡ \end{cases}$

㉠×2−㉡×3을 하여 풀면 $y=6$

$y=6$을 ㉠에 대입하면 $x=6$

242 답 $\boldsymbol{x=3,\ y=0}$

주어진 식을 정리하면 $\begin{cases} \boxed{2}x-y=\boxed{6} & \cdots ㉠ \\ \boxed{-3}x+6y=\boxed{-9} & \cdots ㉡ \end{cases}$

㉠×3+㉡×2를 하여 풀면 $y=0$

$y=0$을 ㉠에 대입하면 $x=3$

243 답 $\boldsymbol{x=1,\ y=3}$

㉠×10을 하면

$2x+\boxed{4}y=14$ … ㉢

㉡×12를 하면

$\boxed{4}x-3y=\boxed{-5}$ … ㉣

㉢×2−㉣을 하면

$11y=33 \quad \therefore y=3$

$y=3$을 ㉢에 대입하면

$2x+12=14,\ 2x=2 \quad \therefore x=1$

따라서 주어진 연립방정식의 해는

$x=\boxed{1}$, $y=\boxed{3}$

244 답 $\boldsymbol{x=-5,\ y=-2}$

$\begin{cases} \dfrac{2}{5}x-\dfrac{3}{2}y=1 & \cdots ㉠ \\ 0.02x-0.03y=-0.04 & \cdots ㉡ \end{cases}$

㉠×10을 하면

$4x-15y=10$ … ㉢

㉡×100을 하면

$2x-3y=-4$ … ㉣

㉢−㉣×2를 하면

$-9y=18 \quad \therefore y=-2$

$y=-2$를 ㉣에 대입하면

$2x+6=-4,\ 2x=-10 \quad \therefore x=-5$

따라서 주어진 연립방정식의 해는

$x=-5,\ y=-2$

245 답 $\boldsymbol{x=-1,\ y=7}$

$\begin{cases} 0.3x+0.2y=1.1 & \cdots ㉠ \\ \dfrac{x-1}{2}+\dfrac{y+1}{6}=\dfrac{1}{3} & \cdots ㉡ \end{cases}$

㉠×10을 하면

$3x+2y=11$ … ㉢

㉡×6을 하면

$3(x-1)+y+1=2$

$\therefore 3x+y=4$ … ㉣

㉢−㉣을 하면 $y=7$

$y=7$을 ㉣에 대입하면

$3x+7=4,\ 3x=-3 \quad \therefore x=-1$

따라서 주어진 연립방정식의 해는

$x=-1$, $y=7$

246 답 $\boldsymbol{x=-1,\ y=3}$

㉠의 괄호를 풀어 정리하면

$4x+2y-3x+3=8$

$\therefore x+\boxed{2}y=\boxed{5}$ … ㉢

㉡×10을 하면

$\boxed{4}x-2y=-10$ … ㉣

㉢+㉣을 하면

$5x=-5 \quad \therefore x=\boxed{-1}$

$x=-1$을 ㉢에 대입하면

$-1+2y=5,\ 2y=6 \quad \therefore y=\boxed{3}$

따라서 주어진 연립방정식의 해는

$x=-1$, $y=3$

247 답 $x=14,\ y=4$

$\begin{cases} 3x-2(x+y)=6 & \cdots ㉠ \\ \frac{3}{4}x-\frac{5}{2}y=\frac{1}{2} & \cdots ㉡ \end{cases}$

㉠의 괄호를 풀어 정리하면

$3x-2x-2y=6$

$\therefore x-2y=6$ … ㉢

㉡×4를 하면

$3x-10y=2$ … ㉣

㉢×3－㉣을 하면

$4y=16 \quad \therefore y=4$

$y=4$를 ㉢에 대입하면

$x-8=6 \quad \therefore x=14$

따라서 주어진 연립방정식의 해는

$x=14,\ y=4$

248 답 $x=2,\ y=-1$

$\begin{cases} 0.5(x+3y)-0.2y=-0.3 & \cdots ㉠ \\ \frac{2}{3}x+\frac{y}{2}=\frac{5}{6} & \cdots ㉡ \end{cases}$

㉠×10을 한 후 괄호를 풀어 정리하면

$5(x+3y)-2y=-3,\ 5x+15y-2y=-3$

$\therefore 5x+13y=-3$ … ㉢

㉡×6을 하면

$4x+3y=5$ … ㉣

㉢×4－㉣×5를 하면

$37y=-37 \quad \therefore y=-1$

$y=-1$을 ㉣에 대입하면

$4x-3=5,\ 4x=8 \quad \therefore x=2$

따라서 주어진 연립방정식의 해는

$x=2,\ y=-1$

249 답 분수, 소수, 정수 **1)** 분모, 최소공배수 **2)** 10

250 답 $\begin{cases} 3x-5y=0 \\ x-4y=0 \end{cases}$

$\begin{cases} x+2y=4x-3y \\ 4x-3y=3x+y \end{cases}$를 정리하면 $\begin{cases} 3x-5y=0 \\ x-4y=0 \end{cases}$

251 답 $\begin{cases} 3x-y=0 \\ 2x+y=0 \end{cases}$

$\begin{cases} 2x+3y=5x+2y \\ 5x+2y=3x+y \end{cases}$를 정리하면 $\begin{cases} 3x-y=0 \\ 2x+y=0 \end{cases}$

252 답 $\begin{cases} 3x+2y=3 \\ x-y=1 \end{cases}$

$\begin{cases} 4x+2y=x+3 \\ x+3=y+4 \end{cases}$를 정리하면 $\begin{cases} 3x+2y=3 \\ x-y=1 \end{cases}$

253 답 $\begin{cases} 3x-2y=4 \\ 4x-y=7 \end{cases}$

$\begin{cases} 3x-2y+3=7 \\ 4x-y=7 \end{cases}$을 정리하면 $\begin{cases} 3x-2y=4 \\ 4x-y=7 \end{cases}$

254 답 $\begin{cases} x-4y=-5 \\ 3x-y=-4 \end{cases}$

$\begin{cases} x-2y+1=2y-4 \\ 3x+y=2y-4 \end{cases}$를 정리하면 $\begin{cases} x-4y=-5 \\ 3x-y=-4 \end{cases}$

255 답 $\begin{cases} 4x-6y=-6 \\ 3x-5y=-5 \end{cases}$

$\begin{cases} 4x-y=5y-6 \\ 3x-1=5y-6 \end{cases}$을 정리하면 $\begin{cases} 4x-6y=-6 \\ 3x-5y=-5 \end{cases}$

256 답 $x=2,\ y=2$

$\begin{cases} \boxed{2x+3y}=10 & \cdots ㉠ \\ \boxed{4x+y}=10 & \cdots ㉡ \end{cases}$

㉠×2－㉡을 하면 $y=2$

$y=2$를 ㉡에 대입하면 $x=2$

257 답 $x=-1,\ y=2$

$\begin{cases} \boxed{5x+4y}=3 & \cdots ㉠ \\ \boxed{x+2y}=3 & \cdots ㉡ \end{cases}$

㉠－㉡×2를 하면 $x=-1$

$x=-1$을 ㉡에 대입하면 $y=2$

258 답 $x=-9,\ y=6$

$\begin{cases} \boxed{3x+4y}=-3 & \cdots ㉠ \\ \boxed{x+y}=-3 & \cdots ㉡ \end{cases}$

㉠－㉡×3을 하면 $y=6$

$y=6$을 ㉡에 대입하면 $x=-9$

259 답 $x=-4,\ y=3$

$\begin{cases} x-2y+1=3x+y & \cdots ㉠ \\ 3x+y=2x-y+2 & \cdots ㉡ \end{cases}$

㉠, ㉡을 간단히 정리하면

$\begin{cases} 2x+\boxed{3}y=1 & \cdots ㉢ \\ x+\boxed{2}y=2 & \cdots ㉣ \end{cases}$

㉢－㉣×2를 하면 $y=\boxed{3}$

$y=\boxed{3}$을 ㉣에 대입하면 $x=\boxed{-4}$

260 답 $x=14,\ y=-7$

$\begin{cases} 3x+5y=x+y \\ -3y-14=x+y \end{cases}$ 를 정리하면 $\begin{cases} 2x+4y=0 & \cdots \text{㉠} \\ x+4y=-14 & \cdots \text{㉡} \end{cases}$

㉠－㉡을 하면 $x=14$

$x=14$를 ㉡에 대입하면 $y=-7$

261 답 $x=4,\ y=3$

$\begin{cases} x+2y=4x-2y \\ 4x-2y=2x-y+5 \end{cases}$ 를 정리하면 $\begin{cases} 3x-4y=0 & \cdots \text{㉠} \\ 2x-y=5 & \cdots \text{㉡} \end{cases}$

㉠－㉡×4를 하면 $-5x=-20$ $\therefore x=4$

$x=4$를 ㉡에 대입하면 $y=3$

262 답 1) $B,\ C$ 2) $B,\ B,\ C$ 3) $A,\ B$

263 답 해가 무수히 많다.

㉡×$\boxed{2}$를 하면

$4x+2y=\boxed{8}$ $\cdots$ ㉢

따라서 ㉠＝㉢이므로 해가 $\boxed{\text{무수히 많다.}}$

264 답 해가 무수히 많다.

$\begin{cases} 2x-y=3 & \cdots \text{㉠} \\ 6x-3y=9 & \cdots \text{㉡} \end{cases}$

㉠×3을 하면

$6x-3y=9$ $\cdots$ ㉢

따라서 ㉡＝㉢이므로 해가 무수히 많다.

265 답 해가 무수히 많다.

$\begin{cases} y=2x+4 & \cdots \text{㉠} \\ 4x-2y=-8 & \cdots \text{㉡} \end{cases}$

㉠×2를 하고 식을 정리하면

$4x-2y=-8$ $\cdots$ ㉢

따라서 ㉡＝㉢이므로 해가 무수히 많다.

266 답 해가 없다.

㉠×$\boxed{3}$을 하면

$9x+6y=\boxed{-6}$ $\cdots$ ㉢

따라서 ㉡과 ㉢은 $x,\ y$의 계수는 각각 일치하고 상수항만 다르므로 해가 $\boxed{\text{없다.}}$

267 답 해가 없다.

$\begin{cases} 2x-3y=4 & \cdots \text{㉠} \\ 4x-6y=-8 & \cdots \text{㉡} \end{cases}$

㉠×2를 하면

$4x-6y=8$ $\cdots$ ㉢

따라서 ㉡과 ㉢은 $x,\ y$의 계수는 각각 일치하고 상수항만 다르므로 해가 없다.

268 답 해가 없다.

$\begin{cases} x-\frac{1}{2}y=2 & \cdots \text{㉠} \\ 2x-y=2 & \cdots \text{㉡} \end{cases}$

㉠×2를 하면

$2x-y=4$ $\cdots$ ㉢

따라서 ㉡과 ㉢은 $x,\ y$의 계수는 각각 일치하고 상수항만 다르므로 해가 없다.

269 답 2

연립방정식의 해가 무수히 많으려면

$\frac{\boxed{1}}{2}=\frac{a}{4}=\frac{3}{\boxed{6}}$ $\therefore a=\boxed{2}$

270 답 -5

연립방정식의 해가 무수히 많으려면

$\frac{1}{5}=\frac{-1}{a}=\frac{2}{10}$ $\therefore a=-5$

271 답 3

연립방정식의 해가 무수히 많으려면

$\frac{1}{3}=\frac{-2}{-6}=\frac{a}{9}$ $\therefore a=3$

272 답 -12

연립방정식의 해가 무수히 많으려면

$\frac{4}{a}=\frac{-5}{15}=\frac{2}{-6}$ $\therefore a=-12$

273 답 -6

연립방정식의 해가 없으려면

$\frac{\boxed{3}}{1}=\frac{a}{-2}\neq\frac{\boxed{12}}{1}$ $\therefore a=\boxed{-6}$

274 답 6

연립방정식의 해가 없으려면

$\frac{2}{a}=\frac{1}{3}\neq\frac{3}{4}$ $\therefore a=6$

275 답 8

연립방정식의 해가 없으려면

$\frac{4}{16}=\frac{2}{a}\neq\frac{5}{8}$ $\therefore a=8$

276 답 1) 일치, 무수히 많고, =, =
2) 일치, 다르면, 없고, =, ≠

277 답 1) $x+y=20$ 2) $x-y=6$ 3) $x=13$, $y=7$
4) 큰 정수 : 13, 작은 정수 : 7

3) $\begin{cases} \boxed{x+y=20} & \cdots ㉠ \\ \boxed{x-y=6} & \cdots ㉡ \end{cases}$

㉠+㉡을 하면 $2x=26$이므로 $x=13$

$x=13$을 ㉠에 대입하면 $y=7$

278 답 1) $x+y=9$ 2) $10y+x=10x+y+27$
3) $x=3$, $y=6$ 4) 36

3) $\begin{cases} x+y=9 \\ 9x-9y=-27 \end{cases}$ 을 정리하면 $\begin{cases} x+y=9 \\ x-y=-3 \end{cases}$

이를 연립하여 풀면 $x=3$, $y=6$

279 답 1) $x+y=24$ 2) $100x+500y=4800$
3) $x=18$, $y=6$
4) 100원짜리 : 18개, 500원짜리 : 6개

3) $\begin{cases} \boxed{x+y=24} & \cdots ㉠ \\ \boxed{100x+500y=4800} & \cdots ㉡ \end{cases}$

㉡을 간단히 하면 $x+5y=48$ $\cdots ㉢$

㉠−㉢을 하면 $-4y=-24$이므로 $y=6$

$y=6$을 ㉠에 대입하면 $x=18$

280 답 1) $5x+5y=9000$ 2) $10x+4y=10800$
3) $x=600$, $y=1200$
4) 귤 : 600원, 사과 : 1200원

3) $\begin{cases} 5x+5y=9000 & \cdots ㉠ \\ 10x+4y=10800 & \cdots ㉡ \end{cases}$

㉠×2−㉡을 하면 $6y=7200$

$\therefore y=1200$

$y=1200$을 ㉠에 대입하면 $x=600$

281 답 1) $x+y=55$ 2) $x+16=2(y+16)$
3) $x=42$, $y=13$ 4) 아버지 : 42살, 아들 : 13살

2) 16년 후 아버지의 나이는 $(x+\boxed{16})$살, 아들의 나이는 $(y+16)$살이므로 $x+16=2(y+\boxed{16})$

3) $\begin{cases} x+y=55 \\ x+16=2(y+16) \end{cases}$ 을 정리하면 $\begin{cases} x+y=55 \cdots ㉠ \\ x-2y=16 \cdots ㉡ \end{cases}$

㉠−㉡을 하면 $3y=39$

$\therefore y=13$

$y=13$을 ㉠에 대입하면 $x=42$

282 답 1) $x-y=30$ 2) $x-5=4(y-5)$
3) $x=45$, $y=15$ 4) 어머니 : 45살, 아들 : 15살

2) 5년 전 어머니의 나이는 $(x-5)$살, 아들의 나이는 $(y-\boxed{5})$살이므로 $x-5=4(y-\boxed{5})$

3) $\begin{cases} x-y=30 \\ x-5=4(y-5) \end{cases}$ 를 정리하면 $\begin{cases} x-y=30 \cdots ㉠ \\ x-4y=-15 \cdots ㉡ \end{cases}$

㉠−㉡을 하면 $3y=45$

$\therefore y=15$

$y=15$를 ㉠에 대입하면 $x=45$

283 답 1) $x+y=11$ 2) $4x+2y=30$
3) $x=4$, $y=7$ 4) 돼지 : 4마리, 닭 : 7마리

2) 돼지 1마리의 다리는 4개이므로 돼지 x마리의 다리 수는 $4x$개, 닭 1마리의 다리는 2개이므로 닭 y마리의 다리 수는 $\boxed{2y}$개이다.

$\therefore 4x+\boxed{2y}=30$

3) $\begin{cases} x+y=11 & \cdots ㉠ \\ 4x+2y=30 & \cdots ㉡ \end{cases}$

㉠×2−㉡을 하면 $-2x=-8$

$\therefore x=4$

$x=4$를 ㉠에 대입하면 $y=7$

284 답 1) $x+y=9$ 2) $2x+4y=28$
3) $x=4$, $y=5$ 4) 자전거 : 4대, 자동차 : 5대

2) 자전거 1대의 바퀴는 2개이므로 자전거 x대의 바퀴 수는 $\boxed{2x}$개, 자동차 1대의 바퀴는 4개이므로 자동차 y대의 바퀴 수는 $4y$개이다.

$\therefore \boxed{2x}+4y=28$

3) $\begin{cases} x+y=9 & \cdots ㉠ \\ 2x+4y=28 & \cdots ㉡ \end{cases}$

㉠×2−㉡을 하면 $-2y=-10$

$\therefore y=5$

$y=5$를 ㉠에 대입하면 $x=4$

285 답 1) $x+y=25$ 2) $5x-3y=45$
3) $x=15$, $y=10$ 4) 정답 : 15개, 오답 : 10개

3) $\begin{cases} x+y=25 & \cdots ㉠ \\ 5x-3y=45 & \cdots ㉡ \end{cases}$

㉠×3+㉡을 하면 $8x=120$

$\therefore x=15$

$x=15$를 ㉠에 대입하면 $y=10$

286 답 1) $2x-y=22$ 2) $-x+2y=16$
3) $x=20,\ y=18$ 4) 가현 : 20회, 태민 : 18회

1) 가현이는 x회 이기고 y회 진 것이므로 올라간 계단은 $2x$계단, 내려간 계단은 $\boxed{y}$계단이다.
$\therefore 2x-\boxed{y}=22$

2) 태민이는 y회 이기고 $\boxed{x}$회 진 것이므로 올라간 계단은 $2y$계단, 내려간 계단은 $\boxed{x}$계단이다.
$\therefore \boxed{-x}+2y=16$

3) $\begin{cases} 2x-y=22 \\ -x+2y=16 \end{cases}$
이를 연립하여 풀면 $x=20,\ y=18$

287 답 1) $x+y=23$
2) $x=3y-1$ 또는 $x-3y=-1$
3) $x=17,\ y=6$
4) 긴 끈 : 17 cm, 짧은 끈 : 6 cm

3) $\begin{cases} x+y=23 & \cdots ㉠ \\ x=3y-1 & \cdots ㉡ \end{cases}$
㉡을 ㉠에 대입하여 풀면 $y=6$
$y=6$을 ㉡에 대입하면 $x=17$

288 답 1) $x+y=1400$ 2) $\frac{8}{100}x-\frac{12}{100}y=-18$
3) $x=750,\ y=650$
4) 810명

2) 남학생은 작년에 비해 8 % 증가했으므로
$x\times\frac{8}{100}=\frac{8}{100}$
여학생은 작년에 비해 12 % 감소했으므로
$-y\times\frac{12}{100}=-\frac{12}{100}y$
전체 학생이 작년에 비해 18명 감소했으므로
$\frac{8}{100}x-\frac{12}{100}y=-18$

3) $\begin{cases} x+y=1400 \\ \frac{8}{100}x-\frac{12}{100}y=-18 \end{cases}$ 을 정리하면 $\begin{cases} x+y=1400 \\ 2x-3y=-450 \end{cases}$
이를 연립하여 풀면 $x=750,\ y=650$

4) 작년 남학생 수가 750명이고 증가한 남학생 수는
$750\times\frac{8}{100}=\boxed{60}$(명)이므로
올해 남학생 수는 $750+\boxed{60}=\boxed{810}$(명)

289 답 1) $4x+6y=1$ 2) $6x+3y=1$
3) $x=\frac{1}{8},\ y=\frac{1}{12}$ 4) 12일

3) $\begin{cases} 4x+6y=1 \\ 6x+3y=1 \end{cases}$
이를 연립하여 풀면 $x=\frac{1}{8},\ y=\frac{1}{12}$

4) B가 하루에 할 수 있는 일의 양이 $\frac{1}{12}$이므로 이 일을 혼자서 하면 $\boxed{12}$일이 걸린다.

290 답 1) $3x+3y=1$ 2) $2x+4y=1$
3) $x=\frac{1}{6},\ y=\frac{1}{6}$, 6시간

3) $\begin{cases} 3x+3y=1 & \cdots ㉠ \\ 2x+4y=1 & \cdots ㉡ \end{cases}$
이를 연립하여 풀면 $x=\frac{1}{6},\ y=\frac{1}{6}$이므로 B 호스로만 이 물탱크를 채우려면 6시간이 걸린다.

291 답 $x,\ y,\ x,\ y$, 연립, 연립, $x,\ y$, 해

292 답 1) $x+y=5$ 2) $\frac{x}{4}+\frac{y}{6}=1$
3) $x=2,\ y=3$ 4) 3 km

2) (시간)$=\frac{(거리)}{(속력)}$이므로 걸어간 시간은 $\frac{x}{4}$시간,
달려간 시간은 $\frac{y}{\boxed{6}}$시간이다.

3) $\begin{cases} x+y=5 \\ 3x+2y=12 \end{cases}$
이를 연립하여 풀면 $x=2,\ y=3$

293 답 1) $x+y=10$ 2) $\frac{x}{9}+\frac{y}{6}=\frac{4}{3}$
3) $x=6,\ y=4$ 4) 4 km

2) (시간)$=\frac{(거리)}{(속력)}$이므로 달려간 시간은 $\frac{x}{\boxed{9}}$시간, 걸어간 시간은 $\frac{y}{\boxed{6}}$시간이고, 1시간 20분은
$1+\frac{20}{60}=\frac{4}{3}$(시간)이다.

3) $\begin{cases} x+y=10 \\ 2x+3y=24 \end{cases}$
이를 연립하여 풀면 $x=6,\ y=4$

294 답 1) $y=x+4$ 2) $\frac{x}{3}+\frac{y}{4}=\frac{9}{2}$

3) $x=6,\ y=10$

4) 올라간 거리 : 6 km, 내려온 거리 : 10 km

2) (시간)$=\frac{(거리)}{(속력)}$이므로 올라갈 때 걸린 시간은 $\frac{x}{3}$시간, 내려올 때 걸린 시간은 $\frac{y}{4}$시간이다.

3) $\begin{cases} y=x+4 \\ \frac{x}{3}+\frac{y}{4}=\frac{9}{2} \end{cases}$를 정리하면 $\begin{cases} y=x+4 & \cdots ㉠ \\ 4x+3y=54 & \cdots ㉡ \end{cases}$

이를 연립하여 풀면 $x=6,\ y=10$

295 답 1) $x+y=20$ 2) $\frac{1}{2}x+3y=20$

3) $x=16,\ y=4$ 4) 시속 16 km

1) (거리)=(속력)×(시간)을 이용한다.

2) (거리)=(속력)×(시간)이므로 자전거로 간 거리는 $x\times\frac{30}{60}=\frac{1}{2}x$, 걸어서 간 거리는 $y\times3=3y$이므로 $\frac{1}{2}x+3y=20$

3) $\begin{cases} x+y=20 & \cdots ㉠ \\ \frac{1}{2}x+3y=20 & \cdots ㉡ \end{cases}$

㉠−㉡×2를 하면 $-5y=-20$

$\therefore y=4$

$y=4$를 ㉠에 대입하면 $x=16$

296 답 1) 속력 2) 거리 3) 시간

297 답 1) $x+y=500$ 2) $\frac{5}{100}x+\frac{10}{100}y=\frac{8}{100}\times500$

3) $x=200,\ y=300$

4) 5 %의 소금물의 양 : 200 g,

10 %의 소금물의 양 : 300 g

2) (소금의 양)$=\frac{(소금물의 농도)}{100}\times$ (소금물의 양)

3) 두 식을 간단히 하면 $\begin{cases} x+y=500 \\ x+2y=800 \end{cases}$

이를 연립하여 풀면 $x=200,\ y=300$

298 답 1) $\frac{x}{100}\times200+\frac{y}{100}\times200=\frac{10}{100}\times400$,

$\frac{x}{100}\times100+\frac{y}{100}\times300=\frac{9}{100}\times400$

2) A의 농도 : 12 %, B의 농도 : 8 %

1) 9 % 소금물 400 g에 들어 있는 소금의 양을 이용하면

$\frac{x}{100}\times200+\frac{y}{100}\times200=\frac{10}{100}\times400$,

$\frac{x}{100}\times100+\frac{y}{100}\times300=\frac{9}{100}\times400$

2) $\begin{cases} \frac{x}{100}\times200+\frac{y}{100}\times200=\frac{10}{100}\times400 \\ \frac{x}{100}\times100+\frac{y}{100}\times300=\frac{9}{100}\times400 \end{cases}$

두 식을 간단히 하면 $\begin{cases} x+y=20 \\ x+3y=36 \end{cases}$

이를 연립하여 풀면 $x=12,\ y=8$

299 답 소금의 양

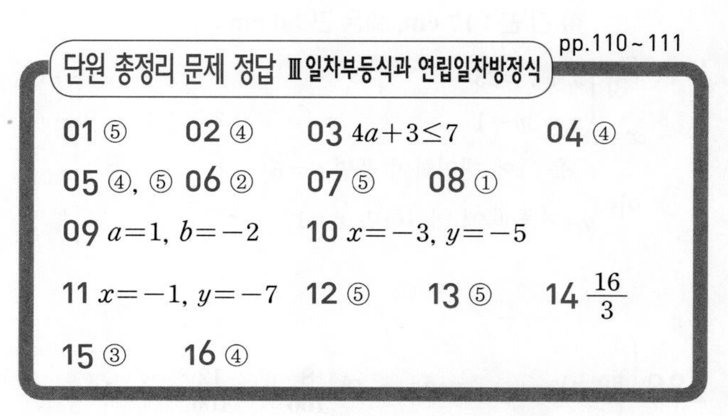

단원 총정리 문제 정답 Ⅲ 일차부등식과 연립일차방정식 pp.110~111

01 ⑤ 02 ④ 03 $4a+3\le7$ 04 ④

05 ④, ⑤ 06 ② 07 ⑤ 08 ①

09 $a=1,\ b=-2$ 10 $x=-3,\ y=-5$

11 $x=-1,\ y=-7$ 12 ⑤ 13 ⑤ 14 $\frac{16}{3}$

15 ③ 16 ④

01 답 ⑤

① $-1,\ 0,\ 1,\ 2$ ② $-2,\ -1,\ 0,\ 1$

③ $-2,\ -1,\ 0,\ 1,\ 2$ ④ 2

02 답 ④

④ $-a<-b$이므로 $3-a<3-b$

03 답 $4a+3\le7$

$a\le1$의 각 변에 4를 곱하면 $4a\le4$

각 변에 3을 더하면 $4a+3\le7$

04 답 ④

$x-2\le3x-4$에서 $-2x\le-2$ $\therefore x\ge1$

05 답 ④, ⑤

양변에 20을 곱하면 $6x-20<5(x-3)$

$6x-20<5x-15$ $\therefore x<5$

따라서 주어진 부등식의 해가 아닌 것은 5, 5.7이다.

06 답 ②

ㄱ. $x-y$는 방정식이 아니다.

ㄴ. $2x+7=0$은 미지수가 1개인 일차방정식이다.

ㄹ. $x^2-4x+7=0$은 미지수가 1개인 이차방정식이다.

ㅁ. $xy=5$는 미지수가 2개이지만 일차방정식이 아니다.

07 답 ⑤

① $\begin{cases} 2x+y=6 \text{ (거짓)} \\ x-3y=4 \text{ (거짓)} \end{cases}$ ② $\begin{cases} -x+2y=11 \text{ (거짓)} \\ 2x+y=1 \text{ (참)} \end{cases}$

③ $\begin{cases} 6x+y=9 \text{ (참)} \\ 2x=-3y+14 \text{ (거짓)} \end{cases}$ ④ $\begin{cases} 5x-2y=3 \text{ (거짓)} \\ 2x-2y=1 \text{ (거짓)} \end{cases}$

⑤ $\begin{cases} 3x=-2y \text{ (참)} \\ x-y=5 \text{ (참)} \end{cases}$

08 답 ①

x의 절댓값의 계수를 같게 만드려면 ㉠$\times 2$를 해야 하고 ㉠$\times 2-$㉡을 하면 x가 소거되므로 y의 값을 찾을 수 있다.

09 답 $a=1$, $b=-2$

$x=2$, $y=-1$을 각각 대입하면 $\begin{cases} 2a-b=4 \\ 2b+a=-3 \end{cases}$

이를 연립하여 풀면 $a=1$, $b=-2$

10 답 $x=-3$, $y=-5$

$\begin{cases} 3x-4y=11 \\ 3x-2y=1 \end{cases}$

연립하여 풀면 $x=-3$, $y=-5$

11 답 $x=-1$, $y=-7$

$\begin{cases} \dfrac{x-y}{3}=2 \\ \dfrac{3x-y}{2}=2 \end{cases}$ 를 정리하면 $\begin{cases} x-y=6 & \cdots ㉠ \\ 3x-y=4 & \cdots ㉡ \end{cases}$

㉠$-$㉡을 하여 풀면 $x=-1$, $y=-7$

12 답 ⑤

$\begin{cases} 7x-2y=3(-x+y) \\ 3(-x+y)=x+2y+4 \end{cases}$ 를 정리하면

$\begin{cases} 10x-5y=0 & \cdots ㉠ \\ -4x+y=4 & \cdots ㉡ \end{cases}$

㉠$+$㉡$\times 5$를 하면

$-10x=20 \qquad \therefore x=-2$

$x=-2$를 ㉡에 대입하면 $y=-4$

$\therefore a=-2,\ b=-4$

$\therefore 2ab=2\times(-2)\times(-4)=16$

13 답 ⑤

① $\begin{cases} x+y=7 \\ x-y=7 \end{cases}$ 의 해는 1개이다. $\left(\because \dfrac{1}{1}\neq\dfrac{1}{-1}\right)$

② $\begin{cases} x+y=4 \\ x+y=6 \end{cases}$ 의 해는 없다. $\left(\because \dfrac{1}{1}=\dfrac{1}{1}\neq\dfrac{4}{6}\right)$

③ $\begin{cases} -x+2y=9 \\ 2x-4y=18 \end{cases}$ 의 해는 없다. $\left(\because \dfrac{-1}{2}=\dfrac{2}{-4}\neq\dfrac{9}{18}\right)$

④ $\begin{cases} 6x+2y=9 \\ 3x=-y+4 \end{cases}$ 의 해는 없다. $\left(\because \dfrac{6}{3}=\dfrac{2}{1}\neq\dfrac{9}{4}\right)$

⑤ $\begin{cases} 3x=-2y-5 \xrightarrow{\times 2\text{를 하면}} 6x+4y=-10 \\ 6x+4y=-10 \end{cases}$

의 해는 무수히 많다. $\left(\because \dfrac{6}{6}=\dfrac{4}{4}=\dfrac{-10}{-10}\right)$

14 답 $\dfrac{16}{3}$

$\begin{cases} 4x-3y=-9 & \cdots ㉠ \\ ax-4y=12 & \cdots ㉡ \end{cases}$

㉠$\times 4$, ㉡$\times 3$을 하면

$\begin{cases} 16x-12y=-36 \\ 3ax-12y=36 \end{cases}$

연립방정식의 해가 없으므로 $\dfrac{16}{3a}=\dfrac{-12}{-12}\neq\dfrac{-36}{36}$

$\dfrac{16}{3a}=1$, $16=3a \qquad \therefore a=\dfrac{16}{3}$

15 답 ③

현재 아버지의 나이를 x살, 딸의 나이를 y살이라고 하면

$\begin{cases} x+y=62 \\ x+7=3(y+7) \end{cases}$ 을 정리하면 $\begin{cases} x+y=62 & \cdots ㉠ \\ x-3y=14 & \cdots ㉡ \end{cases}$

㉠$\times 3+$㉡을 하면 $4x=200$이므로 $x=50$

이를 ㉠에 대입하면 $y=12$

따라서 현재 아버지의 나이는 50살이다.

16 답 ④

소금물 A의 농도를 x %, 소금물 B의 농도를 y %라고 하면

$\begin{cases} \dfrac{x}{100}\times 100+\dfrac{y}{100}\times 300=\dfrac{6}{100}\times 400 \\ \dfrac{x}{100}\times 300+\dfrac{y}{100}\times 100=\dfrac{8}{100}\times 400 \end{cases}$ 을 정리하면

$\begin{cases} x+3y=24 & \cdots ㉠ \\ 3x+y=32 & \cdots ㉡ \end{cases}$

㉠$-$㉡$\times 3$을 하면

$-8x=-72 \qquad \therefore x=9$

이를 ㉡에 대입하면

$27+y=32 \qquad \therefore y=5$

따라서 소금물 A, B의 농도는 각각 9 %, 5 %이다.

Ⅳ 일차함수와 그래프

Ⅵ－1 일차함수와 그래프

pp. 116~151

01 답 ○, **1**, **0**, **1**

x의 값이 정해지면 y의 값은 오직 하나씩만 정해진다.

02 답 × / **1** / **1**, **3** / **1**, **2**, **4**

x의 값이 정해지면 y의 값이 2개 이상 정해진다.

03 답 ○, **1**, **2**, **2**, **3**

x의 값이 정해지면 y의 값은 오직 하나씩만 정해진다.

04 답 × / **2** / **2**, **3**

x의 값에 y의 값이 정해지지 않기도 하고, 2개 이상 정해지기도 하므로 함수가 아니다.

05 답 ○, **12**, **24**, **36**, **48**

x의 값이 정해지면 y의 값은 오직 하나씩만 정해진다.

06 답 ○, **12**, **6**, **4**, **3**

x의 값이 정해지면 y의 값은 오직 하나씩만 정해진다.

07 답 **1) 변하는 값, 변수　2) 변수, x, 함수**

08 답 **2**, **6**, $\mathbf{2x}$, $\mathbf{y=2x}$

자연수 x를 2배한 값이 y이므로 $y=2x$

09 답 **300**, **600**, **900**, $\mathbf{300x}$, $\mathbf{y=300x}$

$x=1$일 때 $y=300$, $x=2$일 때 $y=600$, $x=3$일 때 $y=900$, …이므로 $y=300x$

10 답 **500**, **1000**, **1500**, $\mathbf{500x}$, $\mathbf{y=500x}$

$x=1$일 때 $y=500$, $x=2$일 때 $y=1000$, $x=3$일 때 $y=1500$, …이므로 $y=500x$

11 답 **4**, **8**, **12**, $\mathbf{4x}$, $\mathbf{y=4x}$

$x=1$일 때 $y=4$, $x=2$일 때 $y=8$, $x=3$일 때 $y=12$, …이므로 $y=4x$

12 답 **6**, **3**, **2**, **1**, $\mathbf{\frac{6}{x}}$, $\mathbf{y=\frac{6}{x}}$

$x=1$일 때 $y=6$, $x=2$일 때 $y=3$, $x=3$일 때 $y=2$, $x=6$일 때 $y=1$이므로 $xy=6$ 즉, $y=\frac{6}{x}$이다.

13 답 **12**, **6**, **4**, $\mathbf{\frac{12}{x}}$, $\mathbf{y=\frac{12}{x}}$

사탕 12개를 x명의 학생들에게 똑같이 나누어주면 한 사람이 가지게 되는 사탕의 개수가 y이므로 $xy=12$ 즉, $x=1$일 때 $y=12$, $x=2$일 때 $y=6$, $x=3$일 때 $y=4$, … 이므로 $y=\frac{12}{x}$이다.

14 답 ○

x의 값이 정해짐에 따라 y의 값은 오직 하나씩 정해지며 y는 x에 [정] 비례하는 [함수]이다.

15 답 ○

$x=1$일 때 $y=-3$, $x=2$일 때 $x=-6$, $x=3$일 때 $y=-9$, …이므로 y는 x에 정비례하는 함수이다.

16 답 ○

$x=7$일 때 $y=1$, $x=14$일 때 $y=2$, …이므로 y는 x에 정비례하는 함수이다.

17 답 ○

$x=10$일 때 $y=1$, $x=20$일 때 $y=2$, …이므로 y는 x에 정비례하는 함수이다.

18 답 ○

x의 값이 정해짐에 따라 y의 값이 오직 하나씩 정해지며 y는 x에 [반] 비례하는 [함수]이다.

19 답 ○

$x=8$일 때 $y=-1$, $x=-2$일 때 $y=4$로 $xy=-8$로 일정하므로 y는 x에 반비례하는 함수이다.

20 답 **40**, **80**

$x=1$일 때 $y=20$, $x=2$일 때 $y=40$, $x=3$일 때 $y=60$, $x=4$일 때 $y=80$, …이다.

21 답 **함수이다.**

x의 값이 정해짐에 따라 y의 값이 오직 하나씩 정해지므로 함수이다.

22 답 $\mathbf{20x}$

y는 x에 정비례하는 함수이므로 $y=20x$이다.

23 답 **18**, **9**, **6**, **3**, **2**, **1**

$x=1$일 때 $y=18$, $x=2$일 때 $y=9$, $x=3$일 때 $y=6$, $x=6$일 때 $y=3$. $x=9$일 때 $y=2$, $y=18$일 때, $x=1$이다.

24 답 함수이다.

x의 값이 정해짐에 따라 y의 값이 오직 하나씩 정해지므로 함수이다.

25 답 $y=\frac{18}{x}$

y는 x에 반비례하는 함수이므로 $y=\frac{18}{x}$이다.

26 답 1) 정비례, y, 함수 2) 반비례, y, 함수

27 답 2

$f(1)=2\times\boxed{1}=\boxed{2}$

28 답 0

$f(0)=2\times\boxed{0}=\boxed{0}$

29 답 6

$f(3)=2\times3=6$

30 답 -2

$f(-1)=2\times(-1)=-2$

31 답 -4

$f(-2)=2\times(-2)=-4$

32 답 -1

$f\left(-\frac{1}{2}\right)=2\times\left(-\frac{1}{2}\right)=-1$

33 답 16

$f(1)=\frac{16}{\boxed{1}}=\boxed{16}$

34 답 2, 8, 8

$f(2)=\frac{16}{\boxed{2}}=\boxed{8}$

35 답 4

$f(4)=\frac{16}{4}=4$

36 답 -16

$f(-1)=\frac{16}{-1}=-16$

37 답 -2

$f(-8)=\frac{16}{-8}=-2$

38 답 -1

$f(-16)=\frac{16}{-16}=-1$

39 답 4

$f(2)=2\times\boxed{2}=\boxed{4}$

40 답 10

$f(\boxed{2})=5\times\boxed{2}=\boxed{10}$

41 답 -1

$f(2)=-\frac{1}{2}\times2=-1$

42 답 6

$f(2)=\frac{12}{2}=6$

43 답 -3

$f(2)=-\frac{6}{2}=-3$

44 답 10

$f(2)=3\times2+4=10$

45 답 -12

$f(-3)=4\times\boxed{-3}=\boxed{-12}$

46 답 9

$f(\boxed{-3})=-3\times\boxed{-3}=\boxed{9}$

47 답 $-\frac{1}{5}$

$f(-3)=\frac{-3}{15}=-\frac{1}{5}$

48 답 3

$f(-3)=-\frac{9}{-3}=3$

49 답 -20

$f(-3)=\frac{60}{-3}=-20$

50 답 -13

$f(-3)=2\times(-3)-7=-6-7=-13$

51 답 3

$f(x)=ax$에서 $f(2)=2a$이므로

$f(2)=6$이면 $\boxed{2a}=6$

$\therefore a=\boxed{3}$

52 답 **1**

$f(x)=ax$에서 $f(3)=3a$이므로

$f(3)=3$이면 $3a=\boxed{3}$

$\therefore a=\boxed{1}$

53 답 **−3**

$f(x)=ax$에서 $f(-1)=-a$이므로

$f(-1)=3$이면 $-a=3$

$\therefore a=-3$

54 답 **2**

$f(x)=ax$에서 $f(-2)=-2a$이므로

$f(-2)=-4$이면 $-2a=-4$

$\therefore a=2$

55 답 **−2**

$f\left(\frac{1}{2}\right)=\frac{1}{2}a$이므로

$\frac{a}{2}=-1 \qquad \therefore a=-2$

56 답 **−6**

$f\left(-\frac{1}{3}\right)=-\frac{1}{3}a$이므로

$-\frac{1}{3}a=2 \qquad \therefore a=-6$

57 답 **−6**

$f(3)=6$이면 $3a=6$에서 $a=\boxed{2}$이므로 $f(x)=\boxed{2}x$

$\therefore f(-3)=\boxed{2}\times(-3)=\boxed{-6}$

58 답 **−8**

$f(2)=8$이면 $\boxed{2a}=8$에서 $a=\boxed{4}$이므로 $f(x)=\boxed{4}x$

$\therefore f(-2)=\boxed{4}\times(-2)=\boxed{-8}$

59 답 **−4**

$-2a=2$에서 $a=-1$이므로 $f(x)=-x$

$\therefore f(4)=-4$

60 답 **2**

$6a=-4$에서 $a=-\frac{2}{3}$이므로 $f(x)=-\frac{2}{3}x$

$\therefore f(-3)=-\frac{2}{3}\times(-3)=2$

61 답 **1**

$f(2)=6$이면 $2a=6$에서 $a=3$이므로 $f(x)=3x$

$f(b)=3$에서 $3b=3$이므로 $b=1$

62 답 **2**

$f(x)=\frac{a}{x}$에서 $f(2)=\frac{a}{2}$이면 $f(2)=1$이므로

$\boxed{\frac{a}{2}}=1 \qquad \therefore a=\boxed{2}$

63 답 **9**

$f(3)=\frac{a}{3}$에서 $\frac{a}{3}=3$이므로 $a=9$

64 답 **−6**

$f(6)=\frac{a}{6}$에서 $\frac{a}{6}=-1$이므로 $a=-6$

65 답 **2**

$f(-2)=\frac{a}{-2}$에서 $-\frac{a}{2}=-1$이므로 $a=2$

66 답 **8**

$f(-4)=\frac{a}{-4}$에서 $-\frac{a}{4}=-2$이므로 $a=8$

67 답 **2**

$f(x)=\frac{a}{x}=a\div x$이므로

$f\left(\frac{1}{2}\right)=a\div\frac{1}{2}=a\times 2$이다.

$f\left(\frac{1}{2}\right)=4$에서 $a\times 2=4$이므로

$a=2$

68 답 **6**

$f(1)=12$이면 $\frac{a}{1}=12$에서 $a=\boxed{12}$이므로

$f(x)=\frac{\boxed{12}}{x}$

$\therefore f(2)=\frac{\boxed{12}}{2}=\boxed{6}$

69 답 **−3**

$f(3)=-6$이면 $\frac{a}{3}=-6$에서

$a=-18$이므로 $f(x)=\frac{-18}{x}$

$\therefore f(6)=-3$

70 답 **3**

$\frac{a}{2}=-3$에서 $a=-6$이므로 $f(x)=-\frac{6}{x}$

$\therefore f(-2)=3$

71 답 **−4**

$\frac{a}{-6}=-2$에서 $a=12$이므로 $f(x)=\frac{12}{x}$

$\therefore f(-3)=-4$

72 답 $\frac{1}{2}$

$f(1)=\frac{1}{2}\times1=\boxed{\frac{1}{2}}$, $g(0)=\boxed{0}$

$\therefore f(1)+g(0)=\boxed{\frac{1}{2}}+\boxed{0}=\boxed{\frac{1}{2}}$

73 답 **0**

$f(2)=\frac{1}{2}\times2=1$, $g(1)=-1$

$\therefore f(2)+g(1)=1+(-1)=0$

74 답 **0**

$f(4)=\frac{1}{2}\times4=2$, $g(2)=-2$

$\therefore f(4)+g(2)=2+(-2)=0$

75 답 **−9**

$f(6)=\frac{1}{2}\times6=3$, $g(3)=-3$

$\therefore f(6)g(3)=3\times(-3)=-9$

76 답 **−3**

$f(-2)=\frac{1}{2}\times(-2)=-1$, $g(-3)=3$

$\therefore f(-2)g(-3)=(-1)\times3=-3$

77 답 **6**

$f(1)=2\times1=2$, $g(1)=\frac{4}{1}=4$

$\therefore f(1)+g(1)=2+4=6$

78 답 **−1**

$f(-1)=2\times(-1)=-2$, $g(4)=\frac{4}{4}=1$

$\therefore f(-1)+g(4)=-2+1=-1$

79 답 **8**

$f(2)=2\times2=4$, $g(2)=\frac{4}{2}=2$

$\therefore f(2)g(2)=4\times2=8$

80 답 **−8**

$f(-2)=2\times(-2)=-4$, $g(-1)=\frac{4}{-1}=-4$

$\therefore f(-2)+g(-1)=-4-4=-8$

81 답 1) $y=f(x)$ 2) 함숫값, $y=f(x)$, $f(1)$

82 답 ○

함수 $y=x$에서 x는 x에 대한 $\boxed{\text{일차식이다.}}$

83 답 ×

함수 $y=4$에서 4는 x에 대한 $\boxed{\text{일차식이 아니다.}}$

84 답 ×

함수 $y=\frac{2}{x}$에서 $\frac{2}{x}$는 x에 대한 일차식이 아니므로

$y=\frac{2}{x}$는 일차함수가 아니다.

85 답 ○

함수 $y=5x+2$에서 $5x+2$는 x에 대한 일차식이므로

$y=5x+2$는 일차함수이다.

86 답 ×

함수 $y=x(x-1)=x^2-x$에서 x^2-x는 x에 대한 일차식이 아니므로 $y=x(x-1)$은 일차함수가 아니다.

87 답 ○

함수 $y=-2+x$에서 $-2+x$는 x에 대한 일차식이므로

$y=-2+x$는 일차함수이다.

88 답 $y=-300x+2000$

연필 x자루의 값은 $\boxed{300}x$원이고 거스름돈은

$(-\boxed{300}x+\boxed{2000})$원이므로 관계식은 $y=-300x+\boxed{2000}$

89 답 $y=50x+100$

달걀 x개의 무게는 $50x$ g이고 바구니에 담긴 달걀의 무게는 $(50x+100)$ g이므로 관계식은 $y=50x+100$

90 답 $y=-2x+200$

x분 동안 흘러나간 물의 양은 $2x$ L이고 욕조에 남은 물의 양은 $(-2x+200)$L이므로 관계식은 $y=-2x+200$

91 답 $ax+b$, $\neq$, 일차함수

92 답

x	⋯	-2	-1	0	1	2	⋯
y	⋯	-4	-2	0	2	4	⋯

93 답 1) 2)

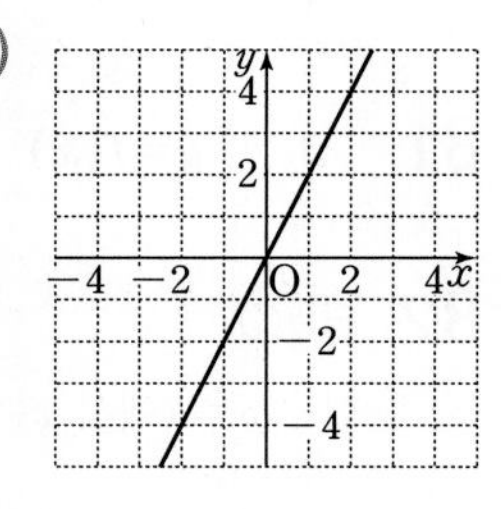

94 답

x	⋯	-2	-1	0	1	2	⋯
y	⋯	4	2	0	-2	-4	⋯

95 답 1)

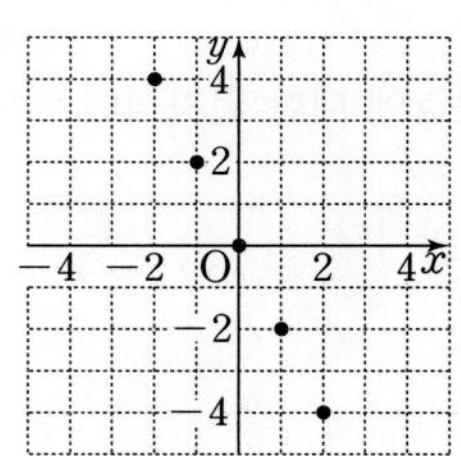

2)

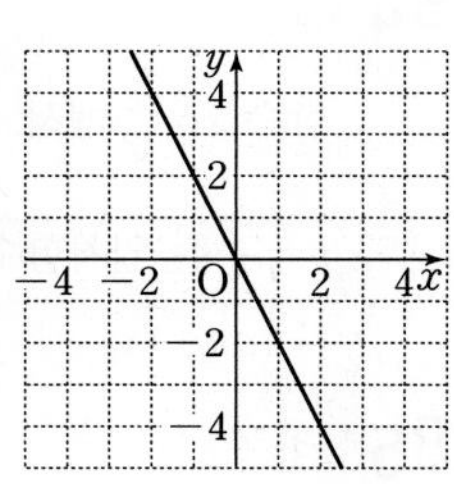

96 답 **3**

일차함수 $y=ax$의 그래프가 점 $(2, 6)$을 지나므로

$x=\boxed{2}$, $y=\boxed{6}$을 각각 대입하면

$6=2a$ $\quad\therefore a=\boxed{3}$

97 답 $\mathbf{\frac{5}{2}}$

일차함수 $y=ax$의 그래프가 점 $(4, 10)$을 지나므로

$x=4$, $y=10$을 각각 대입하면

$10=4a$ $\quad\therefore a=\frac{5}{2}$

98 답 $\mathbf{-\frac{1}{2}}$

일차함수 $y=ax$의 그래프가 점 $(-4, 2)$를 지나므로

$x=-4$, $y=2$를 각각 대입하면

$2=-4a$ $\quad\therefore a=-\frac{1}{2}$

99 답 ㉠

a의 절댓값이 클수록 함수 $y=ax$의 그래프는 $\boxed{y}$축에 가까워진다. 따라서 a의 절댓값이 가장 큰 함수의 그래프는 $\boxed{㉠}$이다.

100 답 ㉢

a의 절댓값이 클수록 함수 $y=ax$의 그래프는 y축에 가까워진다. 따라서 a의 절댓값이 가장 큰 함수의 그래프는 ㉢이다.

101 답 ㉡

a의 절댓값이 클수록 함수 $y=ax$의 그래프는 y축에 가까워진다. 따라서 a의 절댓값이 가장 큰 함수의 그래프는 ㉡이다.

102 답 원점, 오른쪽 위, **1**, **3**, 증가, 증가

103 답 해설 참조

x	⋯	-2	-1	0	1	2	⋯
$y=x$	⋯	-2	-1	0	1	2	⋯
$y=x+2$	⋯	0	1	2	3	4	⋯

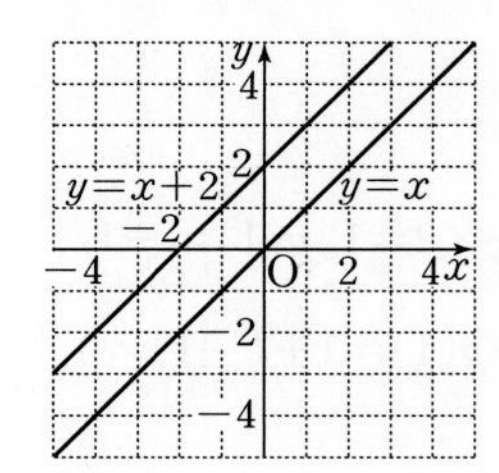

104 답 해설 참조

x	⋯	-2	-1	0	1	2	⋯
$y=2x$	⋯	-4	-2	0	2	4	⋯
$y=2x-3$	⋯	-7	-5	-3	-1	1	⋯

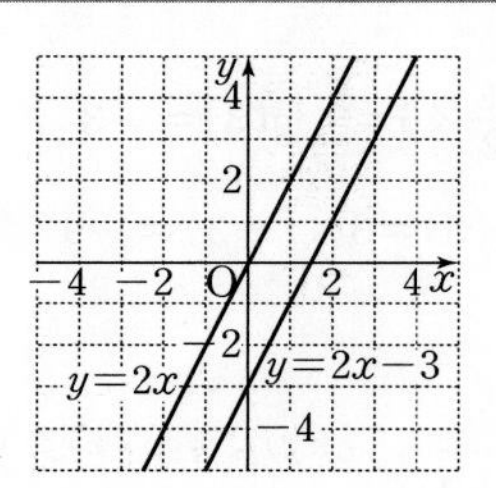

105 답 해설 참조

x	⋯	-2	-1	0	1	2	⋯
$y=-x$	⋯	2	1	0	-1	-2	⋯
$y=-x+3$	⋯	5	4	3	2	1	⋯

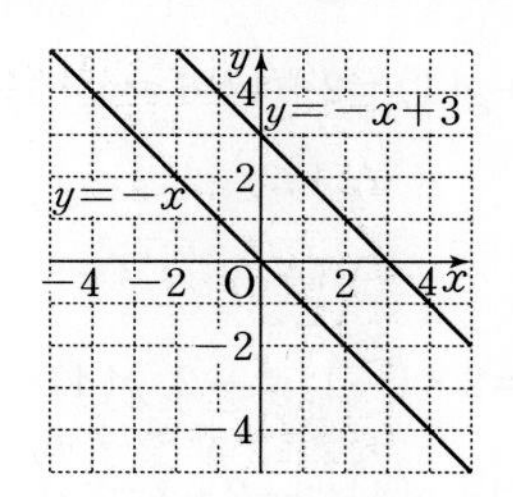

106 답 해설 참조

x	⋯	-2	-1	0	1	2	⋯
$y=-3x$	⋯	6	3	0	-3	-6	⋯
$y=-3x-3$	⋯	3	0	-3	-6	-9	⋯

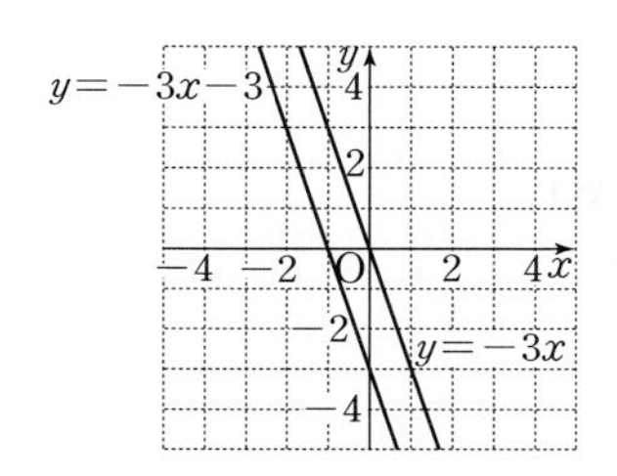

107 답 해설 참조

x	…	-2	-1	0	1	2	…
$y=-2x$	…	4	2	0	-2	-4	…
$y=-2x+2$	…	6	4	2	0	-2	…

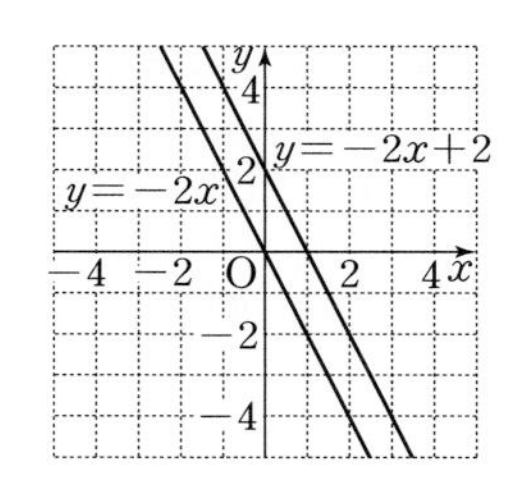

108 답 -4

일차함수 $y=x+4$의 그래프는 일차함수 $y=x$의 그래프를 y축의 방향으로 $\boxed{-4}$만큼 평행이동한 것이다.

109 답 3

일차함수 $y=3x+3$의 그래프는 일차함수 $y=3x$의 그래프를 y축의 방향으로 $\boxed{3}$만큼 평행이동한 것이다.

110 답 2

일차함수 $y=-\frac{1}{2}x+2$의 그래프는 일차함수 $y=-\frac{1}{2}x$의 그래프를 y축의 방향으로 $\boxed{2}$만큼 평행이동한 것이다.

111 답 -5

일차함수 $y=-4x-5$의 그래프는 일차함수 $y=-4x$의 그래프를 y축의 방향으로 $\boxed{-5}$만큼 평행이동한 것이다.

112 답 $y=x+5$

일차함수 $y=ax$의 그래프를 y축의 방향으로 b만큼 평행이동한 그래프가 나타내는 일차함수의 식은 $y=ax+b$이다.
따라서 일차함수 $y=x$의 그래프를 y축의 방향으로 5만큼 평행이동한 그래프가 나타내는 일차함수의 식은
$y=x+\boxed{5}$이다.

113 답 $y=5x-3$

일차함수 $y=5x$의 그래프를 y축의 방향으로 -3만큼 평행이동한 그래프가 나타내는 일차함수의 식은 $y=5x-3$

114 답 $y=8x-\frac{3}{4}$

일차함수 $y=8x$의 그래프를 y축의 방향으로 $-\frac{3}{4}$만큼 평행이동한 그래프가 나타내는 일차함수의 식은
$y=8x-\frac{3}{4}$

115 답 $y=-\frac{3}{2}x+4$

일차함수 $y=-\frac{3}{2}x$의 그래프를 y축의 방향으로 4만큼 평행이동한 그래프가 나타내는 일차함수의 식은
$y=-\frac{3}{2}x+4$

116 답 $y=-7x-\frac{1}{3}$

일차함수 $y=-7x$의 그래프를 y축의 방향으로 $-\frac{1}{3}$만큼 평행이동한 그래프가 나타내는 일차함수의 식은
$y=-7x-\frac{1}{3}$

117 답 $y=ax$, y, b

118 답 1, -3, 그래프는 해설 참조

일차함수 $y=2x-1$에서
$x=1$일 때,
$y=2\times1-1=\boxed{1}$
$x=-1$일 때,
$y=2\times(-1)-1=\boxed{-3}$

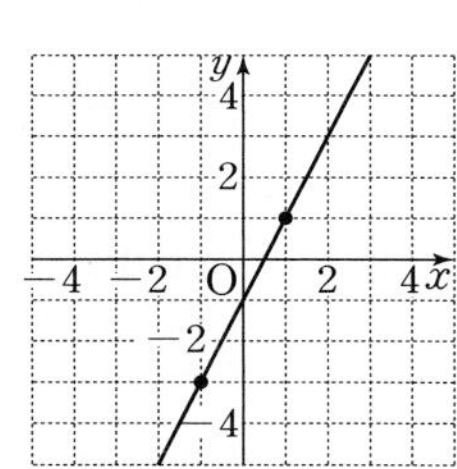

따라서 일차함수 $y=2x-1$의 그래프가 두 점 $(1, \boxed{1})$, $(-1, \boxed{-3})$을 지나므로 좌표평면 위에 두 점을 나타낸 후 직선으로 연결하여 그래프를 그린다.

119 답 5, -3

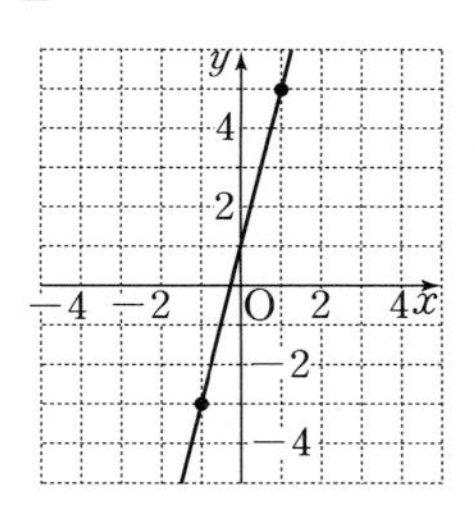

120 답 1, 5

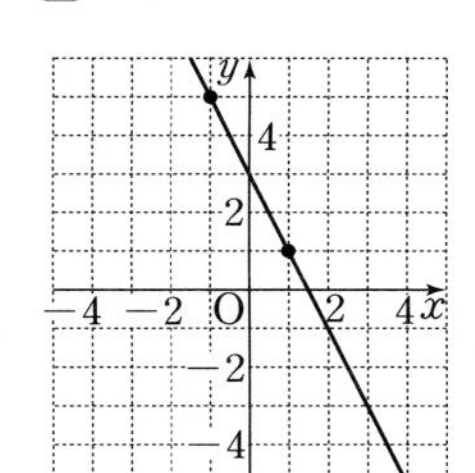

121 답 -4, 2

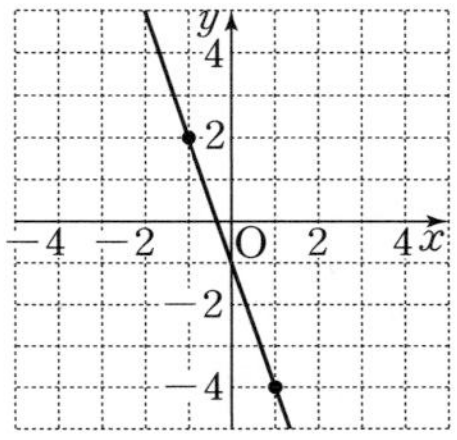

122 답 두, 두, 직선

123 답 -3, 3

일차함수 $y=x+3$의 그래프가 x축과 만나는 점의 x좌표는 -3, y축과 만나는 점의 y좌표는 3이므로 x절편은 $\boxed{-3}$, y절편은 $\boxed{3}$이다.

124 답 2, 2

x축과 만나는 점의 x좌표는 2, y축과 만나는 점의 y좌표는 2이므로 x절편은 2, y절편은 2이다.

125 답 -2, 4

x축과 만나는 점의 x좌표는 -2, y축과 만나는 점의 y좌표는 4이므로 x절편은 -2, y절편은 4이다.

126 답 -2, -6

x축과 만나는 점의 x좌표는 -2, y축과 만나는 점의 y좌표는 -6이므로 x절편은 -2, y절편은 -6이다.

127 답 -4, 2

x축과 만나는 점의 x좌표는 -4, y축과 만나는 점의 y좌표는 2이므로 x절편은 -4, y절편은 2이다.

128 답 -1, 1

$y=0$일 때, $0=x+1$ $\quad\therefore x=\boxed{-1}$

$x=0$일 때, $y=0+1$ $\quad\therefore y=\boxed{1}$

따라서 x절편은 $\boxed{-1}$이고, y절편은 $\boxed{1}$이다.

129 답 -3, -3

$y=0$일 때, $0=-x-3$이므로 $x=-3$

$x=0$일 때, $y=0-3$이므로 $y=-3$

따라서 x절편은 -3, y절편은 -3이다.

130 답 -2, 6

$y=0$일 때, $0=3x+6$이므로 $x=-2$

$x=0$일 때, $y=0+6$이므로 $y=6$

따라서 x절편은 -2, y절편은 6이다.

131 답 -1, -4

$y=0$일 때, $0=-4x-4$이므로 $x=-1$

$x=0$일 때, $y=0-4$이므로 $y=-4$

따라서 x절편은 -1, y절편은 -4이다.

132 답 2, -10

$y=0$일 때, $0=5x-10$이므로 $x=2$

$x=0$일 때, $y=0-10$이므로 $y=-10$

따라서 x절편은 2, y절편은 -10이다.

133 답 -3, 12

$y=0$일 때, $0=4x+12$이므로 $x=-3$

$x=0$일 때, $y=0+12$이므로 $y=12$

따라서 x절편은 -3, y절편은 12이다.

134 답 $-\frac{3}{5}$, -3

$y=0$일 때, $0=-5x-3$이므로 $x=-\frac{3}{5}$

$x=0$일 때, $y=0-3$이므로 $y=-3$

따라서 x절편은 $-\frac{3}{5}$, y절편은 -3이다.

135 답 -2, 8

$y=0$일 때, $0=4x+8$이므로 $x=-2$

$x=0$일 때, $y=0+8$이므로 $y=8$

따라서 x절편은 -2, y절편은 8이다.

136 답 -8, 4

$y=0$일 때, $0=\frac{1}{2}x+4$이므로 $x=-8$

$x=0$일 때, $y=0+4$이므로 $y=4$

따라서 x절편은 -8, y절편은 4이다.

137 답 1) x, x 2) y, y 3) $-\frac{b}{a}$, b

138 답 해설 참조

x절편이 2, y절편이 2이므로 이 일차함수의 그래프는 두 점 $(\boxed{2}, 0)$, $(0, \boxed{2})$를 지난다. 따라서 좌표평면 위에 이 두 점을 나타낸 후 직선으로 연결한다.

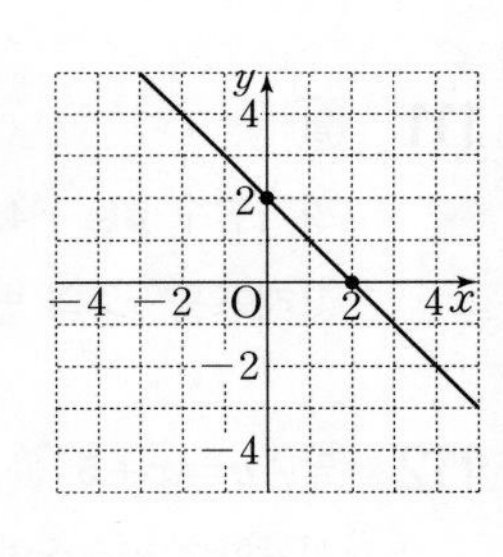

139 답 해설 참조

두 점 $(1, 0)$, $(0, -3)$을 지난다.

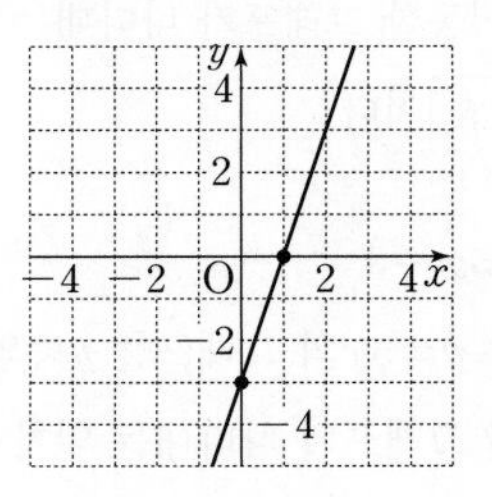

140 답 해설 참조

두 점 $(2,\ 0)$, $(0,\ 4)$를 지난다.

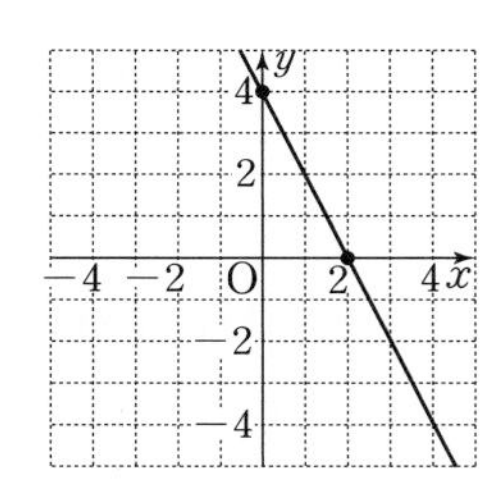

141 답 해설 참조

두 점 $(-3,\ 0)$, $(0,\ 2)$를 지난다.

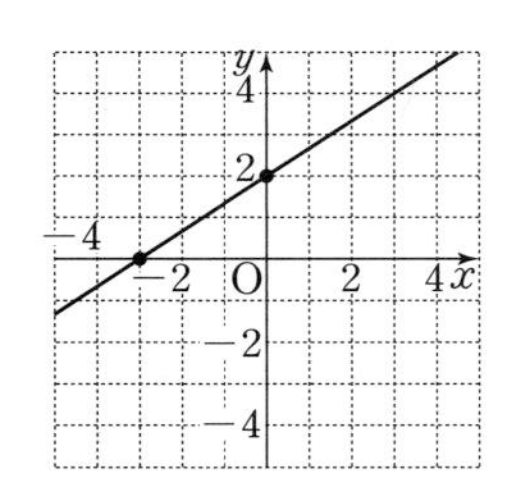

142 답 해설 참조

두 점 $(-5,\ 0)$, $(0,\ -5)$를 지난다.

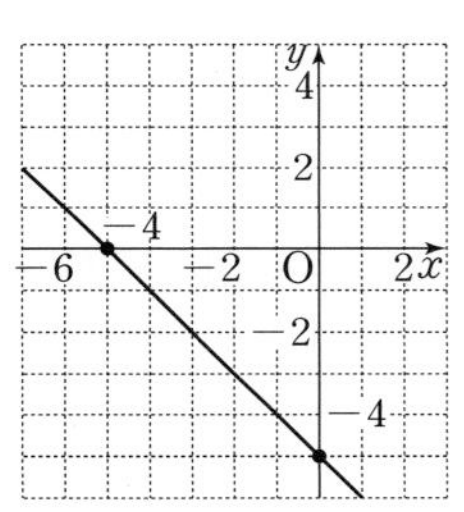

143 답 해설 참조

두 점 $\left(-\frac{1}{2},\ 0\right)$, $(0,\ -4)$를 지난다.

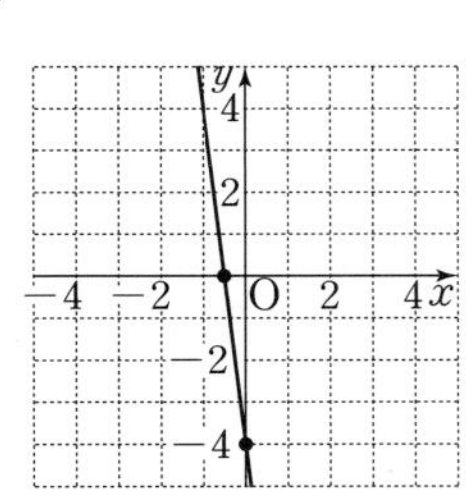

144 답 -2, 2, 그래프는 해설 참조

$y=0$일 때 $x=\boxed{-2}$,

$x=0$일 때 $y=\boxed{2}$

따라서 일차함수 $y=x+2$의 그래프는 두 점 $(\boxed{-2},\ 0)$, $(0,\ \boxed{2})$를 지나는 직선이다.

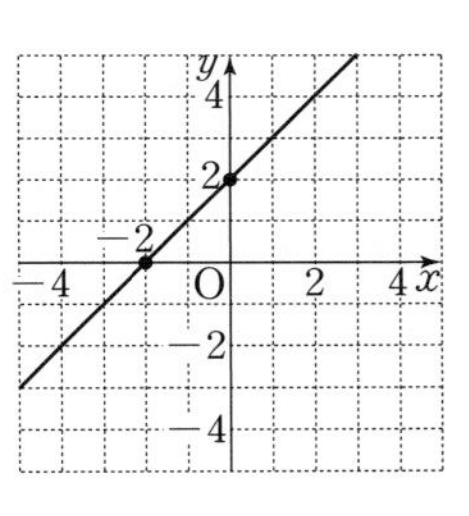

145 답 2, -4, 그래프는 해설 참조

$y=0$일 때 $x=2$,

$x=0$일 때 $y=-4$

따라서 두 점 $(2,\ 0)$, $(0,\ -4)$를 지나는 직선이다.

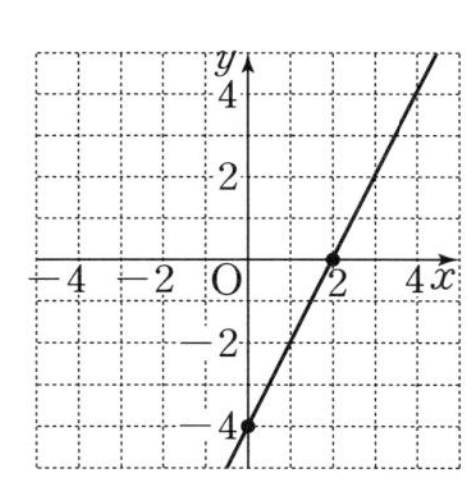

146 답 1, 3, 그래프는 해설 참조

$y=0$일 때 $x=1$,

$x=0$일 때 $y=3$

따라서 두 점 $(1,\ 0)$, $(0,\ 3)$을 지나는 직선이다.

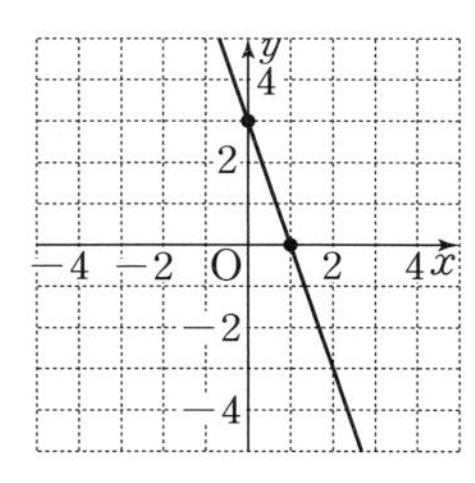

147 답 -4, 2, 그래프는 해설 참조

$y=0$일 때 $x=-4$,

$x=0$일 때 $y=2$

따라서 두 점 $(-4,\ 0)$, $(0,\ 2)$를 지나는 직선이다.

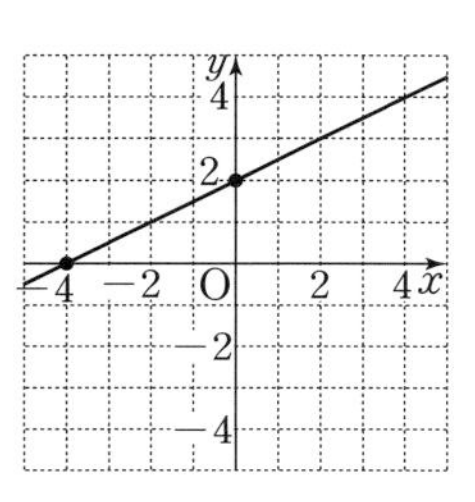

148 답 $\frac{1}{2}$, 2, 그래프는 해설 참조

$y=0$일 때 $x=\frac{1}{2}$,

$x=0$일 때 $y=2$

따라서 두 점 $\left(\frac{1}{2},\ 0\right)$, $(0,\ 2)$를 지나는 직선이다.

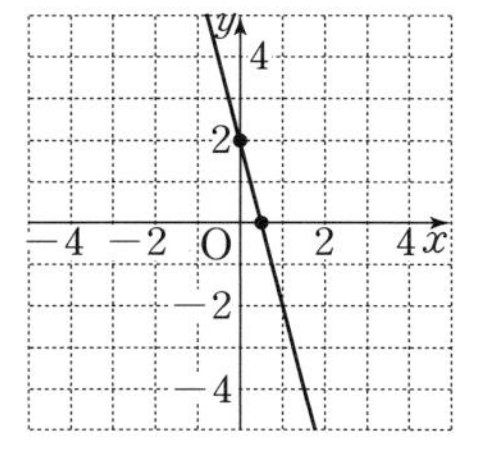

149 답 -4, -1, 그래프는 해설 참조

$y=0$일 때 $x=-4$,

$x=0$일 때 $y=-1$

따라서 두 점 $(-4,\ 0)$, $(0,\ -1)$을 지나는 직선이다.

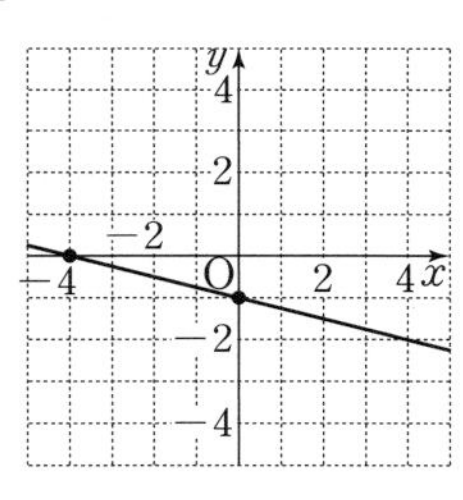

150 답 x, x, 좌표평면, 직선

151 답 2

x	$\cdots$	1	2	3	4	$\cdots$
y	$\cdots$	2	4	6	8	$\cdots$

$y=2x$에서 x의 값이 1에서 3으로 2만큼 증가할 때, y의 값은 2에서 $\boxed{6}$으로 $\boxed{4}$만큼 증가하므로

$$(\text{기울기})=\frac{\boxed{6}-2}{3-1}=\frac{\boxed{4}}{2}=\boxed{2}$$

152 답 -3

x	$\cdots$	1	2	3	4	$\cdots$
y	$\cdots$	-3	-6	-9	-12	$\cdots$

(기울기)$=\frac{-9-(-3)}{3-1}=\frac{-6}{2}=-3$

153 답 4

x	$\cdots$	1	2	3	4	$\cdots$
y	$\cdots$	3	7	11	15	$\cdots$

(기울기)$=\frac{15-7}{4-2}=\frac{8}{2}=4$

154 답 -5

x	$\cdots$	1	2	3	4	$\cdots$
y	$\cdots$	-2	-7	-12	-17	$\cdots$

(기울기)$=\frac{-17-(-7)}{4-2}=\frac{-10}{2}=-5$

155 답 $-\frac{1}{5}$

x	$\cdots$	1	2	3	4	$\cdots$
y	$\cdots$	$\frac{3}{5}$	$\frac{2}{5}$	$\frac{1}{5}$	0	$\cdots$

(기울기)$=\frac{0-\frac{1}{5}}{4-3}=-\frac{1}{5}$

156 답 3

x의 값이 0에서 1로 1만큼 증가할 때, y의 값은 0에서 3으로 3만큼 증가하므로 기울기는 3이다.

157 답 -2

x의 값이 0에서 1로 1만큼 증가할 때, y의 값은 0에서 -2로 2만큼 감소하므로 기울기는 -2이다.

158 답 5

x의 값이 0에서 1로 1만큼 증가할 때, y의 값은 0에서 5로 5만큼 증가하므로 기울기는 5이다.

159 답 $-\frac{1}{3}$

x의 값이 0에서 3으로 3만큼 증가할 때, y의 값은 0에서 -1로 1만큼 감소하므로 기울기는 $-\frac{1}{3}$이다.

160 답 2

x의 값이 0에서 1로 1만큼 증가할 때, y의 값은 -1에서 1로 2만큼 증가하므로 기울기는 2이다.

161 답 3

x의 값이 0에서 1로 1만큼 증가할 때, y의 값은 2에서 5로 3만큼 증가하므로 기울기는 3이다.

162 답 $-\frac{3}{4}$

x의 값이 0에서 4로 4만큼 증가할 때, y의 값은 2에서 -1로 3만큼 감소하므로 기울기는 $-\frac{3}{4}$이다.

163 답 $-\frac{2}{3}$

x의 값이 0에서 3으로 3만큼 증가할 때, y의 값은 -1에서 -3으로 2만큼 감소하므로 기울기는 $-\frac{2}{3}$이다.

164 답 ㅂ

기울기가 5인 일차함수의 식을 찾는다.

165 답 ㄱ

기울기가 $\frac{-2}{2}=-1$인 일차함수의 식을 찾는다.

166 답 ㅁ

기울기가 $\frac{-3}{4}$인 일차함수의 식을 찾는다.

167 답 ㅇ

기울기가 $\frac{-2}{4}=-\frac{1}{2}$인 일차함수의 식을 찾는다.

168 답 ㄹ

기울기가 $\frac{8}{10}=\frac{4}{5}$인 일차함수의 식을 찾는다.

169 답 4

$y=2x+4$의 기울기가 $\boxed{2}$이므로

$\frac{(y\text{의 값의 증가량})}{2}=2$

$\therefore$ (y의 값의 증가량)$=\boxed{4}$

170 답 -2

$\frac{(y\text{의 값의 증가량})}{2}=-1$

$\therefore$ (y의 값의 증가량)$=-2$

171 답 -10

$\frac{(y\text{의 값의 증가량})}{2}=-5$

$\therefore$ (y의 값의 증가량)$=-10$

172 답 $-\frac{4}{5}$

$\frac{(y\text{의 값의 증가량})}{2}=-\frac{2}{5}$

$\therefore$ (y의 값의 증가량)$=-\frac{4}{5}$

173 답 y, x

174 답 해설 참조

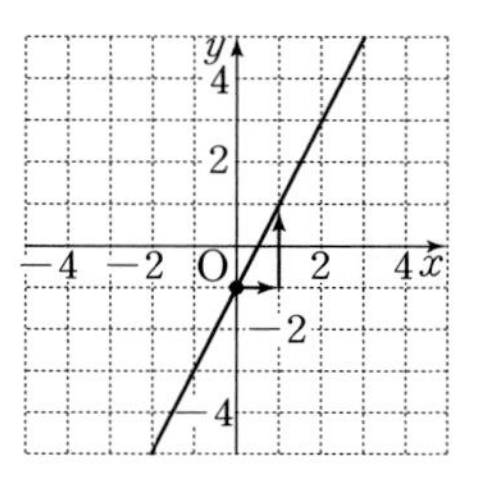

y절편이 -1이므로 $(0,\ \boxed{-1})$을 지난다. 또 기울기가 $\boxed{2}$이므로 점 $(0,\ \boxed{-1})$에서 x의 값이 1만큼 증가할 때 y의 값은 $\boxed{2}$만큼 증가하므로 점 $(\boxed{1},\ \boxed{1})$을 지난다.

따라서 구하는 그래프는 이 두 점을 지나는 직선이다.

175 답 해설 참조

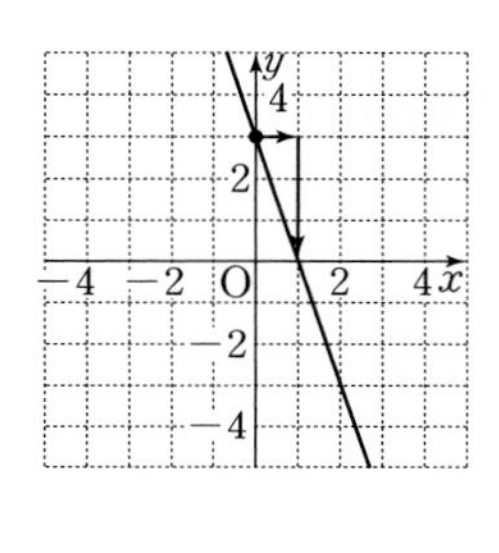

y절편이 3이므로 점 $(0,\ 3)$을 지난다. 또 기울기가 -3이므로 점 $(0,\ 3)$에서 x의 값이 1만큼 증가할 때 y의 값은 3만큼 감소하므로 점 $(1,\ 0)$을 지난다.

176 답

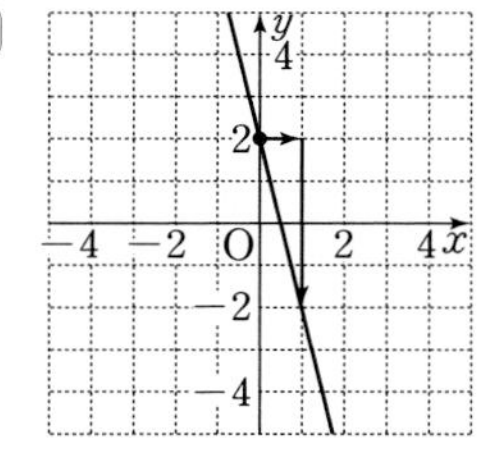

y절편이 2이므로 점 $(0,\ 2)$를 지난다. 또 기울기가 -4이므로 점 $(0,\ 2)$에서 x의 값이 1만큼 증가할 때 y의 값은 4만큼 감소하므로 점 $(1,\ -2)$를 지난다.

177 답

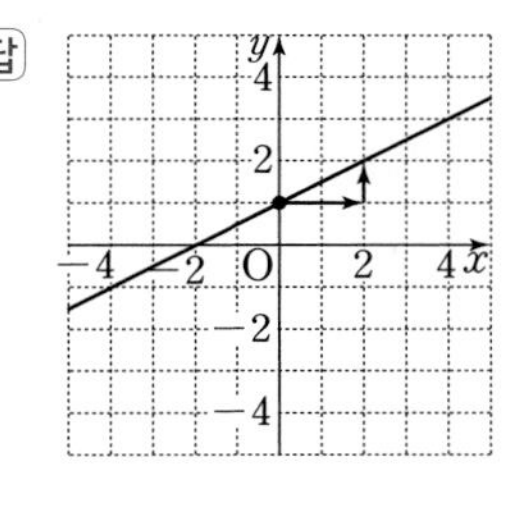

y절편이 1이므로 점 $(0,\ 1)$을 지난다. 또 기울기가 $\frac{1}{2}$이므로 점 $(0,\ 1)$에서 x의 값이 2만큼 증가할 때 y의 값은 1만큼 증가하므로 점 $(2,\ 2)$를 지난다.

178 답

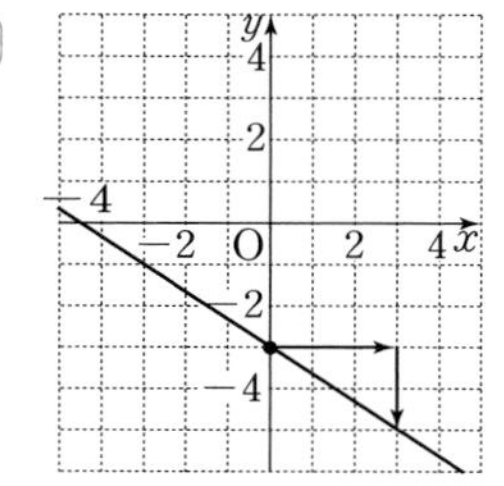

y절편이 -3이므로 점 $(0,\ -3)$을 지난다. 또 기울기가 $-\frac{2}{3}$이므로 점 $(0,\ -3)$에서 x의 값이 3만큼 증가할 때 y의 값은 2만큼 감소하므로 점 $(3,\ -5)$를 지난다.

179 답 1, 3, 그래프는 해설 참조

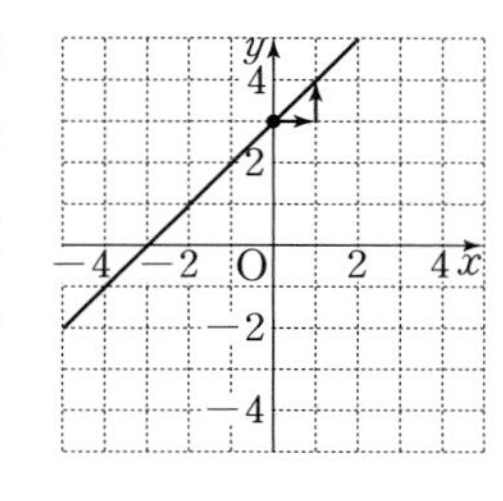

y절편이 3이므로 점 $(0,\ \boxed{3})$을 지난다. 또 기울기가 $\boxed{1}$이므로 점 $(0,\ \boxed{3})$에서 x의 값이 1만큼 증가할 때 y의 값은 $\boxed{1}$만큼 증가하므로 점 $(\boxed{1},\ \boxed{4})$를 지난다.

180 답 -3, -1, 그래프는 해설 참조

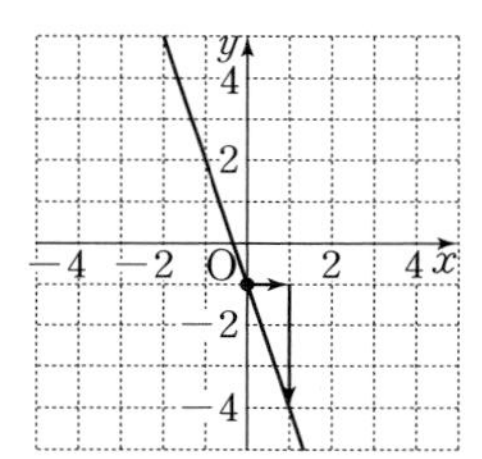

y절편이 -1이므로 점 $(0,\ -1)$을 지난다. 또 기울기가 -3이므로 점 $(0,\ -1)$에서 x의 값이 1만큼 증가할 때 y의 값은 3만큼 감소하므로 점 $(1,\ -4)$를 지난다.

181 답 $-\frac{1}{2}$, 3, 그래프는 해설 참조

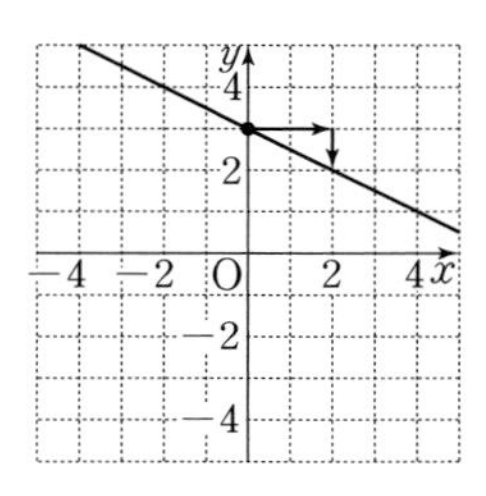

y절편이 3이므로 점 $(0,\ 3)$을 지난다. 또 기울기가 $-\frac{1}{2}$이므로 점 $(0,\ 3)$에서 x의 값이 2만큼 증가할 때 y의 값은 1만큼 감소하므로 점 $(2,\ 2)$를 지난다.

182 답 $\frac{2}{3}$, -2, 그래프는 해설 참조

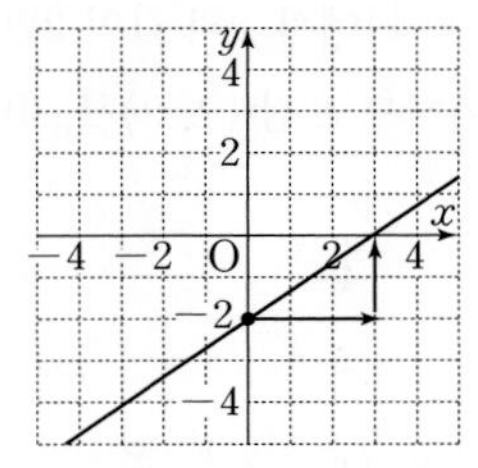

y절편이 -2이므로 점 $(0,\ -2)$를 지난다. 또 기울기가 $\frac{2}{3}$이므로 점 $(0,\ -2)$에서 x의 값이 3만큼 증가할 때 y의 값은 2만큼 증가하므로 점 $(3,\ 0)$을 지난다.

183 답 $-\frac{3}{4}$, 3

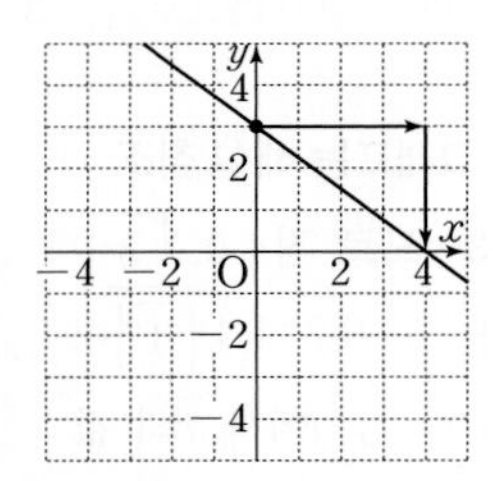

y절편이 3이므로 점 $(0,\ 3)$을 지난다. 또 기울기가 $-\frac{3}{4}$이므로 점 $(0,\ 3)$에서 x의 값이 4만큼 증가할 때 y의 값은 3만큼 감소하므로 점 $(4,\ 0)$을 지난다.

184 답 $(0,\ b)$, $(0,\ b)$, 기울기, y, y, 직선

185 답 ㄱ

$a<0$, 즉 기울기가 음수이므로 그래프는 오른쪽 아래로 향한다. 또 $b>0$이므로 y절편이 양수이다.

따라서 그래프는 제 1, 2, 4 사분면을 지난다.

186 답 ㄷ

그래프는 오른쪽 위로 향하고 y절편이 양수이다.

따라서 제1, 2, 3사분면을 지난다.

187 답 ㄴ

그래프는 오른쪽 아래로 향하고 y절편이 음수이다.

따라서 제2, 3, 4사분면을 지난다.

188 답 $a>0$, $b>0$

그래프는 오른쪽 위로 향하므로 $a>0$, y절편이 양수이므로 $b>0$이다.

189 답 $a<0$, $b<0$

그래프는 오른쪽 아래로 향하므로 $a<0$, y절편이 음수이므로 $b<0$이다.

190 답 위, $<$, 아래

191 답 평행

기울기가 같고, y절편이 (같으므로, 다르므로) 두 일차함수의 그래프는 평행하다.

192 답 평행

기울기가 같고, y절편이 다르므로 두 일차함수의 그래프는 평행하다.

193 답 일치

기울기가 같고, y절편도 같으므로 두 일차함수의 그래프는 일치한다.

194 답 평행

기울기가 같고, y절편이 다르므로 두 일차함수의 그래프는 평행하다.

195 답 일치

기울기가 같고, y절편도 같으므로 두 일차함수의 그래프는 일치한다.

196 답 -5

두 일차함수의 그래프가 평행하므로 $a=-5$

197 답 $\frac{1}{6}$

두 일차함수의 그래프가 평행하므로 $a=\frac{1}{6}$

198 답 3, $\frac{1}{2}$

두 일차함수의 그래프가 일치하므로 $a=3$, $b=\frac{1}{2}$

199 답 -10, -5

두 일차함수의 그래프가 일치하므로 $a=-10$, $b=-5$

200 답 1) 평행, 같고, 다르다. 2) 일치, 같고

201 답 $y=2x+2$

기울기가 2이고, y절편이 2인 직선은 $y=2x+2$

202 답 $y=-x+6$

기울기가 -1이고, y절편이 6인 직선은 $y=-x+6$

203 답 $\boldsymbol{y=\frac{2}{3}x-5}$

기울기가 $\frac{2}{3}$이고, y절편이 -5인 직선은 $y=\frac{2}{3}x-5$

204 답 $\boldsymbol{y=-4x+2}$

y축과 점 $(0, 2)$에서 만나므로 y절편은 2이다.

따라서 기울기가 -4이고, y절편이 2인 직선은

$y=-4x+2$

205 답 $\boldsymbol{y=5x-1}$

y축과 점 $(0, -1)$에서 만나므로 y절편은 -1이다.

따라서 기울기가 5이고, y절편이 -1인 직선은

$y=5x-1$

206 답 $\boldsymbol{y=\frac{3}{2}x+4}$

y축과 점 $(0, 4)$에서 만나므로 y절편은 4이다.

따라서 기울기가 $\frac{3}{2}$이고, y절편이 4인 직선은 $y=\frac{3}{2}x+4$

207 답 $\boldsymbol{y=3x-1}$

$(\text{기울기})=\frac{6}{2}=3$이고, y절편이 -1인 직선은

$y=3x-1$

208 답 $\boldsymbol{y=-\frac{3}{2}x+8}$

$(\text{기울기})=\frac{-6}{4}=-\frac{3}{2}$이고, y절편이 8인 직선은

$y=-\frac{3}{2}x+8$

209 답 $\boldsymbol{y=\frac{4}{5}x+\frac{1}{2}}$

$(\text{기울기})=\frac{4}{5}$이고, y절편이 $\frac{1}{2}$인 직선은

$y=\frac{4}{5}x+\frac{1}{2}$

210 답 $\boldsymbol{y=-2x+6}$

기울기가 -2이므로 $y=-2x+b$로 놓으면 이 직선이

점 $(2, 2)$를 지나고 $\boxed{2}=\boxed{-4}+b$이므로 $b=\boxed{6}$

따라서 이 일차함수의 식은 $y=-2x+\boxed{6}$이다.

211 답 $\boldsymbol{y=2x-4}$

기울기가 2이므로 $y=2x+b$

$x=1$, $y=-2$를 대입하면 $-2=2+b$이므로 $b=-4$

$\therefore y=2x-4$

212 답 $\boldsymbol{y=-6x-12}$

기울기가 -6이므로 $y=-6x+b$

$x=-4$, $y=12$를 대입하면 $12=24+b$이므로 $b=-12$

$\therefore y=-6x-12$

213 답 $\boldsymbol{y=3x-13}$

기울기가 3이므로 $y=3x+b$

$x=4$, $y=-1$을 대입하면 $-1=12+b$이므로 $b=-13$

$\therefore y=3x-13$

214 답 $\boldsymbol{y=-4x-4}$

기울기가 -4이므로 $y=-4x+b$

$x=-1$, $y=0$을 대입하면 $0=4+b$이므로 $b=-4$

$\therefore y=-4x-4$

215 답 $\boldsymbol{y=-3x+1}$

이 직선의 기울기가 $\frac{\boxed{-6}}{2}=\boxed{-3}$이므로

$y=\boxed{-3}x+b$로 놓으면 점 $(1, -2)$를 지나므로

$\boxed{-2}=\boxed{-3}+b \quad \therefore b=\boxed{1}$

따라서 이 일차함수의 식은 $y=\boxed{-3}x+\boxed{1}$이다.

216 답 $\boldsymbol{y=\frac{1}{2}x-1}$

기울기가 $\frac{2}{4}=\frac{1}{2}$이므로 $y=\frac{1}{2}x+b$로 놓으면

점 $(-8, -5)$를 지나므로

$-5=-4+b \quad \therefore b=-1$

$\therefore y=\frac{1}{2}x-1$

217 답 $\boldsymbol{a}$, $\boldsymbol{y}$, $\boldsymbol{b}$, 그래프

218 답 $\boldsymbol{y=4x-3}$

기울기는 $\frac{5-\boxed{1}}{2-\boxed{1}}=\boxed{4}$

일차함수의 식을 $y=\boxed{4}x+b$로 놓으면 점 $(1, 1)$을 지나고

$1=\boxed{4}+b$이므로 $b=\boxed{-3}$

따라서 이 일차함수의 식은 $y=\boxed{4}x-\boxed{3}$이다.

219 답 $\boldsymbol{y=-2x+4}$

기울기가 $\frac{0-2}{2-1}=-2$이므로 $y=-2x+b$

점 $(2, 0)$을 지나므로 $b=4$

따라서 이 일차함수의 식은 $y=-2x+4$이다.

220 답 $y=-3x-1$

기울기가 $\frac{-4-2}{1-(-1)}=-3$이므로 $y=-3x+b$

점 $(-1, 2)$를 지나므로 $b=-1$

따라서 이 일차함수의 식은 $y=-3x-1$이다.

221 답 $y=x-6$

기울기가 $\frac{5-(-1)}{11-5}=1$이므로 $y=x+b$

점 $(5, -1)$을 지나므로 $b=-6$

따라서 이 일차함수의 식은 $y=x-6$이다.

222 답 $y=-x+2$

기울기가 $\frac{0-2}{2-0}=-1$이므로 $y=-x+b$

점 $(2, 0)$을 지나므로 $b=2$

따라서 이 일차함수의 식은 $y=-x+2$이다.

223 답 $y=-\frac{2}{3}x-\frac{2}{3}$

기울기가 $\frac{2-(-2)}{-4-2}=-\frac{2}{3}$이므로 $y=-\frac{2}{3}x+b$

점 $(2, -2)$를 지나므로 $b=-\frac{2}{3}$

따라서 이 일차함수의 식은 $y=-\frac{2}{3}x-\frac{2}{3}$이다.

224 답 $y=-x+6$

일차함수의 식을 $y=ax+b$로 놓고 이 식에 두 점 $(2, 4)$, $(-1, 7)$의 좌표를 각각 대입하면

$\boxed{4}=\boxed{2}a+b$, $7=-a+b$

이 두 식을 연립하여 풀면 $a=-1$, $b=\boxed{6}$

따라서 이 일차함수의 식은 $y=-x+\boxed{6}$이다.

225 답 $y=-9x-28$

$y=ax+b$로 놓고 두 점의 좌표를 각각 대입하면

$8=-4a+b$, $-1=-3a+b$

$\therefore a=-9$, $b=-28$ $\quad\therefore y=-9x-28$

226 답 $y=\frac{1}{2}x-\frac{3}{2}$

$y=ax+b$로 놓고 두 점의 좌표를 각각 대입하면

$2=7a+b$, $1=5a+b$

$\therefore a=\frac{1}{2}$, $b=-\frac{3}{2}$ $\quad\therefore y=\frac{1}{2}x-\frac{3}{2}$

227 답 $y=-\frac{2}{3}x+6$

$y=ax+b$로 놓고 두 점의 좌표를 각각 대입하면

$4=3a+b$, $2=6a+b$

$\therefore a=-\frac{2}{3}$, $b=6$ $\quad\therefore y=-\frac{2}{3}x+6$

228 답 $y=\frac{3}{2}x-\frac{5}{2}$

$y=ax+b$로 놓고 두 점의 좌표를 각각 대입하면

$2=3a+b$, $-1=a+b$

$\therefore a=\frac{3}{2}$, $b=-\frac{5}{2}$ $\quad\therefore y=\frac{3}{2}x-\frac{5}{2}$

229 답 $y=-2x-1$

$y=ax+b$로 놓고 두 점의 좌표를 각각 대입하면

$3=-2a+b$, $-3=a+b$

$\therefore a=-2$, $b=-1$ $\quad\therefore y=-2x-1$

230 답 $y=x+3$

$y=ax+b$로 놓고 두 점의 좌표를 각각 대입하면

$0=-3a+b$, $4=a+b$

$\therefore a=1$, $b=3$ $\quad\therefore y=x+3$

231 답 일차, $\frac{y_2-y_1}{x_2-x_1}$, $y=ax+b$, b, a, b, 연립

232 답 $y=-2x+2$

일차함수의 식을 $y=ax+b$로 놓으면 두 점 $(1, 0)$, $(0, 2)$를 지나므로 $a=\frac{2-0}{0-1}=\boxed{-2}$, $b=\boxed{2}$

$\therefore y=\boxed{-2}x+\boxed{2}$

233 답 $y=\frac{1}{3}x+1$

$y=ax+b$로 놓으면 두 점 $(-3, 0)$, $(0, 1)$을 지나므로 $a=\frac{1}{3}$, $b=1$

$\therefore y=\frac{1}{3}x+1$

234 답 $y=-\frac{1}{2}x+2$

$y=ax+b$로 놓으면 두 점 $(4, 0)$, $(0, 2)$을 지나므로 $a=-\frac{1}{2}$, $b=2$

$\therefore y=-\frac{1}{2}x+2$

235 답 $y=-\frac{4}{3}x+4$

x절편이 a, y절편이 b인 직선을 그래프로 하는 일차함수의 식은 $y=-\frac{b}{a}x+b$이므로 이 식에 $a=3$, $b=\boxed{4}$를 대입하면 $y=-\frac{\boxed{4}}{3}x+\boxed{4}$이다.

236 답 $y=\frac{3}{4}x+3$

$y=-\frac{b}{a}x+b$에 $a=-4$, $b=3$을 대입하면

$y=\frac{3}{4}x+3$

237 답 $y=-\frac{1}{4}x+2$

$y=-\frac{b}{a}x+b$에 $a=8$, $b=2$를 대입하면

$y=-\frac{2}{8}x+2=-\frac{1}{4}x+2$

238 답 -2, 4, $y=2x+4$

$y=-\frac{b}{a}x+b$에 $a=-2$, $b=4$를 대입하면

$y=2x+4$

239 답 5, 5, $y=-x+5$

$y=-\frac{b}{a}x+b$에 $a=5$, $b=5$를 대입하면

$y=-x+5$

240 답 -8, 2, $y=\frac{1}{4}x+2$

$y=-\frac{b}{a}x+b$에 $a=-8$, $b=2$를 대입하면

$y=\frac{1}{4}x+2$

241 답 -8, -6, $y=-\frac{3}{4}x-6$

$y=-\frac{b}{a}x+b$에 $a=-8$, $b=-6$을 대입하면

$y=-\frac{3}{4}x-6$

242 답 $-\frac{3}{2}$, $-\frac{3}{4}$, $y=-\frac{1}{2}x-\frac{3}{4}$

$y=-\frac{b}{a}x+b$에 $a=-\frac{3}{2}$, $b=-\frac{3}{4}$을 대입하면

$y=-\frac{1}{2}x-\frac{3}{4}$

243 답 1) a, b 2) $-\frac{b}{a}$

244 답 $y=21-6x$

100 m씩 높아질 때마다 기온은 0.6 ℃씩 내려가므로 21 ℃에서 1 km 높아질 때마다 $\boxed{6}$ ℃씩 내려간다.

따라서 x와 y 사이의 관계식은 $y=21-\boxed{6}x$

245 답 3 ℃

$y=21-6x$에 $x=3$을 대입하면 $y=21-\boxed{18}=\boxed{3}$ (℃)

246 답 1 km

$y=21-6x$에 $y=15$를 대입하면 $15=21-\boxed{6}x$

$\therefore x=\boxed{1}$ (km)

247 답 $y=20+4x$

처음 물의 온도가 20 ℃이고, 4분마다 물의 온도가 16 ℃씩 올라가므로 1분마다 4 ℃씩 올라간다.

$\therefore y=20+4x$

248 답 52 ℃

$y=20+4x$에 $x=8$을 대입하면

$y=20+4\times8=52$ (℃)

249 답 12분 후

$y=20+4x$에 $y=68$을 대입하면

$68=20+4x$ $\therefore x=12$(분)

250 답 $y=20-\frac{1}{6}x$

처음 초의 길이가 20 cm이었고, 120분 후에 초가 다 타므로 1분에 $\boxed{\frac{1}{6}}$ cm의 초가 탄다.

따라서 x와 y 사이의 관계식은 $y=20-\boxed{\frac{1}{6}}x$

251 답 16 cm

$y=20-\frac{1}{6}x$에 $x=24$를 대입하면

$y=20-\boxed{\frac{1}{6}}\times\boxed{24}=\boxed{16}$ (cm)

252 답 48분 후

$y=20-\frac{1}{6}x$에 $y=12$를 대입하면

$\boxed{12}=20-\boxed{\frac{1}{6}}x$ $\therefore x=\boxed{48}$(분)

253 답 $y=40+\frac{1}{2}x$

무게 1 g인 물체를 달 때마다 용수철의 길이는 $\frac{1}{2}$ cm씩 늘어난다.

따라서 x와 y 사이의 관계식은 $y=40+\frac{1}{2}x$

254 답 **48 cm**

$y=40+\frac{1}{2}x$에 $x=16$을 대입하면

$y=40+\frac{1}{2}\times 16=48(\text{cm})$

255 답 **24 g**

$y=40+\frac{1}{2}x$에 $y=52$를 대입하면

$52=40+\frac{1}{2}x \qquad \therefore x=24(\text{g})$

256 답 $\boldsymbol{y=480-80x}$

자동차의 속력이 시속 80 km이므로 자동차가 x시간 동안 간 거리는 $\boxed{80x}$ km이다.

따라서 x와 y 사이의 관계식은 $y=480-\boxed{80x}$

257 답 **160 km**

$y=480-8x$에 $x=4$를 대입하면

$y=480-\boxed{320}=\boxed{160}(\text{km})$

258 답 $\boldsymbol{\frac{9}{2}\left(=4\frac{1}{2}\right)}$**시간**

$y=480-80x$에 $y=120$을 대입하면 $\boxed{120}=480-\boxed{80x}$

$\therefore x=\boxed{\frac{9}{2}}$(시간)

259 답 $\boldsymbol{y=100-\frac{5}{2}x}$

욕조에서 1분마다 $\frac{5}{2}$ L의 물이 흘러나간다.

따라서 x와 y사이의 관계식은 $y=100-\frac{5}{2}x$

260 답 **75 L**

$y=100-\frac{5}{2}x$에 $x=10$을 대입하면

$y=100-\frac{5}{2}\times 10=75(\text{L})$

261 답 **40분 후**

$y=100-\frac{5}{2}x$에 $y=0$을 대입하면

$0=100-\frac{5}{2}x \qquad \therefore x=40$(분)

262 답 $\boldsymbol{x}$, $\boldsymbol{y}$, $\boldsymbol{x}$, $\boldsymbol{x}$, $\boldsymbol{y}$, **해, 조건**

263 답 **15 cm**

그래프에서 직선의 기울기는 $\boxed{-\frac{1}{6}}$이고, y절편은 20이므로 x와 y 사이의 관계식은 $y=20-\boxed{\frac{1}{6}}x$이다.

따라서 불을 붙인 지 30분 후의 초의 길이는

$y=20-\boxed{\frac{1}{6}}\times 30=\boxed{15}(\text{cm})$

264 답 **180분 후**

x와 y 사이의 관계식은 $y=80-\frac{1}{3}x$이고, 이 식에 $y=20$을 대입하면 $20=80-\frac{1}{3}x$이므로 $x=180$(분)

265 답 **300 km**

x와 y 사이의 관계식은 $y=35-\frac{7}{100}x$이고, 이 식에 $y=14$를 대입하면 $14=35-\frac{7}{100}x$이므로 $x=300(\text{km})$

266 답 **30 g**

x와 y 사이의 관계식은 $y=30+\frac{2}{5}x$이고, 이 식에 $y=42$를 대입하면 $42=30+\frac{2}{5}x$이므로 $x=30(\text{g})$

267 답 **2**

$y=-x+2$의 x절편은 $\boxed{2}$이고, y절편은 $\boxed{2}$이므로

$\triangle\text{ABO}=\frac{1}{2}\times\boxed{2}\times\boxed{2}=\boxed{2}$

268 답 **9**

$y=\frac{1}{2}x+3$의 x절편은 -6, y절편은 3이므로

$\triangle\text{AOB}=\frac{1}{2}\times 6\times 3=9$

269 답 **4**

$\frac{x}{2}+\frac{y}{4}=1$의 x절편은 2, y절편은 4이므로

$\triangle\text{ABO}=\frac{1}{2}\times 2\times 4=4$

270 답 **1**

$y=mx$의 그래프가 삼각형 ABO의 넓이를 이등분하므로 점 $(2,\ 2)$를 지나야 한다.

$2=2m \qquad \therefore m=1$

271 답 **20**

$y=-x+4$의 x절편은 4, $y=\frac{2}{3}x+4$의 x절편은 -6이고 두 일차함수의 y절편은 4이다.

$\therefore$ (구하는 삼각형의 넓이)$=\frac{1}{2}\times 10\times 4=20$

272 답 **교점,** $\boldsymbol{y=ax}$, $\boldsymbol{a}$

Ⅳ-2 일차함수와 일차방정식의 관계 pp. 152~165

273 답 $\boldsymbol{y=-\frac{1}{2}x-2}$

$x+2y+4=0$, $2y=-x-\boxed{4}$ $\therefore y=\boxed{-\frac{1}{2}}x-\boxed{2}$

274 답 $\boldsymbol{y=\frac{1}{2}x-\frac{1}{2}}$

$-6y=-3x+3$ $\therefore y=\frac{1}{2}x-\frac{1}{2}$

275 답 $\boldsymbol{y=3x-2}$

$2y=6x-4$ $\therefore y=3x-2$

276 답 $\boldsymbol{y=-2x-\frac{2}{5}}$

$-5y=10x+2$ $\therefore y=-2x-\frac{2}{5}$

277 답 $\boldsymbol{y=2x+1}$

$-y=-2x-1$ $\therefore y=2x+1$

278 답 $\boldsymbol{y=\frac{1}{6}x-\frac{1}{2}}$

$6y=x-3$ $\therefore y=\frac{1}{6}x-\frac{1}{2}$

279 답 $\boldsymbol{y=-x+2}$

$-3y=3x-6$ $\therefore y=-x+2$

280 답 $\boldsymbol{y=2x-3}$, 그래프는 해설 참조

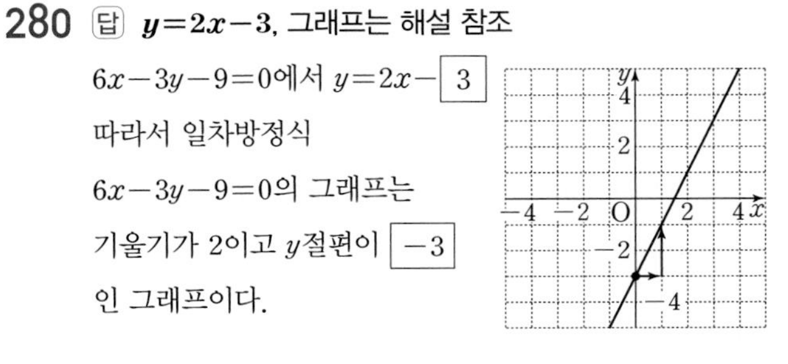

$6x-3y-9=0$에서 $y=2x-\boxed{3}$
따라서 일차방정식
$6x-3y-9=0$의 그래프는
기울기가 2이고 y절편이 $\boxed{-3}$
인 그래프이다.

281 답 $\boldsymbol{y=-\frac{1}{2}x+1}$, 그래프는 해설 참조

$x+2y-2=0$에서

$y=-\frac{1}{2}x+1$

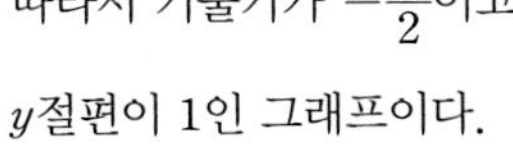

따라서 기울기가 $-\frac{1}{2}$이고

y절편이 1인 그래프이다.

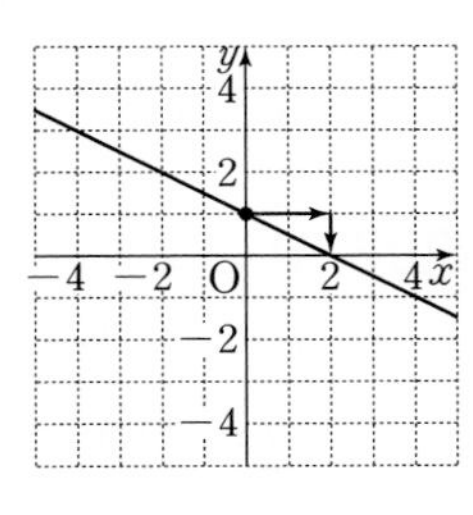

282 답 $\boldsymbol{y=-x+2}$, 그래프는 해설 참조

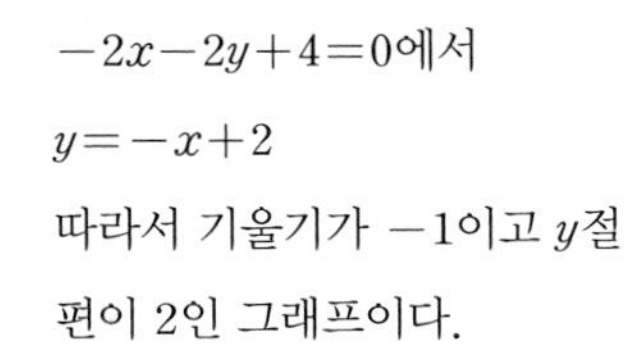

$-2x-2y+4=0$에서
$y=-x+2$
따라서 기울기가 -1이고 y절편이 2인 그래프이다.

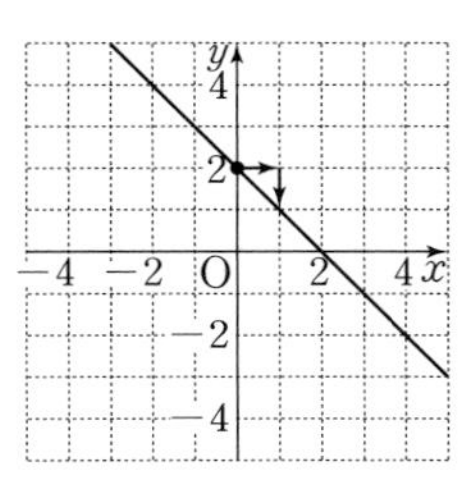

283 답 $\boldsymbol{y=-\frac{3}{2}x-1}$, 그래프는 해설 참조

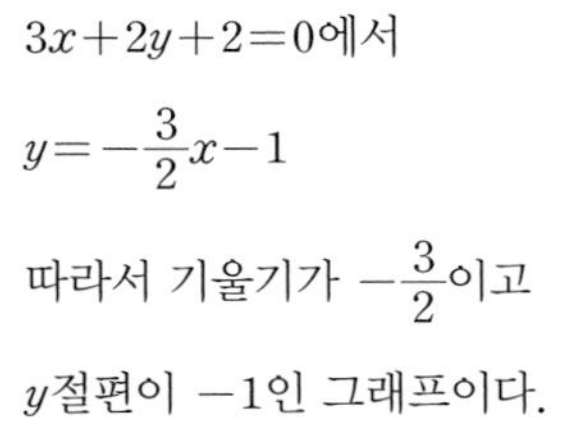

$3x+2y+2=0$에서

$y=-\frac{3}{2}x-1$

따라서 기울기가 $-\frac{3}{2}$이고

y절편이 -1인 그래프이다.

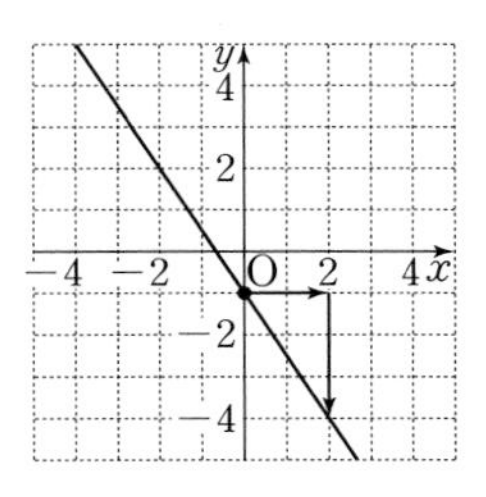

284 답 $\boldsymbol{y=\frac{8}{5}x-3}$, 그래프는 해설 참조

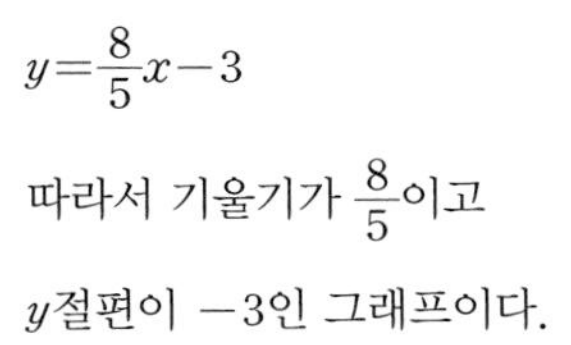

$-8x+5y+15=0$에서

$y=\frac{8}{5}x-3$

따라서 기울기가 $\frac{8}{5}$이고

y절편이 -3인 그래프이다.

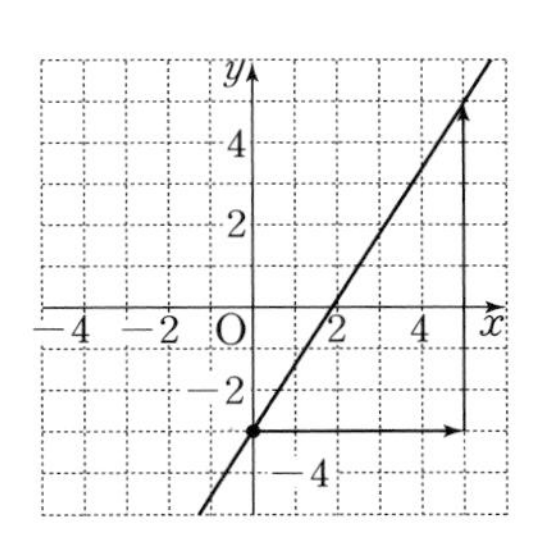

285 답 1) 직선 2) 직선, 그래프, 일차방정식, 직선의 방정식

286 답 해설 참조

x	1	2	3	4
y	4	3	2	1

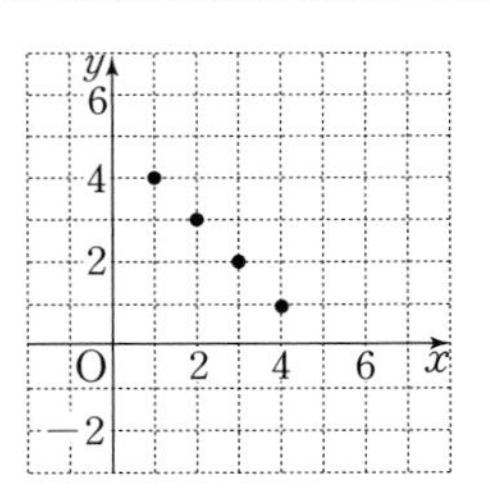

287 답 해설 참조

x	1	2	3
y	5	3	1

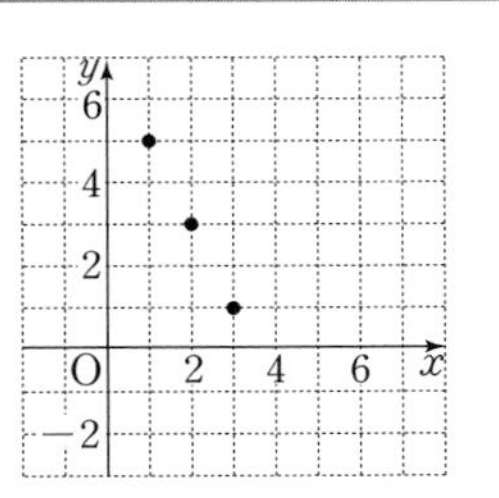

288 답 해설 참조

x	⋯	-2	-1	0	1	2	⋯
y	⋯	5	4	3	2	1	⋯

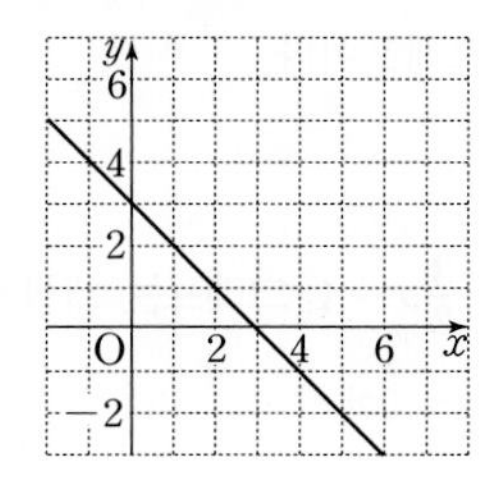

289 답 해설 참조

x	⋯	-2	-1	0	1	2	⋯
y	⋯	5	3	1	-1	-3	⋯

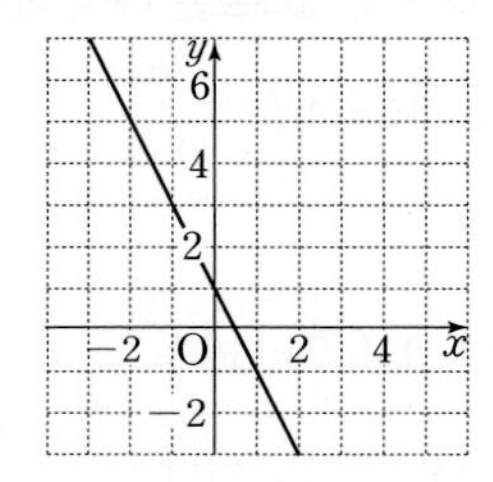

290 답 ×

$x=-5$, $y=\boxed{5}$를 $x+3y=12$에 각각 대입하면

$-5+3\times\boxed{5}=\boxed{10}\neq12$

따라서 점 $(-5,\ 5)$는 일차방정식 $x+3y=12$의 그래프 위의 점이 아니다.

291 답 ○

$24+3\times(-4)=12$

따라서 점 $(24,\ -4)$는 일차방정식 $x+3y=12$의 그래프 위의 점이다.

292 답 ×

$4+3\times3=13\neq12$

따라서 점 $(4,\ 3)$은 일차방정식 $x+3y=12$의 그래프 위의 점이 아니다.

293 답 ×

$8+3\times1=11\neq12$

따라서 점 $(8,\ 1)$은 일차방정식 $x+3y=12$의 그래프 위의 점이 아니다.

294 답 ○

$6+3\times2=12$

따라서 점 $(6,\ 2)$는 일차방정식 $x+3y=12$의 그래프 위의 점이다.

295 답 ○

$-3+3\times5=12$

따라서 점 $(-3,\ 5)$는 일차방정식 $x+3y=12$의 그래프 위의 점이다.

296 답 ○

$x=2$, $y=\boxed{1}$을 $3x-y=5$에 각각 대입하면

$3\times2-\boxed{1}=\boxed{5}$

따라서 일차방정식 $3x-y=5$의 그래프는 점 $(2,\ 1)$을 [지난다.]

297 답 ×

$-2\times2+3\times1=-1\neq2$

따라서 일차방정식 $-2x+3y=2$의 그래프는 점 $(2,\ 1)$을 지나지 않는다.

298 답 ×

$5\times2-3\times1=7\neq2$

따라서 일차방정식 $5x-3y=2$의 그래프는 점 $(2,\ 1)$을 지나지 않는다.

299 답 ○

$-4\times2+2\times1=-6$

따라서 일차방정식 $-4x+2y=-6$의 그래프는 점 $(2,\ 1)$을 지난다.

300 답 ○

$5\times2+3\times1=13$

따라서 일차방정식 $5x+3y=13$의 그래프는 점 $(2,\ 1)$을 지난다.

301 답 ×

$-3\times2+4\times1=-2\neq3$

따라서 일차방정식 $-3x+4y=3$의 그래프는 점 $(2,\ 1)$을 지나지 않는다.

302 답 **−1**

$x=2$, $y=3$을 $ax+3y=7$에 각각 대입하면

$2a+3\times\boxed{3}=7 \qquad \therefore a=\boxed{-1}$

303 답 **5**

$x=2$, $y=3$을 $4x+ay=23$에 각각 대입하면

$4\times\boxed{2}+\boxed{3}a=23$ $\quad\therefore a=\boxed{5}$

304 답 **-5**

$2\times2-3\times3=a$ $\quad\therefore a=-5$

305 답 **2**

$2a-2\times3=-2$ $\quad\therefore a=2$

306 답 **4**

$-3\times2+3a=6$ $\quad\therefore a=4$

307 답 **5**

$x=a$, $y=-1$을 $3x+4y=11$에 각각 대입하면

$3a+4\times\boxed{-1}=11$ $\quad\therefore a=\boxed{5}$

308 답 **-4**

$x=a$, $y=-1$을 $-2x+3y=5$에 각각 대입하면

$\boxed{-2}a+3\times\boxed{-1}=\boxed{5}$ $\quad\therefore a=\boxed{-4}$

309 답 **5**

$x=a$, $y=-1$을 $7x+9y=26$에 각각 대입하면

$7a+9\times(-1)=26$ $\quad\therefore a=5$

310 답 **$-\frac{1}{2}$**

$x=a$, $y=-1$을 $4x-5y=3$에 각각 대입하면

$4a-5\times(-1)=3$ $\quad\therefore a=-\frac{1}{2}$

311 답 1) 점 2) 해, 직선

312 답 해설 참조

x	⋯	3	3	3	3	⋯
y	⋯	1	2	3	4	⋯

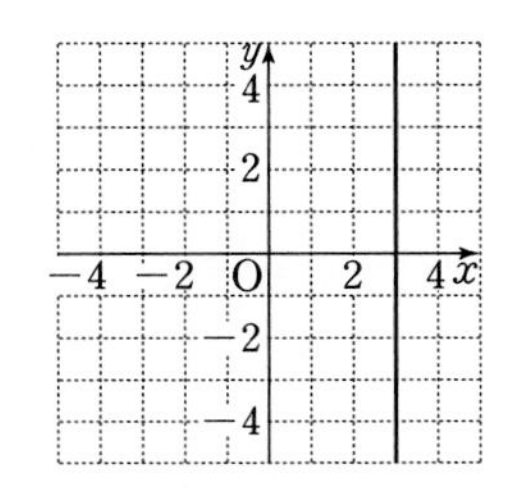

313 답 해설 참조

x	⋯	-2	-2	-2	-2	⋯
y	⋯	1	2	3	4	⋯

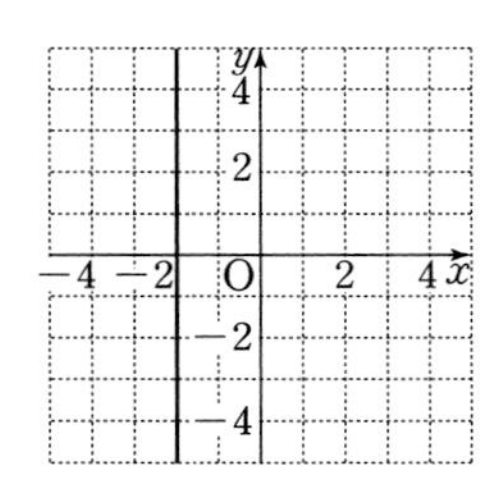

314 답 **$x=4$**

y축에 평행하는 그래프의 방정식은 $x=a$이고

점 $(4,\ 0)$을 지나므로 $x=4$

315 답 **$x=-5$**

y축에 평행하는 그래프의 방정식은 $x=a$이고

점 $(-5,\ 0)$을 지나므로 $x=-5$

316 답 **$x=-\frac{5}{6}$**

y축에 평행하는 그래프의 방정식은 $x=a$이고

점 $\left(-\frac{5}{6},\ 0\right)$을 지나므로 $x=-\frac{5}{6}$

317 답 **$x=-10$**

모든 y의 값은 x의 값 -10에 대응하므로 $x=-10$

318 답 해설 참조

x	⋯	1	2	3	4	⋯
y	⋯	1	1	1	1	⋯

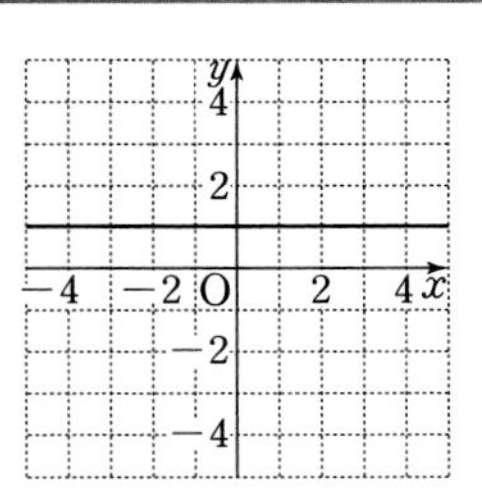

319 답 해설 참조

x	⋯	1	2	3	4	⋯
y	⋯	-4	-4	-4	-4	⋯

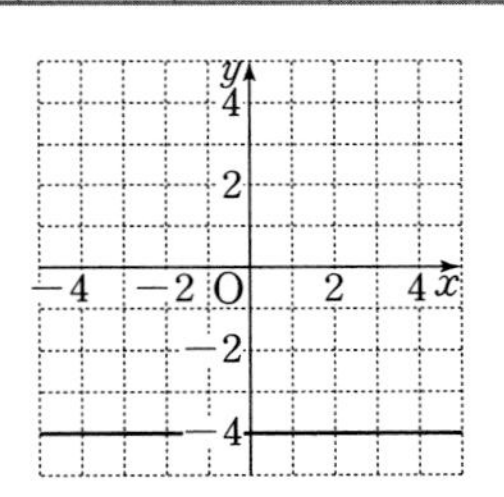

320 답 해설 참조

x	$\cdots$	1	2	3	4	$\cdots$
y	$\cdots$	3	3	3	3	$\cdots$

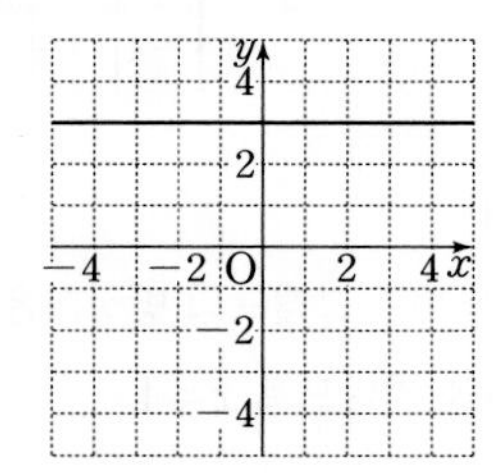

321 답 $y=8$

x축에 평행하는 그래프의 방정식은 $y=b$이고

점 $(0, 8)$을 지나므로 $y=8$

322 답 $y=-\frac{3}{4}$

x축에 평행하는 그래프의 방정식은 $y=b$이고

점 $\left(0, -\frac{3}{4}\right)$을 지나므로 $y=-\frac{3}{4}$

323 답 $y=-9$

모든 x의 값은 y의 값 -9에 대응하므로 $y=-9$

324 답 1) a, 없다, 아니다 2) b, 0, 함수

325 답 $y=2x-1$

기울기가 $\frac{7-(\boxed{-3})}{4-(\boxed{-1})}=\boxed{2}$이므로

직선의 방정식을 $y=\boxed{2}x+b$로 놓으면

점 $(4, 7)$을 지나므로 $b=\boxed{-1}$

$\therefore y=\boxed{2}x-\boxed{1}$

326 답 $y=\frac{1}{2}x+\frac{1}{2}$

기울기가 $\frac{2-(-1)}{3-(-3)}=\frac{1}{2}$이므로 $y=\frac{1}{2}x+b$

점 $(3, 2)$를 지나므로 $b=\frac{1}{2}$

$\therefore y=\frac{1}{2}x+\frac{1}{2}$

327 답 $y=-\frac{1}{3}x-\frac{1}{3}$

기울기가 $\frac{-2-2}{5-(-7)}=-\frac{1}{3}$이므로 $y=-\frac{1}{3}x+b$

점 $(5, -2)$를 지나므로 $b=-\frac{1}{3}$

$\therefore y=-\frac{1}{3}x-\frac{1}{3}$

328 답 $y=-2x+2$

기울기가 $\frac{-4-4}{3-(-1)}=-2$이므로 $y=-2x+b$

점 $(3, -4)$를 지나므로 $b=2$

$\therefore y=-2x+2$

329 답 $x=5$

점 $(\boxed{5}, 0)$을 지나고 $\boxed{y}$축에 평행한 직선이므로

직선의 방정식은 $x=\boxed{5}$이다.

330 답 $x=8$

점 $(8, 0)$을 지나고 y축에 평행한 직선이므로

직선의 방정식은 $x=8$이다.

331 답 $x=-\frac{1}{2}$

점 $\left(-\frac{1}{2}, 0\right)$을 지나고 y축에 평행한 직선이므로

직선의 방정식은 $x=-\frac{1}{2}$이다.

332 답 $x=-7$

점 $(-7, 0)$을 지나고 y축에 평행한 직선이므로

직선의 방정식은 $x=-7$이다.

333 답 $y=3$

점 $(0, \boxed{3})$을 지나고 $\boxed{x}$축에 평행한 직선이므로

직선의 방정식은 $y=\boxed{3}$이다.

334 답 $y=-2$

점 $(0, -2)$를 지나고 x축에 평행한 직선이므로

직선의 방정식은 $y=-2$이다.

335 답 $y=\frac{4}{3}$

점 $\left(0, \frac{4}{3}\right)$를 지나고 x축에 평행한 직선이므로

직선의 방정식은 $y=\frac{4}{3}$이다.

336 답 1) a, y 2) k, y 3) $y=k$, k, x

337 답 $x=-2$, $y=3$

두 그래프의 교점의 좌표가 연립방정식의 해이므로

$x=-2$, $y=3$이다.

338 답 $x=2,\ y=1$

두 그래프의 교점의 좌표가 연립방정식의 해이므로

$x=2,\ y=1$이다.

339 답 $x=-3,\ y=4$

두 그래프의 교점의 좌표가 연립방정식의 해이므로

$x=-3,\ y=4$이다.

340 답 $x=1,\ y=1$

두 그래프의 교점의 좌표가 연립방정식의 해이므로

$x=\boxed{1},\ y=\boxed{1}$이다.

341 답 $x=4,\ y=2$

두 그래프의 교점의 좌표가 연립방정식의 해이므로

$x=4,\ y=2$이다.

342 답 $x=-4,\ y=3$

두 그래프의 교점의 좌표가 연립방정식의 해이므로

$x=-4,\ y=3$이다.

343 답 $a=-1,\ b=1$

연립방정식의 해가 $x=\boxed{3},\ y=-2$이므로

$x+ay=5$에 대입하면

$\boxed{3}-2a=5 \quad \therefore a=\boxed{-1}$

$x=\boxed{3},\ y=-2$를 $bx+y=1$에 대입하면

$\boxed{3}b-2=1 \quad \therefore b=\boxed{1}$

344 답 $a=1,\ b=3$

연립방정식의 해가 $x=\boxed{2},\ y=\boxed{1}$이므로

$ax-2y=0$에 대입하면

$\boxed{2}a-2=0 \quad \therefore a=\boxed{1}$

$x=\boxed{2},\ y=\boxed{1}$을 $x+y=b$에 대입하면

$\boxed{2}+\boxed{1}=b \quad \therefore b=\boxed{3}$

345 답 $a=1,\ b=5$

$x=-5,\ y=2$를 $x+ay=-3$에 대입하면

$-5+2a=-3 \quad \therefore a=1$

$x=-5,\ y=2$를 $x+5y=b$에 대입하면

$-5+10=b \quad \therefore b=5$

346 답 $a=2,\ b=5$

$x=-4,\ y=-4$를 $x-ay=4$에 대입하면

$-4+4a=4 \quad \therefore a=2$

$x=-4,\ y=-4$를 $bx-4y=-4$에 대입하면

$-4b+16=-4 \quad \therefore b=5$

347 답 $a=3,\ b=5$

$x=5,\ y=3$을 $ax-5y=0$에 대입하면

$5a-15=0 \quad \therefore a=3$

$x=5,\ y=3$을 $6x-by=15$에 대입하면

$30-3b=15 \quad \therefore b=5$

348 답 교점, 연립, 해

349 답 $x=3,\ y=-1$, 그래프는 해설 참조

두 일차방정식의 그래프가 만나는 점의 좌표가 $(\boxed{3},\ \boxed{-1})$이므로 연립방정식의 해는 $x=\boxed{3},\ y=\boxed{-1}$이다.

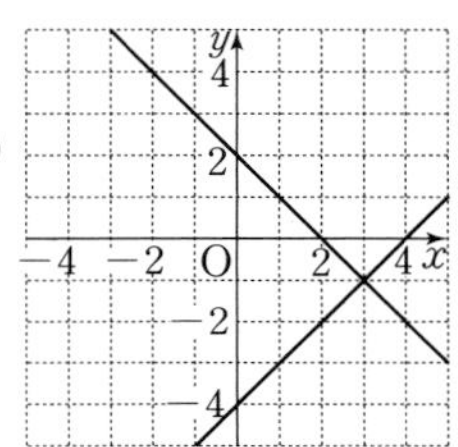

350 답 $x=2,\ y=4$, 그래프는 해설 참조

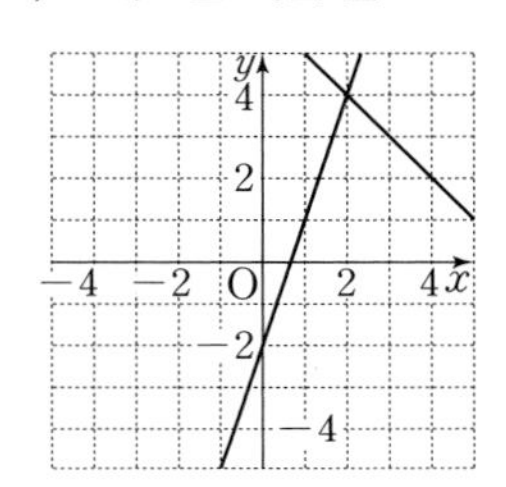

두 일차방정식의 그래프가 만나는 점의 좌표가 $(2,\ 4)$이므로 연립방정식의 해는 $x=2,\ y=4$이다.

351 답 $x=0,\ y=2$, 그래프는 해설 참조

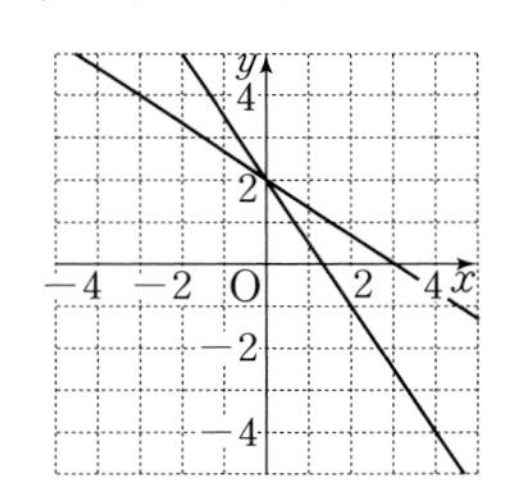

두 일차방정식의 그래프가 만나는 점의 좌표가 $(0,\ 2)$이므로 연립방정식의 해는 $x=0,\ y=2$이다.

352 답 $x=2,\ y=-1$, 그래프는 해설 참조

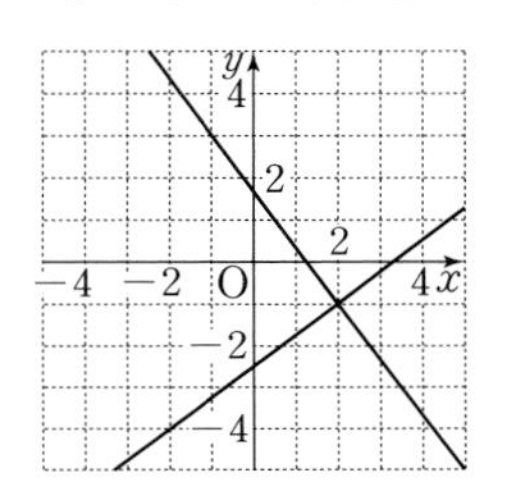

두 일차방정식의 그래프가 만나는 점의 좌표가 $(2,\ -1)$이므로 연립방정식의 해는 $x=2,\ y=-1$이다.

353 답 **평행, 0**

$\frac{\boxed{6}}{6}=\frac{\boxed{-5}}{-5}\neq\frac{\boxed{0}}{15}$이므로 두 직선은 $\boxed{\text{평행}}$하고, 해의 개수는 $\boxed{0}$개이다.

354 답 **평행, 0**

$\frac{4}{-2}=\frac{-2}{1}\neq\frac{3}{1}$이므로 두 직선은 평행하고, 해의 개수는 0개이다.

355 답 **일치, 무수히 많다**

$\frac{3}{9}=\frac{-1}{-3}=\frac{4}{12}$이므로 두 직선은 일치하고, 해의 개수는 무수히 많다.

356 답 **한 점에서 만난다, 1**

$\frac{-6}{2}\neq\frac{1}{-1}$이므로 두 직선은 한 점에서 만나고, 해의 개수는 1개이다.

357 답 **평행, 0**

$\frac{7}{-7}=\frac{3}{-3}\neq\frac{1}{4}$이므로 두 직선은 평행하고, 해의 개수는 0개이다.

358 답 **한 점에서 만난다, 1**

$\frac{2}{-1}\neq\frac{-3}{2}$이므로 두 직선은 한 점에서 만나고, 해의 개수는 1개이다.

359 답 **한 점에서 만난다, 1**

$\frac{3}{-1}\neq\frac{-5}{-1}$이므로 두 직선은 한 점에서 만나고, 해의 개수는 1개이다.

360 답 **일치, 무수히 많다**

$\frac{\frac{1}{2}}{1}=\frac{2}{4}=\frac{4}{8}$이므로 두 직선은 일치하고, 해의 개수는 무수히 많다.

361 답 $a=1$, $b=-2$

직선 $x-ay=2$가 점 $(0, -2)$를 지나므로

$0-a\times(-2)=2$ $\quad\therefore a=\boxed{1}$

직선 $2x+y=b$가 점 $(0, -2)$를 지나므로

$2\times0-2=b$ $\quad\therefore b=\boxed{-2}$

362 답 $a=4$, $b=3$

직선 $ax+y=4$가 점 $(1, 0)$을 지나므로

$a+0=4$ $\quad\therefore a=4$

직선 $3x-y=b$가 점 $(1, 0)$을 지나므로

$3-0=b$ $\quad\therefore b=3$

363 답 $a=1$, $b=2$

직선 $y=-3x+a$가 점 $(0, 1)$을 지나므로 $a=1$

직선 $x-by=-2$가 점 $(0, 1)$을 지나므로 $b=2$

364 답 $a=3$, $b=2$

직선 $ax+2y=9$가 점 $(1, 3)$을 지나므로

$a+2\times3=9$ $\quad\therefore a=3$

직선 $y=bx+1$이 점 $(1, 3)$을 지나므로

$3=b+1$ $\quad\therefore b=2$

365 답 $a=1$, $b=-4$

직선 $ax+y=-3$이 점 $(-2, -1)$을 지나므로

$-2a+(-1)=-3$ $\quad\therefore a=1$

직선 $3x+by=-2$가 점 $(-2, -1)$을 지나므로

$-6-b=-2$ $\quad\therefore b=-4$

366 답 1) (p, q) 2) $\neq$, $=$, $\neq$, $=$, $=$

단원 총정리 문제 정답 Ⅳ일차함수와 그래프

pp.166~169

01 $\frac{2}{3}$	02 ④	03 ④	04 ②	
05 $f(x)=-3x$		06 ③, ④	07 -1	08 48
09 -6	10 ③	11 ②, ③	12 6	13 ③
14 해설 참조		15 ④	16 ③	17 0
18 ⑤	19 (1) $y=200x$ (2) $y=150x$ (3) 150 m			
20 4	21 ①	22 ②	23 ②	24 ⑤
25 $-\frac{49}{25}$	26 ①	27 ④	28 ③	29 2
30 $x=2$, $y=4$		31 ①	32 30분	33 32분

01 답 $\frac{2}{3}$

$f(3)=a$에서 $a=3$이므로 $g(a)=g(3)=\frac{2}{3}$

02 답 ④

두 함수 $y=ax$, $y=bx$의 그래프는 제 2사분면과 제 4사분면을 지나고 $y=cx$의 그래프는 제 1사분면과 제 3사분면을 지나므로 $a<0$, $b<0$, $c>0$

함수 $y=bx$의 그래프가 함수 $y=ax$의 그래프보다 y축에 가까우므로 $|b|>|a|$

$\therefore b<a$

$\therefore c>a>b$

03 답 ④

함수 $y=\frac{1}{7}x$의 그래프에 $x=a$, $y=a-2$를 각각 대입하면

$a-2=\frac{1}{7}a$, $\frac{6}{7}a=2$

$\therefore a=\frac{7}{3}$

04 답 ②

② 원점을 지난다.

05 답 $f(x)=-3x$

$f(x)=ax(a\neq0)$이므로 $f(3)=-9$에서

$-9=3a$ $\quad\therefore a=-3$

$\therefore f(x)=-3x$

06 답 ③, ④

① 원점을 지나지 않는다.

② 제 1사분면과 제 3사분면을 지난다.

⑤ $x<0$일 때, x의 값이 증가하면 y의 값은 감소한다.

07 답 -1

$y=\frac{a}{x}$ $(a\neq0)$에 $x=3$, $y=2$를 각각 대입하면

$2=\frac{a}{3}$ $\quad\therefore a=6$

즉, $y=\frac{6}{x}$에 $x=-6$을 대입하면

$y=\frac{6}{-6}$ $\quad\therefore y=-1$

따라서 점 A의 y좌표는 -1이다.

08 답 48

$y=\frac{3}{2}x$에 $x=8$을 대입하면 $y=\frac{3}{2}\times8=12$

$\therefore$ P(8, 12)

삼각형 POQ의 밑변을 $\overline{OQ}$, 높이를 $\overline{QP}$라고 하면 $\overline{OQ}$의 길이는 점 P의 x좌표, $\overline{QP}$의 길이는 점 P의 y좌표와 같다.

$\therefore \triangle POQ=\frac{1}{2}\times8\times12=48$

09 답 -6

$y=\frac{20}{x}$에 $x=-2$를 대입하면 $y=\frac{20}{-2}=-10$

$\therefore$ A$(-2, -10)$

$y=\frac{20}{x}$에 $x=5$를 대입하면 $y=\frac{20}{5}=4$

$\therefore$ B(5, 4)

따라서 두 점 A, B의 y좌표의 합은 $-10+4=-6$이다.

10 답 ③

① $y=-4$

② $y=\frac{1}{x}$

④ $y=x^2+1$

⑤ $y=\frac{x}{2}-\frac{x^2}{2}$

11 답 ②, ③

① $y=5000+3x$

② $xy=32$ $\quad\therefore y=\frac{32}{x}$

③ $\frac{1}{2}xy=10$ $\quad\therefore y=\frac{20}{x}$

④ $y=220-11x$

⑤ $y=18-0.4x$

12 답 6

$f(3)=-2$에서 $3a+4=-2$이므로 $3a=-6$

$\therefore a=-2$

따라서 $f(x)=-2x+4$이므로

$f(-1)=-2\times(-1)+4=2+4=6$

13 답 ③

일차함수 $y=ax$의 그래프를 y축의 방향으로 3만큼 평행이동하면 $y=ax+3$이므로

$a=-3$, $b=3$

$\therefore a+b=0$

14 답 해설 참조

$x=0$일 때 $y=3$, $x=2$일 때 $y=4$이므로 두 점 $(0, 3)$, $(2, 4)$를 좌표평면 위에 나타내고 직선으로 연결하여 그래프를 그린다.

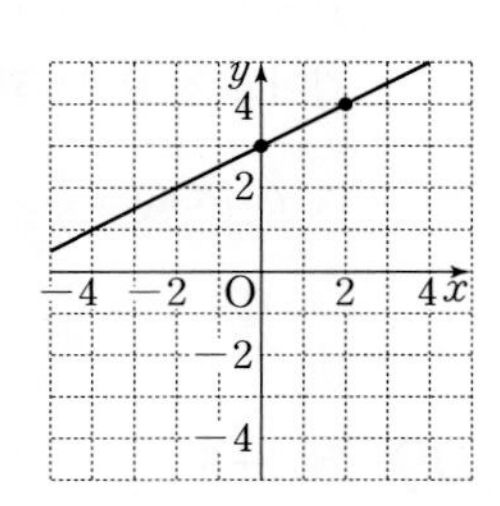

15 답 ④

$y=0$일 때, $0=\frac{3}{8}x-6$이므로 $x=16$

$x=0$일 때, $y=-6$

따라서 $a=16$, $b=-6$이므로 $a+b=10$

16 답 ③

$(\text{기울기})=\frac{(y\text{의 값의 증가량})}{(x\text{의 값의 증가량})}=\frac{-2}{8}=-\frac{1}{4}$인 일차함수는 ③이다.

17 답 0

$y=ax+b$로 놓고 두 점 $(4, 2)$, $(-2, 5)$의 좌표를 각각 대입하면 $2=4a+b$, $5=-2a+b$

$\therefore a=-\frac{1}{2}$, $b=4$

$\therefore y=-\frac{1}{2}x+4$ … ㉠

㉠에 $x=8$, $y=k$를 대입하면 $k=0$

18 답 ⑤

일차함수 $y=\frac{3}{4}x-3$의 그래프의 x절편은 4, y절편은 -3이다.

19 답 (1) $y=200x$ (2) $y=150x$ (3) 150 m

(1) $y=ax(a\neq0)$에 $x=1$, $y=200$을 대입하면 $a=200$

$\therefore y=200x$

(2) $y=bx(b\neq0)$에 $x=1$, $y=150$을 대입하면 $b=150$

$\therefore y=150x$

(3) 출발한 지 3분 후이므로 재환이는 600 m, 진영이는 450 m를 이동하였으므로 둘 사이의 거리는

$600-450=150$ (m)

20 답 4

일차함수 $y=-\frac{1}{2}x+2$의 그래프는 x절편이 4, y절편이 2이므로 오른쪽 그림과 같다.

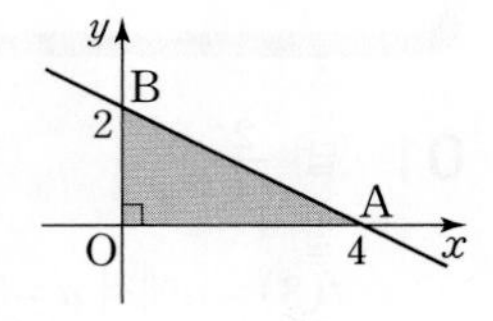

$\therefore \triangle OAB=\frac{1}{2}\times4\times2=4$

21 답 ①

$(\text{기울기})=-a<0$ $\therefore a>0$

$(y\text{절편})=-b<0$ $\therefore b>0$

22 답 ②

$y=\frac{4}{5}x+b$로 놓고 $x=15$, $y=-4$를 각각 대입하면

$-4=\frac{4}{5}\times15+b, -4=12+b$ $\therefore b=-16$

$\therefore y=\frac{4}{5}x-16$

23 답 ②

$(\text{기울기})=\frac{-4-(-1)}{3-8}=\frac{-3}{-5}=\frac{3}{5}$이므로 $y=\frac{3}{5}x+b$로 놓고 $x=3$, $y=-4$를 각각 대입하면

$-4=\frac{3}{5}\times3+b$, $-4=\frac{9}{5}+b$

$\therefore b=-\frac{29}{5}$

$\therefore y=\frac{3}{5}x-\frac{29}{5}$

24 답 ⑤

$3x-6y+18=0$을 y에 대하여 풀면

$y=\frac{3}{6}x+\frac{18}{6}=\frac{1}{2}x+3$

① x의 값이 증가할 때 y의 값도 증가한다.

② x절편은 -6이다.

③ y절편은 3이다.

④ 제 1, 2, 3사분면을 지난다.

25 답 $-\frac{49}{25}$

$4x-5y+7=0$을 y에 대하여 풀면 $y=\frac{4}{5}x+\frac{7}{5}$이므로

$a=\frac{4}{5}$, $b=-\frac{7}{4}$, $c=\frac{7}{5}$

$\therefore abc=\frac{4}{5}\times\left(-\frac{7}{4}\right)\times\frac{7}{5}$

$=-\frac{49}{25}$

26 답 ①

(기울기)$=\frac{2}{3}$, (y절편)$=2$이므로 $y=\frac{2}{3}x+2$

$\therefore 2x-3y+6=0$

27 답 ④

x축에 평행한 직선의 방정식은 $y=a$이고, 점 $(2, -3)$을 지나므로 $a=-3$

$\therefore y=-3$

28 답 ③

두 점의 x좌표가 같으므로 $x=6$

③ $x-6=0$에서 $x=6$

29 답 2

x축에 수직인 직선의 방정식은 $x=p$이다.

이 직선 위의 점들의 x좌표는 모두 같으므로

$-2a-1=3a-11$, $5a=10$

$\therefore a=2$

30 답 $x=2$, $y=4$

두 일차방정식의 그래프의 교점의 좌표가 $(2, 4)$이므로 구하는 해는 $x=2$, $y=4$이다.

31 답 ①

$\begin{cases} y=\frac{a}{5}x-\frac{12}{5} \\ y=-\frac{3}{5}x+\frac{b}{5} \end{cases}$ 에서

$\frac{a}{5}=-\frac{3}{5}$ $\quad\therefore a=-3$

$-\frac{12}{5}=\frac{b}{5}$ $\quad\therefore b=-12$

$\therefore a-b=-3-(-12)=9$

32 답 30분

불을 붙인 지 x분 후에 남은 초의 길이를 y cm라고 하면

x와 y 사이의 관계식은 $y=50-\frac{4}{5}x$이고, $y=26$을 대입하면

$26=50-\frac{4}{5}x$ $\quad\therefore x=30$(분)

33 답 32분

x분 후에 수조에 들어 있는 물의 양을 y L라고 하면

$y=4+\frac{1}{2}x$이고, $y=20$을 대입하면

$20=4+\frac{1}{2}x$ $\quad\therefore x=32$(분)

memo